La famille du lac

Tome 3 - Héléna

Guy Saint-Jean Éditeur
4490, rue Garand
Laval (Québec) Canada H7L 5Z6
450 663-1777
info@saint-jeanediteur.com
saint-jeanediteur.com

• • • • • • • • • • • • • • • • •

Données de catalogage avant publication disponibles à Bibliothèque et Archives nationales du Québec et à Bibliothèque et Archives Canada

• • • • • • • • • • • • • • • • •

Nous reconnaissons l'aide financière du gouvernement du Canada par l'entremise du Fonds du livre du Canada (FLC) ainsi que celle de la SODEC pour nos activités d'édition. Nous remercions le Conseil des arts du Canada de l'aide accordée à notre programme de publication.

Conseil des Arts du Canada · Canada Council for the Arts

Gouvernement du Québec — Programme de crédit d'impôt pour l'édition de livres — Gestion SODEC

Édition : Isabelle Longpré
Révision : Isabelle Pauzé
Correction d'épreuves : Johanne Hamel
Conception graphique de la page couverture : Olivier Lasser
Mise en pages : Christiane Séguin
Photographie de la page couverture : depositphotos/jeneva86

Dépôt légal — Bibliothèque et Archives nationales du Québec, Bibliothèque et Archives Canada, 2017
ISBN : 978-2-89758-361-3
ISBN EPUB : 978-2-89758-362-0
ISBN PDF : 978-2-89758-363-7

Imprimé et relié au Canada

1re impression, septembre 2017

Guy Saint-Jean Éditeur est membre de l'Association nationale des éditeurs de livres (ANEL).

GILLES CÔTES

La famille du lac

Tome 3 - Héléna

« Ceux qui échangent des secrets
doivent prendre garde à la pesée. »

ROBERT SABATIER

Poète et écrivain (1923-2012)

A été directeur littéraire aux Éditions Albin Michel

Les lieux et les époques dans lesquels se déploie *La famille du lac* ont fait l'objet d'une recherche attentive qui avait pour but de créer l'ambiance, mais non l'exactitude absolue. Parfois, l'auteur a pris des libertés de lieux et de temps qui servaient le déroulement romanesque.

Quant aux personnages, ils ont été empruntés à une réalité imaginaire qui n'existe que dans la tête des écrivains. Faite de souvenirs, de rêves, d'émotions, de lectures, de paroles entendues, de gens croisés dans une vie et de sentiers empruntés par notre destin, elle donne vie à des Fabi, Héléna, Yvonne, Francis et bien d'autres que l'on finit par aimer, comme s'ils étaient faits de chair et de sang.

Arbre généalogique

LA FAMILLE MARTEL

Aristide – Marie-Jeanne

(1892-1940) (1890-)

Héléna	Francis	Fabi	Blanche	Aldéric	Émilien	Lucienne	Yvonne	Georges
(1921-)	(1919-)	(1918-)	(1917-1918)	(1916-1932)	(1915-1918)	(1914-1918)	(1913-)	(1911-)

CHAPITRE 1

Résidence Clair de lune, Trois-Rivières, printemps 2002

Héléna regarde son amie déposer le manuscrit. Elle lui est reconnaissante de faire une pause. Le retour de Fabi avait été un choc intense pour elle. Elle s'en souvient avec amertume. « À mesure que sa sœur avançait dans l'allée de l'église Saint-Zéphyrin, à La Tuque, elle se recroquevillait sur son banc, écrasée par la culpabilité. Marie-Jeanne pleurait et s'agitait à ses côtés. Son frère, Francis, avait pris place dans le banc, derrière eux. Elle voyait que ses mains tremblaient en s'appuyant sur le dossier. Il regardait sans cesse vers l'arrière de l'église, au-delà de Fabi. Celle-ci s'immobilisa au milieu de l'allée en même temps que résonnaient les dernières notes de l'orgue. » Quand Héléna y repense, sa sœur rayonnait dans son manteau fatigué. On aurait dit une sainte apparition. Ses joues étaient rosies par le froid de ce 21 décembre 1941. Ses cheveux défaits avaient l'air d'avoir été sculptés par les anges. On oubliait la boiteuse pour ne voir que l'icône. Le silence était pesant et lourd de sens. Ceux qui ne la reconnaissaient pas se taisaient par respect.

Ils voyaient bien que la mariée et sa proche famille étaient sous le choc. La foule se retourna d'un bloc vers l'autel quand Yvonne poussa un cri et s'évanouit dans les bras de son futur époux. Le bruit des voix enfla dans l'église. Une mêlée confuse s'ensuivit. Héléna aurait voulu être ailleurs.

— Veux-tu que je continue? demande Huguette Lafrenière.

— C'est aussi ben. Comme ça, ça va être fait! Reprends quand Yvonne s'évanouit.

— Tu veux pas qu'on attende ton gars? Asteure qu'y'é revenu…

— Jean, c'est une tête de cochon, comme son grand-père!

— Je peux essayer de lui parler, si tu veux.

— Au point où j'en suis. T'as ben beau. Mais avant, finis la journée de la noce.

Huguette positionne ses lunettes avant de poursuivre.

La Tuque, hiver 1941

La cérémonie fut décalée. Antoine transporta Yvonne dans ses bras et disparut par une porte derrière l'autel, suivi du curé, de Georges et des parents d'Antoine. Sans maître pour officier, la foule des invités se retira, dans le plus grand désordre, à l'arrière de l'église, pour commenter l'évènement. Marie-Jeanne était figée, ne sachant vers laquelle de ses filles diriger son soutien. Elle se leva finalement pour serrer Fabi dans ses bras. Elle répétait « Ma p'tite fille ! » et ne trouvait rien d'autre à dire, déchirée par ses émotions. Francis était inquiet par toute cette agitation. Moi, je n'arrivais pas à me dessouder de mon banc. J'avais l'impression que le ciel s'était écroulé sur la nef et que la chute du toit n'avait épargné personne. Quand ma mère retraita vers l'autel, Matthew se leva sans un mot et partit rejoindre Fabi. Je les vis s'asseoir, l'un près de l'autre, au milieu de l'église désertée. J'étais redevenue la petite sœur fragile condamnée à épier les autres. Sauf que je n'avais aucune envie d'entendre les retrouvailles de Fabi et de son amoureux. J'avais l'impression de vivre un cauchemar. Ce retour impromptu allait sonner le glas de mes mensonges. Marie-Jeanne comprendrait que c'était moi la personne qui portait le mal dans son entourage, comme l'avait deviné le guérisseur de Saint-Prosper. Je devrais avouer mes fautes, concernant le vicaire, Josette et Jeffrey. Je me sentais mourir de honte, seule sur mon banc.

Après ce qui me parut une éternité, Fabi vint me rejoindre. Elle me toucha l'épaule et j'acceptai l'ouverture de ses bras. Je pleurai dans son cou. Elle attendit que j'épuise mon affolement avant de me parler.

— J't'en veux pas, Héléna. Les p'tites religieuses m'ont appris le pardon. Après tout, c'est un peu de ma faute, tout ça. T'as fait ce que je t'ai demandé de faire. J'ai dit à Matthew que je retournerais à Québec.

Emmanchée comme j'le suis, j'ai décidé de rester avec la congrégation. Inquiète-toé pas, j'prends pas le voile! J'veux rester libre, mais j'veux les aider dans leurs bonnes œuvres autant qu'elles m'ont aidée à me remettre.

— Fabi, j'me sens tellement mal. Je t'ai menti plusieurs fois…

— Arrête, la p'tite sœur. Tu m'apprends rien sur tes défauts. J'suis pas venue mettre le trouble. Il fallait juste que je revoie ma famille. J'suis contente d'avoir vu le petit atelier de Francis, mais mon frère a l'air fatigué. On a jasé un peu en s'en venant à l'église. On a fait ça vite, on était en retard. Asteure, j'vais aller parler à Yvonne pour y dire comment qu'elle est belle. Elle va l'avoir, sa cérémonie. On le sait toutes les deux qu'elle rêvait juste de ça.

— Et… Matthew?

— Il m'a dit qu'il préférait s'en retourner. Faut le comprendre, y pensait pas me revoir. Il est un peu sonné. J'aurais dû prévenir, mais j'me suis décidée à la dernière minute. C'est un adon qu'une des sœurs de la congrégation soit venue à La Tuque. Elle m'a informée du mariage d'Yvonne. Elle me l'a dit hier matin. Elle m'a rapporté une copie du journal où les bans sont publiés. J'ai vu aussi qu'il y avait une petite publicité pour la bijouterie de Francis. J'me suis dit que c'était le temps que j'arrête de me cacher. S'il faut que je paye pour ce que j'ai fait, ben j'payerai. Ça fait que j'ai pris le premier train pour La Tuque, pis me v'là! Un peu plus, j'étais en retard! Pour Matthew, tu y parleras un autre jour. Y va comprendre. C'est un bon gars. Moé, j'ai tourné la page avec lui, pis avec tout le reste. J't'en veux pas de m'avoir rien dit pour le mariage. Asteure, j'vais aller voir ma mère avant qu'elle fasse une syncope. J'y ai dit de s'occuper d'Yvonne, c'est sa journée à elle. Inquiète-toé pas, j'vais leur dire que j'suis allée au nord, avec les Indiens, pis que c'est là que j'ai perdu des morceaux.

J'étais sidérée. À mes yeux, je ne méritais pas une telle compassion de la part de Fabi. Je m'attendais à des coups de griffes, à recevoir des blessures profondes qui me laisseraient déchiquetée sur le parvis de l'église. Je le méritais. Dans la seconde, j'étais prête à tout avouer. J'étais à deux doigts de me débarrasser de l'autre. Mais hormis le départ de Matthew, rien ne me tombait sur la tête. Comme toujours, Fabi me protégeait. Tout se remettait en place. Personne ne me traiterait de menteuse, à part Matthew, que j'avais déçu.

Le curé vint annoncer que la cérémonie reprendrait. Les invités réintégrèrent leurs places. L'organiste marqua le mouvement d'une mélodie joyeuse.

Quand Marie-Jeanne revint près de moi, elle s'empressa d'égrener son chapelet tout en s'épongeant les yeux. J'évitai de croiser son regard. Fabi remplaça Matthew à mes côtés, pendant qu'Yvonne et Antoine se rejoignaient à nouveau devant le prêtre. Le mariage se déroula au ralenti. On aurait dit que chacun avait peur de trop en faire, d'être à l'origine d'un autre tracas pour les mariés.

Après les déclarations de fidélité, Antoine passa le jonc au doigt de sa femme et ils s'embrassèrent. Quand le cortège se mit en branle, Yvonne avait retrouvé son aplomb. Je ne pouvais pas en dire autant, avec Fabi qui boitillait à mes côtés. Il me semblait que nous étions le principal objet de curiosité. L'absence de Matthew était une gifle qui me rougissait les joues et appesantissait mon pas. De triomphante, à l'entrée, j'étais devenue une triste perdante, à la sortie. Tout le monde s'installa sur les marches extérieures devant l'église, pour la photo traditionnelle. J'étais en première ligne, à la droite du couple de mariés. Le photographe mit de longues minutes à donner ses consignes et à repositionner les invités. Quand finalement le flash nous éblouit, quelques flocons tourbillonnaient au-dessus des têtes. L'un d'eux fut capturé par la lumière et me fit une larme scintillante. Curieusement, le temps a terni le cliché, mais n'est jamais venu à bout de ce détail.

La noce eut l'air de se dérouler normalement, mais au ras des tables, les cancans prenaient vie et les regards à la dérobée se multipliaient. Yvonne exécuta les gestes de circonstance. Elle coupa le gâteau, embrassa cent fois son Antoine, lança sa jarretière, valsa avec son frère Georges et le père de son mari, but le champagne et m'apparut heureuse. Et je crois qu'elle l'était. Plus que moi, en tout cas.

Francis quitta la salle tôt après le repas. Il ne se sentait pas bien. J'expliquai brièvement à Fabi les problèmes qu'il éprouvait, car il n'était pas facile d'avoir une conversation avec l'orchestre et le brouhaha des invités. Elle m'écouta sans trop poser de questions. Il faut dire que Marie-Jeanne ne la lâchait pas d'un poil, comme si elle avait peur qu'elle se volatilise à nouveau. Le retour de Fabi lui causait un mélange d'émotions qui la détournaient du mariage d'Yvonne. Je savais qu'elle tâtait de la main les grains de son chapelet dans sa sacoche. À la fois pour remercier le ciel, mais aussi pour demander de nouvelles indulgences pour les mutilations de sa fille.

J'acceptai sans entrain quelques demandes pour la piste de danse. Personne n'invita Fabi. Son handicap rendait mal à l'aise. On la saluait en passant, certains risquaient une question banale et s'enfuyaient dès la réponse obtenue. J'étais triste pour elle, mais heureuse en même temps qu'elle soit revenue.

Je me souviens vaguement de mon départ, un peu avant minuit. J'avais trop bu. Ce n'était pas dans mes habitudes. L'alcool est un mauvais diluant pour les peines d'amour. Dans le taxi, Marie-Jeanne se frottait le foie et moi, j'avais la tête qui tournait. Fabi nous avait précédées depuis deux bonnes heures et avait accepté l'invitation à coucher de Géraldine. Les mariés occupaient une chambre à l'hôtel et partiraient en voyage de noces à Québec dès le lendemain après-midi. Pour une fois, Yvonne raterait notre rassemblement de famille pour la fête de Noël. J'étais certaine qu'elle en était aussi chagrinée que moi, mais je me consolais en pensant qu'elle serait avec nous pour le jour de l'An.

De toute façon, son nuage de bonheur était affrété et le traîneau du Père Noël n'y pouvait pas grand-chose!

Arrivée dans ma chambre, je pleurai tout mon soûl, la tête enfouie dans l'oreiller. J'avais perdu mon bel amoureux et mon piédestal de princesse, en moins de temps qu'il n'en faut pour le dire. Toute la soirée, j'avais menti sur l'absence de Matthew: une urgence à l'usine l'avait obligé à manquer la noce. Certains n'étaient pas dupes et riaient sous cape. J'avais senti en moi monter l'envie d'ouvrir ma porte intérieure et de libérer mon double. Je m'étais contentée de boire plus qu'il ne fallait. Mon désir de m'enfuir était revenu, plus intense que jamais. Ma peine l'était autant. Je combattis jusqu'à l'épuisement. Sans rêver, je traversai une nuit noire et profonde.

Résidence Clair de lune, Trois-Rivières, printemps 2002

Héléna a le visage crispé. Ses lèvres sèches bougent comme si elle répétait les mots en écholalie. Huguette interrompt à nouveau sa lecture. Par la fenêtre, une neige fondante tombe à gros flocons. Le printemps s'étire. À moins que ce ne soit le temps qui, dans cette chambre, a ralenti. Comme s'il voulait que la fin puisse s'inscrire comme dans les films, en grosses lettres bien visibles. Mais il restait encore bien des mots à venir.

— T'as dû avoir de la peine sans bon sens cette nuit-là.

— Approche. Serre-moé dans tes bras.

Huguette baisse la ridelle du lit et se couche à demi contre son amie. Son invite lui va droit au cœur. Elle attendait un moment semblable depuis des jours. Ses joues se colorent et ses yeux se brouillent. La proximité est déroutante. Elle réveille le souvenir de l'amour perdu. Quelque part au fond d'elle, des gestes résistent à l'oubli. Sa main caresse les cheveux, son visage frôle la joue ridée. Elle lui fredonne un air ancien à l'oreille. Elle sait qu'Héléna est au fond de son lit, loin en 1941, et qu'elle grelotte du froid de l'abandon. Son corps amaigri est semblable à celui de Béatrice, un peu avant qu'elle ne meure du cancer. Son besoin d'amour est le même. Huguette ferme les yeux pour retrouver sa conjointe. Elle existe à nouveau.

— Dis-moé que tu vas être là quand j'vais mourir, Huguette.

— Ben sûr que j'vais être là. Ton fils aussi va y être.

— J'aimerais ça te croire!

CHAPITRE 2

Hôtel Delta, Trois-Rivières, printemps 2002

La réceptionniste lève les yeux au-dessus du comptoir. Elle discute à l'aide d'un minuscule micro suspendu au bout d'une tige accrochée à son oreille. De ses deux mains, elle trie une pile de factures. Huguette répond à ses mimiques sans savoir si elle en est la destinataire. Elle vient de traverser Trois-Rivières en autobus, de franchir deux pâtés de maisons à pied, parce qu'elle a manqué l'arrêt, et de gravir une vingtaine de marches. Son attention est perturbée par des élancements arthritiques au niveau des genoux et par le fait qu'elle ne sait pas comment Jean Fournier va l'accueillir.

— Que puis-je faire pour vous, madame?

— C'est à moi que vous parlez?

— Oui. Allez-y!

— Il y a un monsieur Jean Fournier qui a pris une chambre ici.

— Attendez un instant, SVP. Je vous reviens! chantonne-t-elle dans son micro, en élargissant son sourire.

— Y a pas de problème, dit Huguette.

— Je vous écoute.

Devant le mutisme d'Huguette, la jeune femme fait une grimace invitante.

— Allez-y, madame. Je vous écoute.

— À qui vous parlez ?

— Mais à vous. Vous disiez Jean… ?

— Je voudrais voir monsieur Jean Fournier.

— Vous avez le numéro de la chambre ?

— Non. C'est pour ça que je vous le demande.

— Ne quittez pas, je suis à vous dans la minute, reprend la réceptionniste en s'adressant, cette fois, à son interlocuteur en attente.

— Décidez-vous ! J'vais pas m'en aller, j'viens d'arriver, s'impatiente Huguette.

— Jean Fournier, vous dites. Oui, il a bien une chambre ici. C'est la 327. L'ascenseur est au fond.

— C'est à quel étage ?

— Au troisième. Voulez-vous avec vue sur le fleuve ? Vous restez combien de nuits ? Je vérifie ce qu'on a.

— J'viens pas coucher. J'ai ma place à la résidence, l'interrompt Huguette, irritée par ce méli-mélo.

— Vous voulez autre chose, madame ?

— Coudonc, faites-vous toujours deux affaires en même temps ? On sait pas à qui vous parlez !

— Désolée, ma collègue est pas rentrée de son dîner. Ça fait exprès, j'ai un autre appel. Excusez-moi.

Huguette la laisse à son travail schizophrénique et va s'asseoir dans le hall. Elle se cale dans un fauteuil immense et se frotte les genoux. Que va-t-elle bien pouvoir dire au fils d'Héléna ? Il avait plutôt l'air à cran en rapportant la dernière partie du manuscrit à sa mère. Pendant qu'elle essaye de trouver un déroulement acceptable à leur rencontre, Jean Fournier pénètre dans le hall et gravit les escaliers en face d'elle. Elle émerge de son fauteuil en agrippant les accoudoirs, non sans difficulté.

— Monsieur Fournier ?

— Ouais.

— Vous me reconnaissez pas ?

— Ah ! C'était vous avec ma mère.

— C'est ça. J'suis sa liseuse. J'peux-tu vous parler ?

— J'vous écoute.

— Assoyez-vous, ce sera pas long.

— C'est elle qui vous envoie ?

— Non, c'est moé qui s'est offerte.

— J'arrive de chez le notaire. Y m'a dit que, comme j'étais l'unique héritier, j'avais pas le choix d'être l'exécuteur du testament.

— Fait que vous allez rester ? demande Huguette, trop fière de s'en tirer si facilement.

— J'suis pas obligé. Il peut s'en occuper à ma place, pis me tenir au courant. C'est ça que j'ai choisi.

— Ah ! Vous savez qu'Héléna… votre mère, s'est donné beaucoup de mal pour écrire…

— C'est son affaire !

— Votre mère va mourir.

— Pis? On va tous passer par là! Vous comme moé! C'est juste une question de temps.

— J'vous connais pas, monsieur Fournier, mais je connais un peu Héléna. Pas mal plus depuis que je lis son livre. J'le sais pas ce qui s'est passé, la fois du feu. On est pas encore rendues là dans la lecture. Mais j'pense que ça vaut la peine que vous entendiez ce qu'elle a à dire. Votre mère était peut-être pas la femme que vous pensez.

— Pour ça, il faudrait savoir ce que j'en pense.

— Avec ce que j'ai lu jusqu'à maintenant, j'ai mon idée là-dessus.

— Moé non plus, j'vous connais pas, madame. Mais je sais qu'y faut pas croire tout ce qu'on nous raconte.

— C'est vrai. Mais faut d'abord écouter l'histoire avant de décider qu'on y croit pas. Venez donc à soir à sept heures avant de juger.

— À soir, j'peux pas. J'ai rendez-vous avec un client sur l'heure du souper.

— Vous faites quoi dans la vie?

— Je suis ébéniste. Je fais des meubles sur mesure.

— D'une certaine façon, vous êtes un artiste. Vous utilisez le bois pour fabriquer des choses utiles. Comme votre mère utilise les mots pour faire un livre, dit Huguette en pleine inspiration.

— À la différence que la chaise que je fabrique a rien d'inventé. On peut se mettre le cul dessus sans tomber à terre!

Huguette cherche la répartie qui pourrait ébranler la conviction du barbu. Elle reconnaît, dans ce franc-parler, un héritage venu tout droit d'Héléna.

— Mais faut toujours ben l'essayer, votre chaise, pour savoir si elle est solide.

— J'suis pus un enfant pour me faire lire des histoires. Pis j'ai pas rien que ça à faire.

— Pourquoi vous avez pris une chambre, d'abord ?

— Je vais en profiter pour voir des clients à Trois-Rivières pis dans les environs.

— Y en reste pus beaucoup à lire. Je peux aller plus vite. Même que ce serait mieux, parce qu'Héléna en a pus pour longtemps.

— J'vais y penser, répond le fils comme s'il venait d'accepter un contrat d'ébénisterie particulièrement difficile.

— Bon, on se verra demain ! Essayez d'être là à dix heures.

Après lui avoir serré la main trop fermement, Jean l'abandonne dans le hall. Huguette avait pensé qu'il lui offrirait de la reconduire. Elle doit mettre un gros bémol sur sa galanterie. L'envie est forte de prendre un taxi, mais l'idée de retourner vers la téléphoniste, qui converse dans son micro tout en agrafant des papiers, la décourage de ce projet. Vaillamment, elle se dirige vers la sortie et le lointain arrêt d'autobus.

La Tuque, hiver 1941

Je me réveillai, au matin du 22 décembre, avec l'impression d'avoir couché sur le perron. Mes muscles refusaient de collaborer. Les images de la noce s'entremêlaient à celles de ma sœur s'évanouissant dans l'église. Dans mon rêve, à demi éveillée, je confondais Matthew et Francis. La marche nuptiale faussait la note sur un boogie-woogie hésitant. Des bribes de conversations enflaient puis se réduisaient au murmure. Des éclats de rire à une table m'incommodaient. Pourtant, j'y étais et riais plus fort que les autres. J'avais envie de m'arrêter, car tous se moquaient de Fabi et de sa jambe de bois. Elle dansait avec Francis en clopinant. Lui avait de gros pieds griffus qui éraflaient le sol couvert de planches de bois brut. Une femme se pencha à mon oreille et dit qu'une promesse est une promesse. J'approuvais de la tête, mais mon rire se transforma en nausée.

J'eus à peine le temps de me rendre jusqu'aux toilettes. Le contenu de mon estomac me brûla les lèvres. Je tirai la chasse d'eau pour effacer l'odeur de vomi. Marie-Jeanne me tenait par l'épaule et me plaignait. J'avais envie de la repousser. Il fallait que je m'explique auprès de Fabi.

— Tiens, essuie-toé avec la débarbouillette, me dit-elle avec autorité.

— Fabi est où ?

— Elle a couché chez Géraldine. Elle a appelé tout à l'heure pour dire qu'elle s'en allait au lac avec Francis. Il paraît qu'ils s'étaient promis de se retrouver là, sur le quai, quand il reviendrait de l'autre bord. Une idée de fou! Il fait frette en pas pour rire. Des plans pour pogner une maladie. Heureusement qu'y a pas gros de neige au sol. Ils auront pas besoin de raquettes. Fabi va passer nous voir avant de repartir à Québec.

— Elle est partie comment? interrogeai-je en crachant les dernières particules de vomissures accrochées à mes dents.

— Elle a dit que Francis allait avoir un *speeder*. Il paraît que le chef de gare lui doit de l'argent pour des bijoux.

— Faut que j'y aille! dis-je, soudainement inquiète.

— Ben voyons, prends le temps de déjeuner. T'es blême comme un cadavre!

— Pas le temps!

— Héléna! Arrête de me jouer dans le dos!

— J'sais pas de quoi vous parlez.

— Prends-moé pas pour une dinde qu'on farcit. Fabi qui nous revient comme un cheveu sur la soupe, pis infirme en plus! T'étais-tu au courant?

— Ben non! Elle vous l'a dit elle-même ce qui était arrivé.

— Ta sœur t'a toujours protégée. Es-tu vraiment allée dans le nord avec les Indiens?

— J'le sais-tu, moé. Demandez-y!

— C'est toé, la dernière qui l'a vue au lac Saint-Jean.

— Pis j'vous l'ai déjà conté! J'sais rien de plus. Vous devriez être contente qu'elle soit là au lieu de me questionner comme la police.

— Pourquoi j'ai le sentiment qu'y a quelque chose qui cloche avec toé?

— Parce que vous vous en faites trop pour rien.

— Le vieux bonhomme de Saint-Prosper me l'avait dit que le mal rôdait autour de moé.

— Y a aussi dit qu'y guérirait votre foie avec vot'pipi. Regardez ce que ça donne aujourd'hui! Vous êtes malade à répétition!

Derrière ses lunettes, Marie-Jeanne me sondait de la même façon qu'elle le faisait quand j'avais dix ans. À tout coup, je savais qu'elle savait. Rien ne lui échappait. Mais la protection de sa couvée restait sa priorité. Elle aimait chacun de nous pour ce que nous étions: ses enfants. Rien n'avait autant de valeur à ses yeux que notre bonheur. Elle acceptait nos différences sans se priver de chicaner, mais jamais elle ne nous aurait livrés à l'opprobre. Nous étions une part d'elle-même et rien ne pouvait entamer ce lien.

— Habille-toé comme il faut, ma fille. J'voudrais pas que t'attrapes plus de mal, dit-elle en adoptant le ton énigmatique qu'elle prenait pour conclure ses histoires de peur.

Je retournai dans ma chambre pour enfiler des vêtements chauds. J'avais plus urgent à régler que les appréhensions de ma mère. J'aurais dû être plus précise quand j'avais parlé de Francis à Fabi la veille.

L'ambiance bruyante de la salle de réception et ma morosité m'avaient détournée d'une explication nécessaire. S'était-elle rendu compte de la fragilité de son frère ? Ma sœur avait-elle mentionné cette promesse de retrouver Francis sur le quai de notre ancienne maison ? J'avais beau me triturer les méninges, je n'en avais aucun souvenir.

Je claquai la porte au nez de Marie-Jeanne, qui ronchonnait que j'allais mourir d'une pneumonie. Le froid était mon dernier souci. Ma seule chance de rejoindre Fabi était Matthew. Il pourrait utiliser la voiture sur rail appartenant à l'usine. J'aurais pu le joindre au téléphone, mais j'avais peur qu'il me raccroche au nez. Je courus comme une folle jusqu'à la rue des Anglais. J'étais à bout de souffle quand je cognai à la porte de sa maison. Il m'ouvrit et nous restâmes un moment à nous dévisager, lui avec un visage impassible, moi en essayant de reprendre mon souffle, que je projetais en nuages blancs devant moi.

— Ma sœur…

— Je préférerais qu'on en parle une autre fois, me coupa-t-il avec froideur.

— C'est pas ça… faut que j'aille… la… rejoindre !

— Héléna, tu dois…

— Tu comprends pas ! Elle est au lac… avec mon frère.

— Au Wayagamac ?

— Oui, au lac. Ils sont allés sur le quai… Pour… une promesse !

— Je comprends rien, Héléna.

— T'as pas besoin de comprendre... Amène-moé là-bas! Mon frère est malade... Ma sœur sait pas jusqu'à quel point. Ils sont partis en *speeder*! Si tu le fais pas pour moé... fais-le pour elle!

À ces mots, Matthew sembla se secouer. Il courut prendre une veste de cuir, mit ses bottes et m'emmena à l'usine. Il mobilisa un mécanicien, qui mit en marche le véhicule. Tout cela prenait trop de temps à mes yeux. Le moteur était lent à se réchauffer. Pendant de longues minutes, nous avançâmes sur la voie ferrée à pas de tortue. Puis la forêt défila de chaque côté. Une mince couche de neige était au sol. En d'autres circonstances, j'aurais trouvé la lumière particulièrement belle pour un matin de décembre. Crispée par le froid intense et par mon estomac brouillé, je n'avais en tête que les yeux inquiets de mon frère fixant la porte de l'église. Ni Matthew ni moi n'osions entreprendre une conversation. Elle aurait fatalement dévié sur nous deux et il était clair que nous n'y étions pas disposés.

Le *speeder* était bien là. Matthew rangea le nôtre juste derrière, sur la courte voie d'évitement. Sitôt mon pied posé sur le sol, un coup de feu retentit et ricocha en écho dans la montagne. Je me précipitai dans le sentier. Je le connaissais par cœur et je sautillais sur les obstacles. Mais en ce matin de décembre, tout était gelé et je devais me méfier pour ne pas tomber.

À mesure que j'approchais de la *dam*, je sentais qu'une partie de moi se réjouissait de ma détresse.

Cette émotion me souleva le cœur et je vomis un restant de bile contre un arbre. Étais-je aussi folle que les internés de l'hôpital de Saint-Michel-Archange ? Il s'agissait de Fabi. La sœur que j'idolâtrais. Celle qui m'avait pardonné la veille sans même un reproche. Jamais je ne lui aurais souhaité le moindre mal. Aimer le même homme n'est pas un crime, c'est un mauvais coup du destin. En fin de compte, la décision appartenait à Matthew.

C'est en brassant ces idées que j'aboutis devant notre ancienne maison. Je vis immédiatement le nouveau gardien qui retraitait à l'intérieur, le fusil à l'épaule. Une perdrix, à la tête déchiquetée, pendait au bout de son bras. J'en conclus que c'était lui le responsable du coup de feu. Sans hésiter, je courus vers le lac. Notre vieille chaloupe était retournée sur des tréteaux pour l'hiver. Sur des plaques de neige, je vis quelques traces de pas, mais le quai était désert. Sans même mettre le pied dessus, je revins vers la maison. Matthew parlait avec le gardien. Quand il me vit, il s'avança dans ma direction.

— Héléna, il paraît que ton frère est parti en courant dans le chemin qui mène au pavillon. Tout juste avant qu'on arrive. Il avait l'air d'avoir vu le diable. Le gardien a essayé de lui parler, mais il s'est pas arrêté. Je vais aller le chercher.

— Et Fabi ?

— Il m'a dit qu'il y avait personne avec lui.

— On y va !

Je me souviens d'avoir couru auprès de Matthew. Mon cœur cognait dans ma poitrine comme s'il voulait s'en échapper. Nous suivions les traces de pas qui apparaissaient sur la mince couche de neige. La progression était erratique. Francis zigzaguait d'un côté à l'autre du chemin. Parfois, il semblait piétiner, puis s'approcher de la lisière du bois, comme s'il cherchait quelque chose. On le rejoignit finalement au pied d'une petite pente. Il serrait ses bras autour de lui et semblait parler à quelqu'un. Quand il nous vit, il se recroquevilla et nous implora de ne pas faire mal à son ami. Il avait les larmes aux yeux et il fixait une souche sur le bas-côté. Nous nous approchâmes avec précaution.

— C'est moé, Francis. J'suis ta sœur, Héléna.

— Héléna ? interrogea-t-il en évitant mon regard.

— Oui. J'suis venue te chercher. On va vous ramener, toé pis Fabi. Elle est où ?

— Elle voulait me sauver. Demandez à mon ami le Chinois. Il était là, affirma-t-il en se tournant vers la forêt et la souche.

— Francis, y a personne d'autre que nous trois. Reprends-toé. Regarde comme il faut, tu connais Matthew ?

— C'est pas de ma faute !

— Reprends tes esprits, Francis. Lève-toé, puis dis-nous où est Fabi.

Matthew s'avança pour l'aider, mais Francis se dégagea.

— Il a perdu la tête, dit Matthew en reculant d'un pas.

— Francis, je t'en prie, dis-nous où elle est?

Cette fois, j'avais hurlé ma demande. Je voulais faire taire le ricanement de l'autre qui résonnait dans ma tête. Comment était-ce possible d'être morte d'inquiétude et, en même temps, être satisfaite de voir mon œuvre accomplie? Parce que c'était moi qui avais ramené mon frère à La Tuque. J'aurais pu le laisser à Saint-Michel-Archange. Les sœurs ne s'y seraient pas opposées. J'avais insisté, malgré ce que j'avais sous les yeux. Je connaissais sa maladie et j'avais libéré une bombe qui ne pouvait qu'exploser. J'avais beau essayer de me convaincre du contraire, mais le regard effrayé de Francis voyait jusqu'en moi. Il se reconnaissait dans la femme que je portais. Ils étaient faits des mêmes atomes qu'on nous avait légués à la naissance. Les miens s'activaient dans ma tête, les siens prenaient forme autour de lui.

— La guerre! J'ai entendu tirer.

— C'était le gardien. Il chassait. Il a tué une perdrix, dis-je pour lui faire entendre raison.

— J'me suis sauvé, j'ai eu peur. J'ai couru sur le lac. J'suis tombé. Licao, mon ami chinois, courait en avant de moé. Quand elle a crié, j'me suis retourné. Une bombe avait crevé la glace. Elle était dans le trou. On a viré de bord pour la sauver. C'était trop tard. Ça pétait partout, jusque dans ma tête. J'ai couru pour me mettre à l'abri. J'ai couru. Il est où, Licao?

Je sentis mon visage s'enflammer puis se vider de son sang. Ils étaient allés sur le lac. L'eau revenait me hanter. J'avais un mauvais pressentiment. Les yeux hagards, je me mis à courir en sens inverse. Matthew me cria quelque chose. Je lui répondis de s'occuper de mon frère. À trois reprises, je chutai sur le chemin du retour. Autant de fois que Pierre avait renié Jésus, après lui avoir assuré sa fidélité. Je me revoyais sur les bancs d'école, quand la religieuse nous lisait ce passage de la Bible en nous regardant droit dans les yeux. J'étais terrorisée d'être coupable de quelque chose. Comme à présent, alors que mes jambes avaient la pesanteur du cauchemar. J'arrivai au quai, pliée en deux. Cette fois, je m'avançai jusqu'au bord du lac et je vis ce qui m'avait échappé la première fois dans mon désir de trouver Fabi et Francis enlacés. J'avais dans la tête le frère et la sœur qui riaient au bout du quai et que j'épiais entre les branches d'un sapin. Je souhaitais les retrouver dans la même position, avec le vent du large jouant dans les cheveux de ma sœur.

Sur la glace du Wayagamac, des traces se dirigeaient vers le milieu de l'embouchure du lac, là où une bouée balisait la prise de l'aqueduc. Une fuite que le mince couvert de neige appuyait de zébrures. Deux séries de pas qui confirmaient le récit de mon frère. Je vis la glace fendillée, puis soulevée sous la pression et, enfin, le trou noir. Le même qui s'ouvrit dans mon cœur. Un trou sombre qui m'avala à mon tour.

Résidence Clair de lune, Trois-Rivières, printemps 2002

Huguette Lafrenière jette un œil au téléviseur. Ce témoin muet de leur lecture est le vasistas qui ouvre sur la réalité. Il lui permet de s'échapper de l'emprise des mots en offrant des images rassurantes et interchangeables du bout des doigts. Le comédien rit et embrasse la comédienne. Suit une publicité de couches jetables et de piles longue durée. Les ailes de poulet du colonel sont en rabais et le papier hygiénique du cygne immaculé est en velours. Le lait est chanté sur tous les tons avec des airs nostalgiques et l'insignifiante gomme à mâcher promet une haleine fraîche qui séduira à coup sûr votre entourage. Héléna est pourtant prostrée et son corps amaigri est debout sur le quai. Huguette craint de s'effondrer à ses côtés. Le trou est trop noir. Il attire toute la lumière. Le vasistas devient futile. Le Wayagamac est dans la chambre. Héléna continue de raconter ce qui n'est plus écrit. Sa voix n'est qu'un souffle.

— J'ai beau dire que c'est pas de ma faute, que c'est la maladie de mon frère qui a tué ma sœur, mais c'est pas si simple. On enlève pas une tache sur un vêtement en le revirant de bord ! Quand on l'a repêchée, on a constaté qu'elle s'était noyée. Elle avait aucune trace de violence sur le corps. Francis avait dit vrai. Les traces sur le lac en témoignaient. Le coup de feu avait tout déclenché. On a pensé que Fabi avait voulu contrôler son frère en crise et qu'il se serait enfui sur le lac. Son passage a pu fragiliser un endroit où la glace était plus mince. Fabi, en voulant le rattraper, aurait coulé à pic… Francis est retourné à l'hôpital pour y être soigné. Il était pas le premier soldat à éprouver des problèmes au retour des combats. J'me suis renseignée là-dessus. On nommait ça « l'obusite » après la Première Guerre, à cause du bruit des bombes qui rendait fou. Avec le temps, y'ont appelé ça la névrose de guerre, pis le choc post-traumatique. Me semble qu'au lieu de trouver des noms de maladies, ça aurait été mieux de faire la paix.

— T'as ben raison ! Pis Matthew, lui ? demande madame Lafrenière.

— Matthew ? Après la mort de Fabi, il est parti de La Tuque. J'ai su, plus tard, qu'il avait combattu en Europe. Son bataillon s'est fait coincer dans un village au nord de la France. Il s'en est sauvé. Le p'tit journal de l'usine a dit que le patron avait combattu en héros. Il est revenu couvert de médailles. J'étais fière de lui. À ce moment-là, je pensais qu'il était sorti de ma vie pour toujours.

— Comment t'as fait pour passer au travers de tout ça ?

Héléna redresse la tête. Elle regarde la liasse de papiers sur les genoux de son amie. Puis elle tâte le moignon de son genou et frotte sa cuisse. Elle grimace avant de répondre.

— En fait, c'est tout ça qui est passé au travers de moé. Comme une éponge, j'suis toujours ressortie ben sèche, mais jamais propre. M'aimes-tu pareil, Huguette?

Un coup d'œil au vasistas est nécessaire avant de répondre.

— J'te laisserai pas tomber, Héléna. Veux-tu qu'on arrête pour aujourd'hui?

— C'est aussi ben. Sors-moé une autre couverture, j'ai froid.

CHAPITRE 3

La Tuque, hiver 1942

Les funérailles de Fabi nous plongèrent tous dans une profonde affliction. La période des Fêtes fut d'une tristesse sans nom.

À la messe de minuit, Yvonne prit place à mes côtés. Je serrai sa main durant toute la cérémonie. Le chœur des enfants résonnait dans l'église. Ma sœur n'arrêtait pas de s'éponger les yeux. La vue de tous ces bambins, chantant haut et fort, affublés de leur aube immaculée, réveillait son instinct maternel. La perte de Fabi ouvrait nos âmes dans leurs cicatrices les plus tenaces. Moi-même, je cherchais sur le dos des fidèles la carrure de Matthew. Il me semblait que certains avaient celle de mon père, quand il conduisait la charrette, droit comme un chêne, pendant que je chevauchais Ti-Gars en respirant la forêt. Le *Minuit, chrétiens*, contesté par le clergé, mais chéri par notre curé, acheva l'œuvre du moment. Ma sœur et moi formions un trio fantomatique, où l'esprit de Fabi s'envola sur les hautes notes en nous abandonnant à la dérive de nos souvenirs.

Géraldine organisa un réveillon en s'efforçant d'être une hôtesse exemplaire. Sa dinde était rôtie à la perfection, les tartes au sucre avaient la couleur du caramel et les sandwichs pas de croûtes semblaient avoir été taillés par un orfèvre. Malgré l'abondance, mon estomac refusait de festoyer.

Durant le repas, les conversations étaient pareilles à ces bandes d'oiseaux qui, à l'automne, virevoltent dans le ciel, sans savoir où se poser. Je répondais vaguement aux invites plus par politesse que par intérêt. Le trou dans la glace du lac Wayagamac était trop frais à ma mémoire. La fête se termina dans les accolades, les souhaits échangés du bout des lèvres et les remerciements chaleureux. Même si personne n'avait prononcé le nom de Fabi, elle était là, au milieu de nous, provoquant le même atermoiement que son apparition à l'église Saint-Zéphyrin au mariage de ma sœur.

Le passage en 1942 fut chaotique. Yvonne, atterrée, avait dû reporter son voyage de noces à l'été. La présence d'Antoine lui fut d'un grand secours. Sans lui, elle aurait peut-être cru que la malédiction la poursuivait. Elle reprit son travail de téléphoniste la mort dans l'âme. Marie-Jeanne passa des heures à jongler dans sa berçante, le chapelet sur les genoux. Elle fixait le mur en marmonnant des prières, où le mot famille revenait comme un mantra. De temps à autre, elle tirait de la poche de son tablier un morceau de carton représentant la Vierge Marie. Elle en frottait l'image de son pouce et dodelinait de la tête en lui faisant la conversation. Mais elle ne revint jamais sur la prophétie du guérisseur de Saint-Prosper-de-Champlain. Elle n'avait aucune envie de provoquer le malheur, qui semblait s'acharner sur elle.

Quant à Francis, il s'était replié sur lui-même, luttant cette fois contre une dépression sévère, comme s'il n'avait pas assez de ses fantômes. Moi, je tentais d'oublier en m'occupant les mains du matin jusqu'au soir. Je frottais, récurais, réparais, pelletais la neige, préparais les repas, cousais et recommençais en boucle, jusqu'à ce que je tombe épuisée dans mon lit. J'étais un bourreau pour moi-même. J'expiais à ma façon. Je savais ce que les autres ignoraient. Je connaissais la genèse du trou dans le lac. Il avait commencé à Québec, quand mon autre moi avait décidé de ramener Francis. Je n'avais pas résisté ; pourtant, je voyais le danger. Mon frère était trop fragile. Il était un arbre privé de sa sève. Il ne pouvait que tomber.

J'avais maintenant une montre à mon poignet et un sachet de petites pierres rondes suspendu à mon cou : les perles de lac de Fabi. Celles que je lui avais offertes alors qu'elle était à Chicoutimi. L'un comme l'autre ne m'apportaient plus de réconfort. La réalité avait anéanti les talismans. Je les gardais pour me rappeler que je n'étais plus seule avec moi-même. Pour que leurs présences agissent comme un fouet sur ma peau.

À la fin de février, je m'occupai de liquider la bijouterie de mon frère. Je gardai ses outils et vendis le reste de la marchandise à un autre bijoutier. Je fis expédier son bien et le maigre profit dans le compte de Francis, à Trois-Rivières. On l'avait transféré dans un hôpital où on expérimentait une réhabilitation en utilisant le travail manuel. Combinée aux médicaments, cette méthode avait de bonnes chances de réussite. C'est du moins ce qu'on nous disait.

Quand je tournai la clef dans la porte pour la dernière fois, j'eus la surprise d'entendre Maximilien m'apostropher dans mon dos.

— Coudonc, la p'tite, qu'est-ce qui arrive avec mon ami Francis?

Je restai sur la plus haute des trois marches pour le dominer. Il avait toujours la même allure. Frondeur, il mâchouillait un cure-dent qu'il déplaçait de gauche à droite dans sa bouche. Je soutins son regard sans dévier.

— Mon frère a jamais été votre ami. D'ailleurs, vous devez pas en avoir beaucoup, d'amis.

— Y'é rendu où?

— C'est pas de vos oignons. La bijouterie est vide. Allez vous trouver un autre pigeon!

— Toujours aussi baveuse! J'vois que t'as pas changé. J'm'en vais faire des affaires ailleurs qu'à La Tuque. Avant de partir, j'voulais récupérer ce qu'y me restait de stock...

— Oubliez ça! On vous a réglé. Débarrassez la place ou je vais voir la police!

Jamais je n'aurais osé faire une chose semblable. Il n'était pas question d'attirer l'attention sur moi encore une fois. Mais lui n'en savait rien. Je le vis hésiter. Sans doute qu'il n'avait pas bonne presse auprès des forces de l'ordre.

— De toute façon, ça valait pas grand-chose, marmonna-t-il entre ses dents serrées.

— Venant de vous, c'est pas surprenant !

— Héléna !

Une femme s'avançait sur le trottoir en levant le bras dans ma direction. Maximilien en profita pour s'éclipser. Je reconnus Mikona. Elle portait un manteau en lainage chiné de couleur marron. Elle avait troqué ses mocassins pour des bottes lacées. Ses cheveux étaient enfouis sous un bonnet feutré.

— Mikona ! C'est ben toé. Wow ! On te reconnaît pus !

— Arrête ! Tu vas me gêner.

Lui tomber dans les bras était sûrement la meilleure chose qui me soit arrivée depuis des semaines. D'un coup, je retrouvai un peu de bonheur.

— T'as changé. Qu'est-ce qui t'arrive ? demandai-je avec curiosité.

— Je m'en vais pour quelques mois à Trois-Rivières. Dans la grande ville. Mon père a parlé avec des chefs de bandes, pis ils voudraient que les enfants aillent à l'école. Y parlent d'ouvrir quelque chose à La Tuque dans les prochaines années. Comme j'ai déjà une partance, je pourrais peut-être m'occuper des petits. Mon père m'a montré à lire, grâce à madame McCormick qui nous refilait des livres ! C'est elle qui a convaincu une de ses amies, une enseignante retraitée, de me prendre comme servante. En échange, je suis logée et nourrie et elle va me donner des cours privés.

— Tu parles d'une nouvelle ! Tu vas pas t'ennuyer du bois ?

— Un peu. Mais mon père a toujours voulu que je fasse autre chose. J'pense que c'est madame McCormick qui lui a mis ça dans la tête. En tout cas, c'est juste pour un temps. Après ça, on devrait s'installer près de la Petite rivière Bostonnais, pas loin du pont. Depuis que ma mère s'est blessée à la jambe, c'est moins facile pour elle de trapper. Pis toé, comment ça va ?

— Pas fort. Ça va prendre du temps.

— J'l'ai su trop tard pour Fabi. C'est pour ça que j'étais pas aux funérailles.

— C'est pas grave. J'suis tellement contente de te voir.

— Pis moé donc ! C'est fermé ? demanda-t-elle en pointant la bijouterie.

J'opinai de la tête et lui expliquai pour mon frère. Elle promit de passer le voir à Trois-Rivières et m'enjoignit de faire confiance aux manitous.

— Tu pars quand ?

— Tantôt, par le train. Mes bagages sont déjà à la gare. As-tu le temps de m'accompagner ?

J'en étais ravie. Cette rencontre fut pour moi un grain de lumière sur ma noirceur. J'enviais Mikona pour son changement de cap. Je n'avais pas ce pouvoir.

J'étais attachée à Marie-Jeanne, que je ne pouvais pas abandonner. Nous vivions dans la pauvreté. Je faisais des ménages pour nous aider à tenir le coup. J'avais perdu ma sœur, mon frère et Matthew. La guerre était sur toutes les lèvres. Que pouvais-je espérer de ma vie ?

∾

Une réponse se manifesta à la fin de l'hiver. J'avais déniché un petit boulot à la salle de quilles sur la rue Saint-Joseph. Je servais au comptoir pour remplacer une employée trois heures par semaine. Mon expérience à la cantine de l'usine avait joué en ma faveur.

J'aimais l'ambiance de cet endroit. Le bruit des boules roulant sur les allées, les éclats de rire ou de déception quand les quilles s'entremêlaient ou s'entêtaient à rester debout. Les échanges avec les clients, dont les conversations légères me faisaient du bien. Les amoureux qui se bécotaient à la moindre réussite. L'odeur des hot-dogs et des frites qui imprégnait mon uniforme. Tout me rappelait que la vie avait une consistance réelle en dehors de mes malheurs. J'attendais ce travail hebdomadaire comme une bouffée d'air frais.

— Ah ben ! Si c'est pas la belle Héléna !

Je levai la tête devant la voix familière. Je retournai plus d'une année en arrière, quand Edmond se présentait à la cantine de l'usine pour réclamer son café sans sucre. Je ne l'avais pas revu depuis les funérailles de Fabi. Il me semblait plus sûr de lui et je rougis malgré moi.

— On dirait qu'y fait plus chaud de ton bord du comptoir. T'as les joues en feu!

— J'peux-tu te servir quelque chose?

— Ça fait-tu longtemps que tu travailles icitte? C'est la première fois que je te vois.

— C'est parce que tu viens jamais quand je travaille. J'suis là toutes les semaines à la même heure.

— Je le saurai pour la semaine prochaine.

Sa remarque me fit sourire. Il s'installa sur un tabouret et commanda un café sans sucre.

— Tu joues-tu de temps en temps? demanda-t-il en tournant la tête vers les allées.

Je frottais le comptoir avec ma guenille en évitant de le regarder.

— Non, jamais.

— Faut que t'essayes ça. C'est pas difficile. T'enlignes ta boule pis paf!

— Je suis pas sûre d'être bonne.

— Si tu veux, je peux te montrer, après ton *shift*.

— J'sais même pas comment compter les points.

— Si t'as jamais joué, ça sera pas dur à calculer!

Je souris devant son impertinence enjôleuse. J'aurais pu dire non. J'ai acquiescé. Edmond me désirait toujours. Je le voyais dans ses yeux. Il aurait pu me haïr. Il en avait le droit, après tous mes affronts. Au lieu de ça, il me tendait à nouveau la main. J'en étais flattée. J'avais besoin d'amour et de divertissements pour me guérir de mes blessures, et d'aide pour reprendre le dessus. Matthew était maintenant trop loin pour me faire hésiter. Tandis qu'Edmond était là, assis sur son tabouret, fier de sa répartie et prêt à m'aimer.

Résidence Clair de lune, Trois-Rivières, printemps 2002

La jeune femme a des gestes délicats. Elle fredonne une chanson à la mode, où le mot *love* revient à répétition. Héléna observe son profil et le grain de sa peau immaculée. De temps à autre, leurs regards se croisent et elle lui sourit. Elle porte le nom d'une fleur, Jacinthe. Elle est amoureuse. Sinon comment pourrait-elle être si heureuse à laver les fesses d'une vieille femme, amputée de surcroît?

— Il s'appelle comment? demande Héléna.

— Quoi? réplique la préposée avec l'air de quelqu'un qui revient de loin.

— Ton amoureux, il s'appelle comment?

— Ma grand-mère est comme vous. Je peux rien lui cacher. Elle a des rayons X à la place des yeux. Il s'appelle Mathieu.

Héléna regrette d'avoir demandé. Trop proche de Matthew. La machine à souvenirs est facile à démarrer. Elle se voit, par un froid avant-midi de janvier 1942, penchée à la portière de l'automobile garée devant chez elle. Vêtue à la va-vite d'une longue veste de laine, elle frissonnait. Quelles ont été les dernières paroles de Matthew? «Je suis désolé pour ce qui est arrivé à Fabi. Prends soin de toi et de ta mère. Je vais régler quelques affaires à l'usine, pis je m'en retourne aux États. Je voulais te dire bonjour avant de partir. Je dois me présenter à une base militaire. Je… » Héléna se souvient qu'un train est passé en beuglant sur la voie ferrée, juché sur la butte, de l'autre côté de la rue Roy. Elle lui a jeté un œil torve, car il emportait les derniers mots de son amoureux dans le néant. L'auto a avancé, puis tourné sur le coin en direction de l'usine. Elle est rentrée boire une tasse de thé chaud. Marie-Jeanne lisait dans sa chaise en serrant les grains de son chapelet. Héléna n'avait plus de larmes. L'enterrement de sa sœur Fabi et l'internement de son frère Francis les avaient taries.

— Et vous, il s'appelait comment?

Héléna fixe les lèvres entrouvertes de la jeune femme. Pourrait-on croire que les siennes avaient été recouvertes du même velours? Que leur forme parfaite avait suscité le désir des hommes? Que ses mains étaient aussi agiles que les siennes?

— Il faut que je le rappelle, tantôt. On est supposés dîner ensemble à midi. Ça va être *cool*! dit Jacinthe, sans forcer la réponse d'Héléna. Il étudie en sociologie, au cégep. Ça fait presque un an qu'on est ensemble.

— Matthew.

— Hein?

— Rien. Je pensais à haute voix.

— J'ai fini, madame Martel. Vous allez pouvoir vous reposer.

— Merci. T'es ben fine.

— Pourquoi vous allez pas à la conférence en bas? Ça commence dans une demi-heure. Je peux vous préparer le fauteuil roulant si vous voulez.

— Bah! De la parlotte.

— J'ai croisé votre amie, madame Lafrenière. Elle m'a dit qu'elle y allait. La conférencière va parler de la façon de « maximiser nos forces intérieures en vieillissant », ou quelque chose d'approchant.

— Ben, qu'a vienne prendre ma place! On verra ben si elle va maximiser autant.

— Vous êtes drôle, madame Martel.

— Non, j'suis vieille!

Pendant que Jacinthe se retire, Héléna pose les yeux sur la dernière partie de son manuscrit, que son fils lui a apportée. Huguette va pouvoir finir sa lecture. Depuis son arrivée impromptue, deux jours auparavant, il n'a pas donné signe de vie. Jean est ainsi, incontrôlable et secret. Adolescent, il entrait parfois dans un état de rêverie dont il fallait le sortir en le secouant comme un pommier. Héléna s'est souvent inquiétée de ces absences. Elle les percevait comme une fuite du quotidien, une façon de se couper de ses parents et de leurs querelles incessantes. Pourtant, elles n'ont pas disparu à la mort de son père. Elles sont devenues un mur d'indifférence sur lequel Héléna se brisait les dents. L'incendie a été le moment décisif qui l'a éloigné pour de bon. Quand il a jeté la montre calcinée sur la table, c'était comme s'il avait craché une vipère qui lui rongeait le cœur. Il a claqué la porte et toutes ses tentatives pour le revoir avaient échoué.

En attendant, la mort approche. Elle le sait. Son accalmie aura été de courte durée. Une douleur est apparue dans sa hanche droite et une autre à hauteur du foie. Comme un Petit Poucet, son cancer sème sur son passage. Pas pour retrouver son chemin, mais pour l'effacer à jamais.

CHAPITRE 4

La Tuque, novembre 1949

Mon ventre portait la vie pour la troisième fois. Je savais maintenant en reconnaître la présence, comme si les deux premières, bien qu'elles ne se soient pas rendues à terme, avaient assoupli le chemin. Je percevais la pression qui ferait bientôt gonfler mes seins et en foncer les aréoles. Je tâtais mon abdomen arrondi. J'avais le cœur qui chavirait au lever chaque matin. Être enceinte me consternait. J'avais peur que l'autre femme en profite pour se matérialiser dans le corps d'un enfant. C'était insensé, car depuis mon mariage avec Edmond, je me sentais libérée. J'étais devenue une femme de mon temps. Les photos de la noce en témoignaient. Je les montrais avec fierté. J'étais superbe, enveloppée de dentelle et de tulle. Le bonheur était l'invité de marque. Il était sur tous les visages.

Ce jour fut un beau moment de ma vie. À l'été 1943, je sortis de l'église Saint-Zéphyrin et je descendis les marches au bras d'un homme rayonnant. Nous formions un beau couple. Le soleil s'éclatait et une Cadillac décapotable, garnie de rubans, nous attendait pour nous emmener à l'hôtel. Edmond me fit valser comme une princesse de cinéma. Je bus le champagne et dansai le charleston avec Yvonne, en relevant ma robe jusqu'aux genoux. Marie-Jeanne en oublia son foie et son chapelet. Elle mangea avec appétit et s'amusa des cabrioles de tout le monde sur la piste de danse. Géraldine, champagne à la main, nous fit un court hommage émouvant, en glissant des regards de tourterelle éprise à son Paul intimidé. Francis avait la larme à l'œil, mais le moral à l'ordre du jour. Sa joie était visible et son émotion m'était destinée. Je sentais chacun d'eux heureux et fier pour moi. Ce jour-là, rien ne vint entacher le bonheur des Martel. Je m'endormis toute nue dans les bras de mon homme et il me sembla que j'avais laissé derrière moi les années les plus sombres.

Je tombai enceinte pour la première fois en 1947. Je m'en rendis compte alors que je soulevais un lièvre étouffé dans un piège. En desserrant le collet de laiton autour de son cou, son odeur de gibier s'engouffra dans mes narines avec une violence que je ne connaissais pas. Je vomis d'un coup tout le contenu de mon estomac. Edmond m'entendit et rebroussa chemin.

— T'es-tu correcte, Héléna?

— Ben oui. J'pense que mes sandwichs ont pas passé.

— Veux-tu qu'on s'en retourne?

— Ça va aller. J'suis correcte, là.

Mais je savais que quelque chose avait changé dans mon corps. Je n'avais pas de mots pour le décrire. Il me fallut quelques jours pour me rendre à l'évidence. La plus jeune des Martel portait un bébé. Cela me causa une anxiété qui me poussa à une agitation excessive. Je passais sans transition d'une joie intense à une peur irrépressible. S'il fallait que le destin s'évertue encore une fois à déjouer mon bonheur!

Mon hyperactivité me mena tout droit à une fausse couche. En l'absence de ma mère, alors que je travaillais au jardin, je sentis un liquide chaud me couler entre les cuisses. Je me lavai rapidement, puis je réveillai Edmond pour qu'il m'emmène à l'hôpital. Il apprit de la bouche du médecin que j'étais enceinte. Il réagit en me prodiguant plus d'amour. Je voyais dans ses yeux son désir d'être père. Je le suppliai de ne pas informer Marie-Jeanne ni personne de la famille concernant ma fausse couche. Tout le monde avait vécu suffisamment de déceptions depuis notre départ du Wayagamac.

Il fallut plusieurs mois avant que je sente à nouveau les signes d'un début de grossesse. Même si je n'en étais pas certaine, j'avais envie, cette fois, de partager la nouvelle. Je n'en eus pas l'occasion. Mon corps me prit de vitesse et se libéra en une journée. J'eus des saignements puis un arrêt des symptômes. Je ne pris pas la peine d'aller à l'hôpital ni d'en aviser mon mari. J'avais l'impression que je serais comme mes frères et sœurs : incapable d'enfanter.

Je me trompais. À l'été 1950, durant une canicule mémorable, j'accouchai d'un beau gros garçon, après trente heures de travail. L'effort en valut la chandelle. Mon enfant était parfait. Beau comme le p'tit Jésus, aux dires de ma mère et de ma sœur Yvonne, plus tonitruante que jamais. Edmond avait la fierté d'un paon en distribuant des cigares à la ronde. Toute la famille exultait.

Résidence Clair de lune, Trois-Rivières, printemps 2002

— Ça a dû être tout un évènement ! s'exclame Huguette, tout sourire.

— Mets-en, on aurait dit que je venais d'accoucher des jumelles Dionne !

— J'comprends. Après tout ce qui s'était passé dans votre famille.

— Tout le monde était fier ! Mon p'tit Jean avait l'air d'un ange dans sa tunique blanche.

— Laisse-moé deviner ! C'est Yvonne qui a été la marraine.

— Pis son Antoine, le parrain ! Si tu les avais vus ! On aurait dit que c'était leur propre enfant.

— Ça a dû être des beaux moments !

— Ouais, c'est vrai que j'ai été heureuse dans ces années-là. Edmond était pas encore tanné de l'usine,

Marie-Jeanne avait retrouvé des couleurs, malgré son foie qui faisait des siennes de temps en temps.

— Pis Francis ?

— Y'était toujours à l'hôpital à Trois-Rivières, mais il sortait de plus en plus souvent. Dans son cas, le temps avait l'air d'arranger les choses.

— J'ai jamais connu ça, avoir un enfant, murmure Huguette, songeuse.

— Mais t'as l'air d'avoir connu le vrai amour, par exemple.

— Ça, oui ! Deux fois plutôt qu'une !

— Continue donc à lire au lieu de t'exciter.

La Tuque, été 1950

Après le baptême, une réception se déroula dans l'arrière-cour de la maison de Géraldine. Ma tante avait dressé une table sur laquelle les invités posaient leurs cadeaux et une deuxième pour les sandwichs, le gâteau et les boissons. Il y avait du bleu et du blanc partout. Des rubans accrochés à la clôture, des ballons attachés aux chaises, des nappes brodées et des bouquets de fleurs composés de marguerites et de campanules.

Mon fils passait de mains en mains et on s'extasiait, sans ménager les superlatifs. Georges me fit la surprise de s'amener en portant un berceau de bois.

— Tiens, la sœur ! Ton gars va être ben là-dedans. C'est notre père qui l'avait fabriqué. On y a tous dormi. Je l'ai fait réparer par un menuisier. Y'é ben fonctionnel.

— Où tu l'as trouvé ? demandai-je avec émotion.

— C'était dans le haut de la grange quand on vivait sur la terre. Quand on est partis, je l'ai apporté avec moé. Pas besoin de te dire qu'il a pas servi.

— Oh ! Georges, t'es donc ben fin !

Je caressai le bois lisse, qui portait par endroits quelques cicatrices de son passé. À la tête du berceau, du côté intérieur, mon père avait sculpté un ours endormi, le museau entre les pattes. Il avait aussi enjolivé le pourtour de feuilles de chêne et de petits fruits entrelacés qui créaient une frise du plus bel effet. Je sentis mon cœur se serrer au souvenir de ses derniers jours. Malgré son caractère acariâtre, Aristide avait une sensibilité qui fleurissait dans ses sculptures. La tête de cheval trouvée dans l'étau de son hangar m'apparaissait aujourd'hui comme un geste d'amour à mon égard.

— Ton p'tit Jean va ben dormir là-dedans !

— Francis ! Je t'ai pas vu arriver ! dis-je en lui faisant l'accolade.

— C'est sûr ! Asteure que t'as un bébé, va falloir que je fasse la file !

— Arrête donc de te plaindre, tu l'sais que j'serai toujours là pour toé. Comment ça va ?

— Pas pire. J'fais des *jobs* pour un bijoutier à Trois-Rivières. J'prends mes médicaments. Mon docteur s'occupe ben de moé. Mais des fois, les nuits sont dures. J'peux pas m'empêcher de penser à Fabi, avoua-t-il en baissant la voix.

— Tu l'sais que c'était pas de ta faute, Francis. J'suis sûre que Fabi est ben où c'est qu'a l'est, pis qu'elle est ben contente de voir qu'on fête, toute la famille ensemble.

— Ouais… pis quand est-ce que tu vas te décider à faire réparer ma montre? demanda-t-il d'un air moqueur, en me touchant le poignet.

— Quand tu te repartiras une bijouterie à ton nom!

Notre conversation fut interrompue par Yvonne qui essayait de calmer Jean, réveillé par le brouhaha.

— FAIS DODO, MON P'TIT ANGE! MA TANTE YVONNE VA TE BERCER!

— Pas si fort! clama Marie-Jeanne. Tu vas le mettre sur les nerfs, c't'enfant-là.

— Ben non, MAMAN. Il sait QUE SA MARRAINE, A L'AIME BEN GROS. PIS QU'ELLE A DES GROS COUSSINS POUR L'ENDORMIR!

— Ben comme c'est là, y dort pas fort, parce qu'elle a aussi un gros haut-parleur! Passe-moé-le, j'suis habituée. J'en ai élevé des braillards!

Sous les protestations de Georges et d'Yvonne, Marie-Jeanne s'empara avec délicatesse du bébé et le balança dans ses bras en lui chantant une berceuse. Autour d'elle, le ton des conversations s'apaisa et plusieurs la regardèrent avec l'œil humide. Ma mère était redevenue celle de notre enfance, quand elle nous consolait de nos peines d'un regard tendre et d'une chanson douce. Jean se calma aussitôt et je préparai le berceau qu'on avait posé sur la galerie. Edmond vint me prendre par l'épaule quand Marie-Jeanne y déposa notre fils endormi. Je pressai la montre à mon poignet pour qu'elle arrête le temps. J'avais l'impression, pour une fois, que la magie opérait.

Résidence Clair de lune, Trois-Rivières, printemps 2002

— C'est de valeur que ton gars ait pas entendu ce bout-là. Y m'avait pourtant dit qu'y viendrait.

— Y'é pareil comme Aristide quand il disait à Marie-Jeanne qu'y rentrerait avant la noirceur. C'était immanquable, ça prenait un fanal pour le voir arriver. J'pense qu'il faisait par exprès pour la faire enrager!

— N'empêche que ton fils a eu une belle entrée dans le monde.

— Ça, c'est vrai, Huguette. Pis l'année qui a suivi était parfaite. C'était pas un bébé difficile. Y faisait ses nuits, y pleurait pas pour rien, pis il était presque jamais malade.

— Ça t'a pas donné le goût d'en avoir un autre?

— Ça me passait par la tête. J'me disais que le destin allait décider, mais c'est pas ça qu'il y avait au menu. La vie, c'est comme rouler sur une route qu'on connaît pas. On a beau vouloir maintenir la direction, y a des virages qui sont pas mal secs.

— Dans ces années-là, ton chemin avait l'air ben drette !

— Oui, il l'était. Je filais dessus sans méfiance, comme Isadora Duncan, sans savoir que moi aussi, j'avais un bout de foulard qui se pognerait dans la roue !

CHAPITRE 5

La Tuque, automne 1954

— T'es ben fou, Edmond ! Une télévision ! m'exclamai-je en portant la main à ma bouche.

— Ouais, pis on va être les premiers sur la rue à l'avoir. Mettez-la dans le coin du salon.

En cet après-midi de septembre, les deux livreurs avançaient avec précaution sous l'œil mi-amusé, mi-inquiet de ma mère. Jean avait tout juste quatre ans et sautillait autour du meuble impressionnant. Malgré mon enthousiasme, j'essayais de comprendre comment nous allions payer cette folie. L'un des deux hommes la brancha à la prise électrique et tourna un bouton pour la mettre sous tension. Puis il se recula, les mains sur les hanches.

— Faut laisser le temps aux lampes de se réchauffer, énonça-t-il sur le ton d'un scientifique présentant la découverte du siècle.

— Veux voir, m'man !

— Ben oui, Jeannot. Le monsieur a dit d'attendre. Faut être patient.

Je n'aurais pas cru si bien dire. La télé de cette époque exigeait de l'utilisateur une grande maîtrise de soi. D'abord, pour obtenir une image acceptable, malgré la neige et le grésillement: c'était une tâche incompréhensible que d'orienter les oreilles de lapin qui trônaient en permanence sur le poste. Puis, il fallait de la patience pour endurer la mire et la tête d'Indien qu'un insoutenable et continu timbre sonore accompagnait quand il n'y avait pas d'émissions. N'empêche, nous entrions dans la modernité. Désormais, nous pourrions espérer entrevoir la dernière période de certains matchs des Canadiens de Montréal, les combats de lutte d'Édouard Carpentier et suivre le Survenant à la voix chaude comme un pain qui sort du four. Un peu plus tard, *Pépinot et Capucine* se chargeraient de divertir mon fils. Quant à Marie-Jeanne, rien ne pourrait lui faire abandonner *Le chapelet en famille* à la radio. Jusqu'à sa mort, la voix de monseigneur Léger entra dans notre cuisine et précéda nos soirées de télévision. C'était à ce moment précis qu'Edmond se trouvait un prétexte pour fuir dans son garage.

Nous vivions à quatre dans un certain équilibre. Edmond gagnait notre croûte en travaillant au moulin à papier, moi je m'occupais de notre maison de la rue Roy et de tout ce qui concernait Jean. Je recevais un montant d'argent pour la nourriture, les vêtements et pour payer les comptes. Si je voulais un extra, je devais le demander. Marie-Jeanne me donnait un coup de main pour les tâches de la maison et pour tempérer les excès d'Edmond. Depuis quelques mois, il buvait de plus en plus fréquemment et son caractère changeait. L'usine commençait à éroder son amour-propre. Elle le cantonnait dans un rôle d'ouvrier avec la perspective d'y passer sa vie. Edmond n'avait pas de grandes ambitions, mais il avait besoin d'air et de nature. Le métier de garde-chasse lui aurait convenu à merveille. Je sentais que, parfois, il se glorifiait de ma présence. J'étais une femme qui attirait les regards. Petit à petit, il en vint à jalouser tout un chacun et à me construire un écrin inconfortable.

Quant à Jean, il ne fréquentait pas encore l'école. Il passait de bons moments à jouer en compagnie de Marie-Jeanne. Je les revois, assis à la table de la cuisine, alors qu'elle tentait de lui apprendre la valeur des cartes à jouer. À quatre ans, mon fils s'exprimait plutôt bien.

« Ça, mon Jeannot, c'est la plus forte. C'est un as. »

« Pourquoi c'est pas le monsieur avec la couronne ? »

« Parce qu'il est le mari de la reine. »

« Comme papa avec maman ? »

Marie-Jeanne me jeta un œil de travers. Je voyais qu'elle hésitait à approuver tout lien entre Edmond et un roi.

« Pas tout à fait… »

« Et lui, c'est qui ? », demanda Jean en soulevant un valet de pique.

« C'est le serviteur. Le valet. Celui qui aide le roi et la reine. »

« Comme toé, grand-maman ! »

Marie-Jeanne décida sur-le-champ que l'apprentissage des couleurs et des quatre enseignes (pique, cœur, trèfle et carreau) serait suffisant pour cette fois ! J'adorais les observer dans ces échanges aux conclusions improbables. Ma mère utilisait ses talents de conteuse pour en dévier le cours et s'offrir des moments de pur contentement. Jean la suivait sur ces chemins imaginaires et en redemandait.

Résidence Clair de lune, Trois-Rivières, printemps 2002

Huguette arrête de lire et feuillette le manuscrit. Elle revient à la dernière phrase, puis cherche plus loin en vérifiant les dates.

— Qu'est-ce que tu cherches ? demande Héléna.

— Y manque-tu des feuilles ? On est en 1954, pis plus loin en 1958.

— Tout est là, Huguette. Tu penses quand même pas que j'allais écrire chaque année de ma vie. Ça m'aurait pris un camion pour transporter tout ça !

— Y s'est rien passé de tout ce temps-là ?

— Ben sûr qu'y s'est passé de quoi. J'étais mariée, j'me suis occupée de ma mère, pis de mon mari. J'ai eu un enfant. J'ai lavé, frotté pis fait des beaux voyages de pêche pis de chasse.

— T'aurais pu en parler.

— C'est pas ça que je voulais raconter. C'est les fois où j'me suis laissé envahir par l'autre, alors que j'pensais qu'elle était partie à jamais.

Héléna baisse la tête. Ses doigts tirent sur la couverture d'un geste mécanique. Elle l'avait cru, oui. Après son mariage, au milieu de l'été 1943, sa vie avait pris une tournure plus normale, semblable à celle de beaucoup d'autres ménages de son époque. Ni meilleure ni pire. La guerre trottait dans la tête de tout le monde et rendait les jeunes hommes nerveux. Edmond avait moins d'inquiétude ; compte tenu de ses problèmes respiratoires, il ne risquait pas d'être appelé. À La Tuque, l'aluminerie apporta des emplois éphémères, mais bienvenus aux yeux de tous.

Marie-Jeanne retrouvait des couleurs et Francis luttait pour sortir de sa morosité. Il s'accrochait à ses montres et ses horloges, qu'il réparait pour un bijoutier de Trois-Rivières. Ce travail était le meilleur des médicaments pour lui. Engrenages, ressorts et aiguilles maintenaient son esprit dans la réalité. Fabi lui manquait autant qu'à moi ; nous en parlions tous les deux, en tête à tête, pour en adoucir le souvenir. Sur ce terrain, nous étions des alter ego, sa culpabilité frôlait la mienne et nos souvenirs de temps plus heureux en râpaient les aspérités. Pendant longtemps, il progressa de deux pas pour reculer d'un. Mais l'important est qu'il avançait et que jamais nous ne l'avons abandonné. Quelques fois par année, nous allions le visiter, la plupart du temps avec Yvonne et Antoine.

Edmond préférait s'abstenir. On en profitait pour aller prier au sanctuaire du Cap-de-la-Madeleine. On remontait la route le long de la rivière Saint-Maurice le cœur rempli d'espoir.

La mort de Fabi resta une plaie ouverte pendant des années. Au mieux, on l'empêchait de saigner. Notre quotidien était huilé comme une bonne mécanique qui ronronnait sur son erre d'aller.

Edmond était un mari attentionné et un amant de la nature. Sitôt en congé, il affrétait son camion et partait à la découverte des lacs et des ruisseaux. Parfois, Marie-Jeanne était du voyage, quand il n'y avait pas de mauvais temps ou de portages à effectuer. Comment ne pas repenser à ces années où l'autre avait cessé de murmurer, remplacée par les bruissements de la forêt ? Comment ne pouvait-elle pas croire, à cette époque, que la noirceur était derrière elle ?

— À quoi tu penses ? demande Huguette, intriguée par le visage serein de son amie.

— À ben des affaires… Avec Edmond, j'me sentais comme une exploratrice. On allait dans des coins perdus où on rencontrait rien d'autre que des lièvres, des renards, pis des perdrix. Des fois, on faisait des belles pêches, d'autres fois, on restait pris dans des panses de bœuf, pis on revenait aux p'tites heures du matin, épuisés, mais heureux. On pêchait sur des frayères ! On chassait à la noirceur. J'en ai fait, des folies, avec lui ! Y avait le don de nous mettre dans le trouble. Y a même mis le feu sur un lac !

— T'exagères pas un peu, là?

— Non. C'était juste avant la brunante. Le lac des Chasseurs était comme un miroir. On traversait une p'tite baie. J'me souviens que j'regardais la rive avec le soleil qui coupait les arbres en deux. Le moteur s'est arrêté d'un coup. On a continué sur notre élan. Edmond l'a basculé hors de l'eau, pis y s'est mis dans la tête de le faire démarrer. En sacrant, comme d'habitude. J'le vois encore avec son tournevis d'une main, pis son *top* de cigarette au coin des lèvres. La fumée le faisait grimacer. On était trois dans la chaloupe. Un de ses amis nous avait accompagnés. Personne portait des gilets de sauvetage, comme la fois où Fabi m'avait conduite sur le lac Wayagamac en compagnie de monsieur Pettigrew et de Jeffrey, le malotru. Edmond s'est obstiné pendant plusieurs minutes. J'voyais en arrière de la chaloupe une longue traînée d'essence qui s'étirait sur l'eau en zigzaguant. Irrité par son mégot, il a décidé de l'envoyer valser par-dessus son épaule. C'est là que le lac a pogné en feu. Les flammes couraient vers nous autres en suivant la traînée d'essence. J'ai pensé qu'on exploserait. Le gars s'est levé, blanc comme un drap, pendant que je tenais le balan de la chaloupe. À la dernière seconde, Edmond a enlevé sa chemise, l'a mouillée et en a couvert le moteur. Pas besoin de te dire que son ami est jamais revenu pêcher avec nous autres!

— T'as l'air heureuse quand tu contes ça.

— C'est moins drôle quand t'es dans la chaloupe! N'empêche qu'y me faisait vivre des aventures hors du commun. Je l'aimais pour ça. Parce que ça me rapprochait de Fabi. Quand j'étais dans le bois, j'sentais sa présence. Je la retrouvais près de moé, quand je tendais des collets ou que je sortais des truites grosses comme l'avant-bras. Je l'entendais marcher dans les sentiers, ses pas dans les miens. J'y parlais, elle me disait comment faire.

À l'évocation de sa sœur, Héléna reprend le chemin du lac. Son visage s'épanouit comme si elle avait le pouvoir d'y être à nouveau. Huguette l'attend dans la chambre. Elle sait que la réalité va la rattraper. La douleur est un ennemi qui ne souffre pas d'être en second sur l'affiche.

— Pis, ta conférence, à matin? demande Héléna après avoir craché dans son mouchoir.

— Pas pire. J'ai pas tout compris ses affaires de chakras.

— De chats gras? C'était pas une conférence sur les vieux?

— Non, pas des animaux, des chakras. C'est des points, des places, des sortes de zones de pouvoir qu'on a en dedans.

— En dedans où?

— Ben, dans la tête, le cœur, le ventre, il y en a sept d'après elle.

— Ça doit pas être drôle! Moé, j'en ai eu rien qu'une, pis j'savais pas comment m'en dépêtrer!

Un ange passe. Huguette attend qu'il disparaisse avant de reprendre le manuscrit. Elle sait qu'il marquera la fin de la vie de cette femme atypique surgie de nulle part, pour qui elle a développé une attirance qu'elle ne s'explique pas. Héléna est, à la fois, à mille lieues et si près de la douce Béatrice qu'elle a aimée. Peut-être la similitude de fin de vie y est-elle pour quelque chose? La mort de Béatrice avait laissé un chargement d'amour sur les rails. Un poids lourd qu'Huguette avait dû traîner chaque jour, jusqu'à ce qu'Héléna franchisse le seuil de la résidence. Alors s'est ouvert un vase communicant. Pour la première fois depuis des années, elle pouvait se libérer de son trop-plein.

— À quoi tu jongles, Huguette?

— À ton livre. Tu recommences en 1954. Ça veut-tu dire que tu t'es débarrassée de l'autre pendant sept ans?

— J'ai pensé ça, oui. J'ai cru qu'avec la mort de Fabi, elle était rassasiée, qu'avec mon mariage, j'aurais une embellie. Ça a été vrai pendant plusieurs années. Aujourd'hui, j'sais que c'était juste une pause. J'ai fonctionné sur le pilote automatique. Il fallait que je m'occupe de ma mère. Le temps était impitoyable pour son foie. Elle faisait des crises à répétition. De son côté, Yvonne avait l'air heureuse. Antoine faisait son possible, mais il leur manquait des enfants, quoi qu'ils en disaient. Lui voulait rien savoir de l'adoption. Leur couple a quand même duré, pis ils ont trouvé le moyen d'être heureux. Moé, je regardais ça comme si j'avais été assise dans une calèche qui avançait au trot. C'est bizarre quand j'y pense. Personne dans ma famille a fait des enfants, sauf moé, qui avais peur d'en faire. Je pense que je voulais pas transmettre ce que je portais en dedans. Même si elle se manifestait pus, j'le sentais qu'elle était là.

— T'avais l'air quand même heureuse avec Edmond.

— Pas toujours. Mais je faisais avec. Après tout, je l'avais marié par défaut. Matthew était parti. C'était ça où on aurait été obligées de quitter notre maison pour un logement. Le propriétaire voulait vendre ou augmenter le loyer. Avec Edmond, qui avait une *job* à l'usine, la banque était prête à prêter l'argent. Il suffisait que je me marie, pis qu'Edmond achète la maison.

Elle ne retrouve plus le romantisme de son amie dans ce calcul bassement matériel. Huguette lève les sourcils. Héléna est fatiguée. Ses traits sont tirés. Son teint est livide, mais ses yeux brillent d'une braise intense.

— Tu t'es pas mariée par amour?

— J'l'ai dit. J'étais dépressive après la mort de Fabi. Je sauvais les meubles. J'avais besoin de me sentir en vie. N'empêche qu'à ce moment-là, Edmond était fin avec moé pis Marie-Jeanne. Y m'aimait à sa façon. Avec son salaire, j'pouvais rester à la maison. En fait, j'ai compris, avec le temps, que je DEVAIS rester à la maison. Comme ben des femmes de ces années-là, ma place était dans la cuisine. Jeffrey l'alcoolique a dû se retourner dans sa tombe ben des fois!

— Malgré tout, on peut dire que ça a été des années heureuses, dit Huguette avec une détermination de motivatrice.

— J'dirais pas ça. C'est comme pour mon cancer, c'était une accalmie.

— Mais pourquoi 1954? insiste madame Lafrenière.

— Parce que c'est là que j'ai revu Matthew! J'avais trente-trois ans.

CHAPITRE 6

La Tuque, automne 1954

Le camion zigzaguait sur le chemin forestier en évitant les roches et les trous cernés d'une mince couche de glace. Edmond conduisait avec sa bouteille de bière Dow entre les jambes. De temps à autre, je lui allumais une rouleuse, qui succédait au mégot projeté par la fenêtre. Notre chasse avait été bonne : huit lièvres attrapés au collet et trois perdrix tirées au fusil. Marie-Jeanne serait de bonne humeur. Le fumet de son six-pâtes se répandrait dans la maison et le reste finirait en conserves.

Nous étions à la fin d'octobre. Les arbres se dénudaient de jour en jour en perdant leur attrait. Ils devenaient squelettiques et permettaient au vent et au froid de se glisser jusqu'à leurs pieds. L'automne virait à la grisaille, mais je voyais défiler la forêt de chaque côté avec un sentiment de bonheur. J'en connaissais les différents visages. J'y étais chez moi. J'aimais les odeurs de savane et de sapinage qui s'accrochaient à mes vêtements. Celles plus âcres des perdrix et des lièvres flottaient dans l'habitacle. Nous avions l'habitude de cacher nos prises derrière le siège. Edmond en soustrayait deux, qu'il plaçait dans notre sac à dos à l'arrière du camion, au cas où les gardes-chasses nous arrêteraient. C'était une précaution inutile, car nous n'en croisions jamais. Mais il aimait cette prudence excessive qui ajoutait du piquant à nos sorties.

À cette époque, les bois étaient moins accessibles qu'aujourd'hui. Les chemins n'étaient pas aussi bien entretenus. Sans jeep ni camion, on ne pouvait pas aller très loin. Mais il faut dire que le gibier abondait à moins de quarante minutes de La Tuque. On partait en fin d'après-midi. On levait nos collets et on revenait avant la noirceur. À la belle saison, on écumait les ruisseaux de la même façon. Nous n'étions pas riches, mais nous avions la nature à portée de main.

Après avoir franchi un monticule à pic, notre camion aboutit sur une route plus large et gravelée, appelée le chemin de l'Église. Le lac à Beauce s'étalait sur notre droite. Pendant plusieurs minutes, je pouvais l'observer. Il me rappelait le Wayagamac. Je ne le quittais pas des yeux jusqu'à ce que le chemin bifurque et se termine en une longue côte qui descendait jusqu'à l'église, située à l'intersection de la route 19, qui conduisait à La Tuque. Le reste du trajet longeait la rivière Saint-Maurice. Cette portion était pour moi l'équivalent de l'éveil après le rêve. La dure réalité se profilait, avec les fumées de l'usine qu'on voyait au loin. Il faudrait préparer la boîte à lunch, rouler les cigarettes, voir Edmond partir pour son quart de travail de minuit à huit heures. Dormir dans un lit froid, se lever pour préparer le déjeuner, subir un mari irritable en manque de sommeil, vivre une partie de la journée en marchant sur la pointe des pieds pour ne pas le réveiller, s'occuper de Jean, rouler à nouveau des cigarettes et préparer le lunch, puis patienter deux ou trois jours avant de retourner lever nos collets.

S'il n'y avait pas eu ces escapades en forêt pour chasser et pêcher, je n'aurais pas tenu le coup. L'autre se serait emparée de moi. Je la contenais avec ces moments de plénitude à marcher sur un tapis de mousse humide en marquant les arbres d'un coup de hachette. Je me penchais, souriante, sur les chemins piétinés par le passage répété des lièvres. J'oubliais sa présence en installant le collet de laiton qui lui serrerait le cou. Je l'anéantissais quand je grillais un sandwich aux œufs sur un feu de camp improvisé. J'étais au paradis avec la pétarade du pic-bois ou le cri du hibou, et au septième ciel quand nous croisions un chevreuil ou un orignal. Je sais que j'aimais Edmond pour ces plaisirs complices qu'il m'offrait et dans lesquels je retrouvais l'esprit de ma sœur Fabi.

Ce soir-là, à la brunante, notre camion dépassa l'hôpital Saint-Joseph et remonta la rue Commerciale. Sans raison, comme si le destin avait suggéré ce détour à Edmond. Il haussa les épaules devant mon questionnement. Je le sentais heureux et peu pressé de clore cette partie de chasse fructueuse. Il savait que sitôt à la maison, le travail se dresserait devant lui sans espoir d'y échapper. Comme moi, la forêt le rendait différent et joyeux.

N'eût été cet écart dans nos habitudes, je n'aurais peut-être jamais revu Matthew. Mon cœur cessa de battre et ma respiration fit une longue pause. Il discutait avec un autre homme sur le trottoir devant l'hôtel Windsor. Je reconnus la gestuelle de ses mains, son port de tête, sa haute stature et son visage d'homme mûr et sûr de lui. Du coin de l'œil, je vis qu'Edmond regardait ailleurs. J'aurais pu me retourner pour être certaine que ce n'était pas une apparition. J'arrivais à peine à contrôler le chaos qui me chavirait les tripes. Il y avait douze ans que je ne l'avais pas vu, à part sa photo dans le journal à une ou deux reprises. Je savais qu'il avait demandé une mutation aux États-Unis, à son retour de la guerre. Un nouveau gérant avec un nom français l'avait remplacé. Je savais par la rumeur qu'il était toujours propriétaire de la belle maison de la rue des Anglais. J'entendais parler du club Wayagamac de temps en temps, mais jamais de Matthew. Je ne savais pas s'il était marié ou avait des enfants. Je n'avais que le souvenir d'un premier amour et d'un amant merveilleux.

Sans le vouloir, Edmond avait remis en marche un mécanisme que je croyais cassé à jamais. Je n'avais pas ressenti une telle chaleur au-dedans de moi depuis des années. C'était comme de retourner au Wayagamac, alors que Matthew posait les mains sur mon corps et que je m'abandonnais. C'était raviver une souvenance qui allait m'enflammer comme un feu de brousse. J'agrippai la montre de mon frère, qui ne quittait jamais mon poignet. Edmond surprit mon geste.

— Qu'est-ce qu'y a? Elle s'est-tu mise à marcher? demanda-t-il, moqueur.

— Non, c'est juste que ça me piquait.

— T'as ben l'air drôle.

— Ben non, j'suis juste fatiguée, c'est tout.

Je souhaitais que la montre me ramène en 1940 et refasse l'histoire. Sans morts, sans mensonges, sans folie, dans les bras de Matthew, heureuse comme une princesse. Ces fabulations ignoraient Fabi, ou l'interchangeaient avec moi. C'était idiot, mais ça m'aidait à vivre.

Résidence Clair de lune, Trois-Rivières, printemps 2002

Huguette soulève la liasse de feuilles de papier contre sa poitrine. Le fils d'Héléna vient de franchir la porte sans même cogner. Autant elle souhaitait sa présence, autant elle voudrait qu'il change d'attitude. Du haut de ses six pieds trois pouces, il scanne avec lenteur le corps d'Héléna dans son lit, puis il s'attarde sur le manuscrit emprisonné sous les bras croisés d'Huguette. Sa barbe a des reflets roux semblables à sa chevelure. Il a l'air négligé dans son jean usé et sa chemise à carreaux froissée. Ses bottes laissent de petites traces humides sur le sol.

— Reste pas planté là. Prends-toé une chaise, offre Héléna en articulant chaque mot.

À l'évocation de la chaise, Jean échange un regard entendu avec Huguette. Celle-ci est fière de l'avoir convaincu avec un argument aussi simpliste.

— J'vais rester debout pour tout de suite. On t'a coupé la jambe ? réplique-t-il sans émotion.

— Ça fait un bout que c'est pus une nouvelle fraîche.

— Ça veut dire que tu peux pus marcher.

— On peut rien te cacher. T'as pris une chambre à l'hôtel Delta ?

— Hein ? Oui. Mais juste pour une nuit. C'est trop cher pour moé. J'ai loué dans une maison de chambres pas loin du centre-ville.

— Ça t'a pris tout ce temps-là pour trouver une chambre ! conclut Héléna en toussant dans son poing fermé.

— Je suis passé voir un client, pis un ami ébéniste hier. Il m'a gardé à souper.

Avec la lenteur de quelqu'un qui n'en a pas envie, il s'appuie contre le mur, près de la fenêtre. Il examine la chambre en s'attardant sur les meubles vétustes. Huguette croit bon d'intervenir :

— J'peux vous laisser. J'reviendrai plus tard.

— Non ! Tu restes là, affirme Héléna, qui a maintenant le rouge aux joues. J'ai pas de secrets pour ma meilleure amie.

Huguette ne peut s'empêcher de redresser les épaules et de relâcher son étreinte sur le manuscrit. Le fils enlève sa veste, qu'il pose sur la chaise.

— Maintenant que t'es là, on va continuer, murmure Héléna, qui montre des signes de fatigue.

— Fais-toé pas d'idées, c'est ben parce que madame a insisté que j'suis là, rétorque le fils sans enthousiasme.

— Peu importe. Asteure, écoute, c'est tout ce que j'te demande ! On recommencera pas depuis le début parce qu'on va peut-être manquer de temps. Mais tout est écrit, t'auras juste à le lire. Pis tu vas voir, Huguette a une belle voix.

Madame Lafrenière se met à rougir comme une jeune fille. Le compliment lui va droit au cœur. Elle se racle la gorge avant de reprendre sa lecture.

La Tuque, automne 1954

La nouvelle avait parcouru la ville bien avant qu'elle n'apparaisse dans *L'Écho de La Tuque*. La Brown Corporation avait cédé l'usine à la CIP, la Canadian International Paper. Un pan de l'histoire industrielle de la ville se terminait dans la nostalgie pour les anciens et l'excitation pour les plus jeunes. La gestion paternaliste de la Brown Corporation avait marqué une génération de travailleurs et la grande implication sociale de la compagnie avait contribué au développement de la ville. Tous leur en étaient reconnaissants.

Les nouveaux propriétaires s'amenaient avec des projets ambitieux et des idées de grandeur. On parlait avec enthousiasme d'installer deux nouvelles machines à carton au coût de vingt-six millions de dollars. Une somme étourdissante pour l'époque. De son côté, le maire Joffre discutait d'un projet avec une firme allemande pour utiliser l'ancienne usine Alcan. La Tuque entrait dans une ère de prospérité.

Edmond bénéficiait d'un meilleur salaire. Sans être riches, nous ne manquions de rien. Il y avait de quoi manger sur la table et on s'habillait convenablement. Ne manquait à notre petite maison qu'une salle de bain digne de ce nom. Elle se résumait à un bol de toilette et à un évier. Le peu d'espace restant était occupé par la cuve circulaire de la machine à laver, surmontée des deux rouleaux qui servaient à tordre le linge. Les trois chambres étaient du côté sud. Jean occupait la plus petite, dont la fenêtre donnait sur la rue Roy, Marie-Jeanne, celle du centre, et la nôtre était la plus spacieuse, bien qu'on pût à peine y circuler entre les bureaux et le lit à deux places. Nous vivions les uns sur les autres dans un fragile état d'équilibre.

Le retour de Matthew réveillait, sous ma peau, un désir troublant. Le même qui allumait les yeux de Fabi quand il s'approchait d'elle. Son regard prenait alors l'éclat des matins d'hiver lorsqu'ils sont purs et diaphanes. J'avais envie de retrouver cette émotion. De ressentir, comme elle, le pouvoir d'être attirante, le plaisir d'être aimée par un homme d'exception.

Un amant qui m'offrirait autre chose qu'une cuisine à récurer.

J'eus beau essayer d'apaiser ce début de transformation, mais je la sentais forcir sous la bourrasque de mes sentiments. Elle se manifestait par un manque de patience envers Jean, par des oublis fréquents ou par une indifférence durant les ébats de chambre à coucher. Le pire était ce besoin de fuite qui m'envahissait à nouveau. Il me semblait que les murs de la maison s'étaient rapprochés et que je manquais d'air. Il me fallait agir et j'allais le faire!

Résidence Clair de lune, Trois-Rivières, printemps 2002

— J'prendrais un café, moé. La nuit a été courte, pis c'est pas le genre de lecture qui va me réveiller, interrompt Jean Fournier en se levant.

— Va t'en chercher un dans la p'tite cuisinette, au bout du couloir. Huguette va faire une pause, pis a va me replacer mes oreillers.

— Vous êtes pas obligées de m'attendre, dit-il en sortant de la chambre.

Madame Lafrenière est outrée par ce comportement cavalier. Sa séance de lecture est devenue un rituel sacré qui ne tolère pas de dérangement impromptu. Héléna lui fait un signe rassurant de la main.

— Fais pas attention. Laisse-toé pas impressionner.

— Ouais. Ton gars était peut-être un bébé facile, mais on dirait que ça s'est gâté en grandissant!

— J'ai toujours pensé qu'y retenait plus de son grand-père Aristide que du côté de son père. C'est vrai qu'on voyait pas souvent la famille d'Edmond, ils vivaient tous sur la Côte-Nord. Edmond était discret par rapport à eux autres. J'sais qu'il avait perdu ses parents quand il était ben jeune. Y a travaillé un peu dans une *shop* à Port-Cartier, pis y a abouti à La Tuque sur un coup de tête. Son frère pis sa sœur l'ont rejoint au début des années cinquante. Pas ben ben longtemps après qu'y sont venus au baptême de Jean.

— Ton fils a pas connu Aristide non plus, rétorque Huguette.

— C'est vrai, mais je pense que j'y en parlais souvent. J'avais encore des objets sculptés par mon père: la tête de cheval, une tasse en bois, qu'on appelait une *cup*, avec laquelle on puisait l'eau au ruisseau. Aussi un manche de couteau avec un motif de lièvre d'un côté, pis de l'autre, une perdrix. J'm'en servais pour y conter des histoires. P't'être ben que ça lui est resté dans la tête…

— Pourquoi y'é jamais là quand tu dis des affaires de même?

— Y'é revenu, Huguette. C'est déjà ça. Asteure, remonte mon lit. J'ai mal à la hanche.

CHAPITRE 7

La Tuque, automne 1954

Notre voisine immédiate s'appelait Louise Saint-Onge. C'était une femme mince à la chevelure rousse. Elle avait un visage à l'ovale parfait qu'un teint pâle rendait lumineux, malgré ses yeux cernés. Ses gestes étaient lents et gracieux, et sa voix se parsemait de notes graves qui ajoutaient du mystère et du charme à sa personnalité. Son mari travaillait pour la Consolidated-Bathurst, à Trois-Rivières. On ne le voyait jamais. Elle m'avait raconté qu'il l'avait abandonnée pour une autre femme. Il lui envoyait une maigre pension chaque mois. Son seul enfant, Denis, avait une maladie du sang très rare. Il fréquentait l'école, mais devait s'absenter souvent. Je donnais parfois un coup de main à Louise et on s'échangeait de la nourriture de temps en temps. Elle était douée pour faire la cuisine.

De l'autre côté de la ruelle, juste en arrière de notre écurie, qu'Edmond avait transformée en garage, vivaient les Durand. Leur maison occupait le coin de l'autre rue. Romain, leur fils de dix ans, avait l'air d'un p'tit voyou. J'étais convaincue que c'était lui qui nous volait les légumes de notre jardin. Son visage était constellé de taches de rousseur. Il était trop grand pour son âge et il marchait en roulant des épaules, comme les cowboys dans les films. Je parlais rarement avec sa mère. Un signe de tête nous suffisait. Elle était tout le contraire de Louise Saint-Onge, d'une laideur qui me rappelait Josette Gagné. Le dos voûté, les yeux globuleux et des cheveux grisonnants qui avaient l'air aussi secs qu'une botte de foin oubliée au soleil. Ses mains étaient trop larges et sa peau trop jaune. Elle n'avait même pas quarante ans et en paraissait soixante-dix. Je me disais qu'elle avait dû être malade ou avoir joué de malchance à la loterie parentale. Quant au père, il complétait le tableau à merveille, avec des tatouages plein les bras et une cicatrice au visage. Il travaillait au barrage de La Trenche et on ne le voyait pas souvent.

Du côté de la voie ferrée, sur l'autre versant de la rue Roy, il y avait un peintre en bâtiment, de qui nous achetions notre peinture, qu'il brassait dans son atelier trop sombre. Il était d'une gentillesse exceptionnelle. Jean me serrait toujours la main très fort quand nous entrions dans son commerce. Je crois qu'il y voyait l'antre de Merlin l'enchanteur. De biais avec notre maison vivaient deux sœurs, dont l'une avait un handicap mental et que les enfants surnommaient « la folle ». Quelques années plus tard, la saine d'esprit ouvrirait un petit magasin, où elle vendrait des bonbons à la cenne, des *chips*, des boissons gazeuses, des jouets et autres babioles insignifiantes. Juste en face, sur la rue Neault, perpendiculaire à la rue Roy, trônait une maison à logements de trois étages recouverts de bardeaux verts. Le logement principal était occupé par madame Soucy. Tout le terrain gazonné était ceinturé d'une haie, qu'un jardinier taillait chaque automne. À l'arrière, dans un garage en brique aux vitres bardées de barreaux en fer, on y entreposait des fourrures.

Ce petit univers m'était devenu familier. Il avait remplacé le lac Wayagamac. Même quand je fermais les yeux, j'arrivais difficilement à éliminer ce voisinage, qui semblait imprégné sur ma rétine.

Avant de revoir Matthew, je sortais peu. Trois fois sur quatre, je téléphonais à l'épicerie pour qu'on me livre ma commande. Boulanger et laitier nous approvisionnaient deux fois la semaine avec leur chariot tiré par un cheval. Nous allions au marché au début du mois pour la viande fraîche, et Marie-Jeanne en profitait pour s'acheter fils, aiguilles et tissus au magasin de coupons. Edmond lui avait déniché une machine à coudre d'occasion et elle réparait nos vêtements. Même qu'elle en confectionnait pour Jean, à l'aide de patrons.

Je voyais ma sœur Yvonne chaque semaine. Elle s'amenait le vendredi en après-midi et nous racontait les potins de la ville. Toujours bien mise, elle acceptait le carré de sucre à la crème de Marie-Jeanne, en pestant sur son tour de taille qui ne cessait de s'élargir. Avec l'achat de notre téléviseur, elle allait prendre l'habitude de nous visiter le mercredi soir pour voir les matchs de lutte en noir et blanc, malgré la neige qui brouillait l'écran. Son Antoine était un inconditionnel d'Édouard Carpentier. Quand son lutteur favori se faisait malmener, il devenait rouge comme un coq. Une fois par année, nous allions les voir lutter à l'aréna. Yvonne poussait des cris stridents et ma mère engueulait les méchants comme s'ils s'en prenaient à elle-même. Edmond riait de bon cœur et je me laissais prendre au jeu, même si je ne voyais aucun intérêt à regarder deux hommes se battre en maillot en poussant des rugissements grotesques.

Ma vie était réglée comme une partition musicale. À part la chasse et la pêche, peu de place était réservée à l'imprévu et aux folies. Mon autre moi s'agitait de plus en plus, derrière sa porte fermée à double tour. Je sentais qu'elle manquait d'air et ça m'inquiétait.

Dans un geste prémédité, lorsque j'entendis Edmond ronfler, en ce matin de novembre 1954, j'enfilai manteau, bottes et chapeau. J'avais besoin de sortir. Je n'avais pas à me faire de soucis pour lui jusqu'au dîner. Il dormirait comme une souche.

Marie-Jeanne leva la tête de son livre. Je lui lançai que j'avais une course à faire en ville. Elle haussa les épaules et remit sa chaise berceuse en marche. Ma mère avait perdu de son mordant. L'usure des années avait ralenti son rythme. La mort de Fabi et l'éloignement de Francis avaient précipité son vieillissement. Elle passait plus de temps à lire, à jongler et à égrener son chapelet, mais je savais qu'elle s'occuperait de Jean en mon absence. Je n'avais même pas besoin de le lui demander.

Mes pas me portaient comme si j'avais été en fuite. Une lueur s'était allumée dans la grisaille de ma vie. La fraîcheur de novembre ne m'avait jamais semblé si agréable. Toute la nuit, j'avais couvé le désir d'entendre à nouveau la voix de mon premier amour. Au petit matin, au déjeuner, je m'étais contenue devant Edmond et Marie-Jeanne. J'avais passé ma fébrilité sur mon fils, que j'avais enseveli sous une tonne d'attentions. Il avait fini par chialer et j'avais dû redoubler d'efforts pour le calmer. Finalement, libérée de ma routine, j'avais senti monter en moi un souffle de vitalité. Je me rappelle avoir fait des efforts pour cesser de sourire. J'en étais incapable.

— Héléna! Où tu vas de même?

Un croc-en-jambe n'aurait pas eu plus d'effet. Je cherchai qui m'interpellait. Je vis ma tante Géraldine, qui s'amenait à grands pas derrière moi. Dans ma hâte, je n'avais pas anticipé faire de rencontres. Je la voyais s'approcher, emmitouflée dans son manteau à col de fourrure. L'image de l'ours me revint à la mémoire. Il s'approchait du chef de police et lui ouvrait le ventre d'un coup de patte. L'homme à la bouche de poisson tombait dans le vide du haut de la falaise au lac Wayagamac. J'étais pétrifiée. Je n'avais pas préparé de réponse. J'imaginais Géraldine qui m'ouvrait le corps de ses ongles et découvrait mes intentions. Ses lèvres rouges répétaient la question. Elle était presque à ma hauteur. Je sentais son parfum vigoureux. Je devais réagir.

— J'avais besoin de bobines de fil pour Marie-Jeanne. Elle a commencé un nouveau patron. Des culottes pour Jean.

Et c'était reparti. Le mensonge fleurissait à nouveau dans ma bouche. Il reprenait une place que je lui avais refusée depuis la mort de Fabi.

— Dans ce cas-là, je vais faire un p'tit bout avec toé, dit Géraldine en me prenant par le bras. J'ai quelques commissions à faire.

Je n'avais pas le choix. Ma tante ne disparaîtrait pas par magie.

— Comment va Marie-Jeanne?

— Ça dépend des journées. Elle prend des herbages, mais c'est loin de s'améliorer.

— Ouais. C'est pas un cadeau, le foie. J'en sais quelque chose. As-tu des nouvelles de Francis? demanda-t-elle sur un autre ton.

— La dernière fois que je l'ai vu, c'était au mois de juin. Il allait beaucoup mieux. Il a trouvé du travail chez un bijoutier, au centre-ville de Trois-Rivières. Il a encore de la misère avec ses cauchemars la nuit. Les docteurs disent que des électrochocs lui feraient du bien. J'sais pas si c'est une bonne idée.

— Y reste pus à l'hôpital?

— Non. Il a un petit appartement en ville. Il se débrouille ben.

— C'est de valeur ce qui est arrivé. C'est un bon gars.

Ce n'était pas la première fois que, tous, nous parlions de Francis pour en arriver à cette conclusion. Je ne trouvais jamais la force de dire que sa bonté ne lui était guère utile lorsqu'on l'assommait de pilules. Pas plus qu'elle ne lui servait à briser la solitude de son internement. Dans ce temps-là, un bon gars malade dans sa tête restait un fou avant d'être un bon gars.

Géraldine potina sur d'autres sujets et passa en revue chacun de ses enfants. Je m'arrêtais souvent pour l'écouter, en espérant que la manœuvre la forcerait à s'éloigner.

— J'pense que tu t'en vas par là, Héléna, m'indiqua-t-elle en pointant la ruelle qui passait entre les deux hôtels. Excuse-moé, faut que j'arrête à la banque pis à l'épicerie. Après ça, j'ai mon dîner à préparer. Tu salueras ton mari pis ta mère.

J'étais contente que nos chemins se séparent. Déjà que j'avais dû l'accompagner jusqu'à la gare.

J'espérais ne plus faire de rencontres inopportunes. Moi aussi, je devais être de retour pour préparer le repas du midi. Je ne voulais surtout pas qu'Edmond se fasse des idées à mon sujet. Avec les années, il était devenu de plus en plus possessif.

La maison de Matthew n'avait pas changé. Bien sûr, on l'avait repeinte, mais en préservant les couleurs d'origine. Les arbres avaient grandi. Leurs ramures rejoignaient la toiture. Un homme raclait les feuilles sur la pelouse. Sans doute un employé. J'hésitais à pousser la porte de la clôture. Matthew n'était peut-être pas seul. Et s'il avait une compagne? Je me conduisais comme s'il n'y avait pas douze ans qui nous séparaient de notre dernière rencontre.

— Vous désirez? dit l'homme en relevant son râteau.

Il était trop tard pour reculer.

— Matthew est là? demandai-je en regrettant de n'avoir utilisé que le prénom.

— Il est à l'arrière de la maison. Passez par là, répondit-il en pointant son râteau vers la balançoire dans laquelle nous nous étions assis, des années auparavant.

— Merci.

En contournant l'angle de la maison, j'essayais de me convaincre que je n'avais pas changé. J'avais conscience d'avoir pris du poids avec la grossesse, d'avoir quelques cheveux gris, encore trop solitaires toutefois pour être visibles. Mes mains avaient la sécheresse du travail quotidien. Mon visage avait acquis une plénitude qui attirait le regard des hommes. Qu'allait penser Matthew en me voyant?

Il était absorbé par le nettoyage d'un fusil de chasse. Le pied posé sur une chaise de jardin, il examinait l'intérieur du canon avant d'y glisser un chiffon, qu'il tirait à l'aide d'une tige de bois. Il portait un chapeau, semblable à celui qu'avait mon père, une veste de cuir et des bottes d'équitation. Son profil avait perdu son air juvénile pour gagner en fermeté. Sans doute que la guerre y était pour beaucoup.

Il se retourna d'un coup et me vit immobile, ma sacoche à la main. J'étais partie sur un coup de tête, sans maquillage, avec ma robe de tous les jours, sans même avoir pris le temps de me coiffer. Il posa le fusil sur la table de fer forgé. Dès l'instant où ses yeux crochetèrent les miens, je sus que j'avais fait une erreur. J'étais une femme mariée avec un enfant. Ma place était à la maison. Je devais m'en retourner sur-le-champ. L'autre femme en moi me retint fermement. Sa porte entrebâillée lui donnait enfin l'occasion de se manifester. Comme lorsque j'avais sorti Francis de l'hôpital en sachant qu'il y avait du danger, je savais que l'homme qui marchait vers moi allait bouleverser ma vie.

— Héléna ?

Sa voix s'étonnait de ma présence. Plus grave qu'auparavant, elle se parait maintenant d'un soupçon d'accent américain. Il me semblait impossible qu'un si bel homme soit encore célibataire.

— Ça fait si longtemps. C'est toute une surprise. Qu'est-ce qui me vaut l'honneur ?

Je ne savais pas quoi répondre. J'avais la gorge sèche. Comment exprimer la pulsion qui m'avait portée jusque-là ?

— Je t'ai vu… Hier. Devant l'hôtel Windsor.

— Oui, j'y ai rencontré quelqu'un de la CIP. Tu sais qu'on a vendu l'usine. Il y a encore quelques points à régler. Veux-tu t'asseoir?

J'acceptai d'un signe de tête. Ça me donnait l'occasion de replacer mes émotions.

— Tu te prépares à la chasse? demandai-je sur le ton de la mondanité.

— Oui. Je monte au Wayagamac ce soir. Des amis américains m'attendent. On y va à cheval. Ils espèrent tuer un gros *buck*. Et toi? T'as pas changé.

— C'est gentil, mais j'ai eu un garçon et…

Bêtement, je bougeai la tête en glissant ma main de haut en bas devant mon corps. Je regrettai aussitôt ce geste stupide.

— T'es toujours aussi belle. Quel âge a ton gars?

— Quatre ans. Il s'appelle Jean.

— Moi, j'en ai toujours pas. Après les années de guerre, nos usines ont fonctionné à plein rendement. Puis avec la mort de mon frère Allen, j'ai été pas mal occupé.

— Désolée, pour ton frère.

— Ouais. Il a souffert avant de mourir. Mais ça fait partie de la vie. Je m'en ennuie.

— C'est dommage… tu vis seul?

— Comme tu vois! J'ai ben eu une relation assez longue, mais ça s'est terminé en queue de poisson.

— Moé, ça vient de faire onze ans que j'suis mariée.

— T'es heureuse?

Je n'avais pas envie de cette question. Elle était pourtant inévitable. Après toutes ces années, une mise à jour s'imposait. Lui et moi avions perdu Fabi et nous nous étions perdus. N'était-il pas important de prendre le pouls de notre guérison ?

— Je devrais. J'ai un mari, un enfant, un toit. On manque de rien. On vient même d'avoir la télévision ! dis-je en me forçant pour rire.

— Mais… ?

— Et toé ? répliquai-je sans répondre.

— Moi ? J'te l'ai dit. Après la guerre, j'ai travaillé fort. Ça m'aidait à oublier les combats, les morts, la souffrance que j'ai vue trop souvent. J'ai fait des cauchemars pendant des années. J'ai souvent pensé à ton frère Francis. J'ai compris ce qu'il pouvait y avoir dans sa tête quand il s'est sauvé sur le lac. C'était pas de sa faute. Y a des jours où j'aurais fait pareil. Je me sentais comme un lièvre qui sursaute au moindre bruit. Ça s'est tassé avec le temps. Comme tu vois, j'peux encore me servir d'un fusil de chasse sans me mettre à brailler !

Je souris à cette image. Cela me fit le plus grand bien. Il me sembla qu'une barrière venait de tomber. Je remontai le col de mon manteau, car le temps se couvrait.

— Tu as froid ? On peut rentrer prendre une tasse de thé, me suggéra-t-il.

Cinq minutes auparavant, j'aurais refusé. Sa confidence avait libéré ma gêne. Elle réapparut quand je gravis la dizaine de marches de la galerie. Nous avions fait l'amour pour la première fois après avoir monté un escalier dans le pavillon au Wayagamac. Je me rappelais chaque instant. Du froissement de mes vêtements qui glissaient sur le sol jusqu'à l'odeur grisante de nos corps. Ma crainte de ne pas être à la hauteur. Mon abandon entre ses bras et la douce euphorie de l'alcool dans mes veines. Ma tête y retournait encore et encore toutes les fois qu'Edmond me faisait l'amour. Il a toujours cru que mes gémissements lui étaient offerts alors qu'en réalité, je n'avais besoin que de mon esprit et de l'image de Matthew pour prendre mon plaisir. Vu sous cet angle, je l'ai trompé jour après jour, pendant des années.

Résidence Clair de lune, Trois-Rivières, printemps 2002

Huguette s'interrompt. Elle examine la réaction du fils, qui a les yeux rivés sur le café au fond de sa tasse. À part un geste répété de la main pour se gratter la barbe, Huguette n'a rien vu de probant. Jean ne semble pas réagir plus qu'il ne faut à la prose intimiste de sa mère. Devant le silence soudain, il lève les yeux sur la lectrice.

— C'est tout pour aujourd'hui ? On a pas droit à plus de détails croustillants ?

Le ton est ironique et le visage impassible. La main se porte une fois de plus à la joue. Huguette interroge son amie du regard. Héléna est presque assoupie. Sa poitrine se soulève régulièrement. La lecture du manuscrit a souvent sur elle cet effet relaxant. Les mots ravivent les souvenirs. Le passé se substitue au présent, là où le cancer n'était pas encore le maître. Il défie la douleur.

— Héléna? interroge Huguette en s'approchant avec douceur.

— Oui, c'est correct. Après le souper. Je vais faire un somme.

Huguette a envie de lui embrasser le front, mais elle se retient devant le fils. Celui-ci consulte sa montre. Il hausse les épaules avant de tourner le dos aux deux femmes.

— D'habitude, on reprend vers sept heures, dit Huguette un peu sèchement.

— Ouais. Je devrais être là.

CHAPITRE 8

Résidence Clair de lune, Trois-Rivières, printemps 2002

Héléna n'a rien mangé. Elle a demandé qu'on lui laisse le biscuit sec et le jus de pomme. Huguette est au poste, prête à reprendre sa lecture. Jean examine la cour arrière de la résidence.

— Vas-tu te décider à t'asseoir ? On est prêtes, nous autres ! dit Héléna agacée par ce contretemps.

— Je regardais la balançoire du voisin. C'est fait en épinette. C'est tout en train de tordre.

— Ben, y s'arrangera avec !

— Je disais ça de même. Quand on bâtit pas avec du solide, ça dure pas.

— On croirait entendre ton grand-père. Quand y voulait gosser le bois, y passait plus de temps à examiner les souches, les bouts de branches pis les bosses après les arbres qu'à sculpter. Il commençait rien tant qu'y avait pas un bon morceau entre les mains. Il était pas instruit, mais y avait du talent pour ça.

— T'as encore la tête de cheval ?

— Tu te souviens de ça ?

— Quand j'étais p'tit… ben p'tit, tu me racontais des histoires avec, pour m'endormir. Ce cheval-là tassait les montagnes!

— Tu devais avoir trois ou quatre ans. C'est vrai que mon cheval était fort et courageux. Ti-Gars méritait pas de mourir dans la boue. Mais j'en ai déjà parlé avant que t'arrives.

— Dommage! Ça m'aurait changé de tes amourettes.

— Tu sauras que c'était ben plus qu'une amourette. Si ça c'était passé aujourd'hui, j'aurais divorcé de ton père. C'était pas aussi simple dans ce temps-là.

— Si tu le dis! Allez-y, madame Huguette. On vous écoute.

La lectrice a le sourire fendu jusqu'aux oreilles. Voilà enfin le début du rapprochement qu'elle souhaitait. Sa voix prend une nouvelle assurance alors qu'elle retourne en Haute-Mauricie, chevauchant les mots d'Héléna.

La Tuque, automne 1954

La maison était cossue. Quand la porte se referma derrière moi, je sentis que j'étais entrée dans mon propre piège. J'avais envie de gravir le superbe escalier de chêne en caressant la rampe du bout des doigts. J'enlevai plutôt mes bottes et mon manteau, que Matthew me prit galamment des mains. Je le suivis jusqu'au salon. Mes pieds s'enfonçaient dans un tapis moelleux. Pendant qu'il préparait le thé, j'examinai les photos suspendues aux murs. Matthew figurait sur presque toutes. Avec son frère Allen, au Wayagamac, à l'usine, avec des hommes aux manches roulées, debout, devant une machine gigantesque ou accroupi, devant un groupe, au pied d'un immense tas de bûches. Il y avait aussi des photos montrant des bâtiments en construction. Elles étaient toutes encadrées avec une large moulure de bois sombre. Je passai mes doigts sur les vases en porcelaine bleue cerclée de dorures et soulevai au passage un chandelier en argent. La pièce était chargée d'objets décoratifs. Je déglutis en pensant à l'allure de mon propre salon.

— Voilà, ça va te réchauffer, dit-il en posant sur une table basse un plateau avec une théière et deux tasses en porcelaine.

— Merci.

— C'est de la vaisselle qui appartenait à ma mère. Je m'en sers presque jamais. Elle avait rapporté ça d'un séjour en France.

— C'est beau. Le salon aussi.

— C'est mon père qui a tout arrangé. Après sa mort, ni moi ni Allen avons osé déplacer quoi que ce soit. Pourtant, il le faudra ben.

Le thé avait une douceur de circonstance. Il cadrait avec le lieu. C'était comme d'entrer dans un conte de fées et de s'asseoir avec le prince à la table du château. Sauf que dehors m'attendaient ma vie et un mari acariâtre qui ronflait bruyamment. J'agrippai la tasse à deux mains pour maîtriser le tremblement de mes doigts. Nous étions l'un près de l'autre sur un divan fleuri. Sa proximité me troublait.

— J'suis content de te revoir, Héléna. Lors de mes rares passages à La Tuque, j'ai failli t'appeler. J'ai même passé sur la rue Roy quelques mois après la fin de la guerre. Je t'ai vue avec Edmond. Vous étiez sur la pelouse, devant la maison. Tu le tenais par le cou. J'ai passé tout droit.

Je l'écoutais, écartelée entre l'envie de m'enfuir et celle de me rapprocher de lui.

— J'ai souvent pensé à toi, poursuivit-il en posant sa tasse.

— C'est pareil pour moé.

Cette phrase s'était libérée de sa prison. Je pouvais enfin l'empêcher de tourner dans ma tête. Elle me soulageait. Je serais bien en peine d'écrire les mots justes que nous avons échangés avant qu'il ne me frôle. Je n'avais aucune résistance. Je l'aurais laissé m'embrasser. Il se contenta de poser sa main sur la mienne. Mon piège se refermait sur moi. Chaque cellule de mon corps se souvenait. Ce simple contact réveillait le plaisir. Mes seins en étaient douloureux. N'eussent été les coups frappés à la porte, nous aurions commis l'irréparable. Du moins, je le souhaitais. L'homme au râteau demandait ses gages. Matthew parla un instant avec lui. J'entendis la porte se refermer et il revint au salon. J'avais replacé mes vêtements et j'étais rouge de confusion.

— J'pense qu'il vaudrait mieux que j'y aille, dis-je en m'avançant vers la sortie.

— Héléna, il faut qu'on se revoie. On a pas eu le temps de jaser. Je suis au lac pour trois jours. Ensuite, je comptais passer une semaine à La Tuque. Je veux ranger la maison pour l'hiver. Je vais revenir au printemps pour la mettre en vente.

— J'sais pas. J'vais y penser. Là, ce serait mieux que je parte.

— Ben sûr. J'comprends. À bientôt ?

— Peut-être.

Il était presque onze heures. J'avais le temps de revenir pour le dîner. Je marchai trop vite en baissant la tête comme une voleuse. Je craignais de faire une autre rencontre.

Quand je poussai la porte de notre maison, Jeannot me sauta dans les jambes en criant.

— Maman ! T'étais où ?

— Pas si fort, mon Jeannot. Tu vas réveiller ton père. Va jouer. Maman, faut qu'a prépare le dîner.

Marie-Jeanne était déjà au poêle. Elle ajoutait des carottes coupées dans un chaudron fumant.

— J'ai commencé, dit-elle. J'savais pas si tu reviendrais à temps. T'es ben essoufflée !

— C'est parce que j'ai marché vite.

— T'es allée où ?

Le supplice de la question. Il n'y avait pas moyen de sortir sans dire où j'allais. Quand ce n'était pas mon fils qui interrogeait, c'était ma mère ou pire, Edmond.

— J'avais besoin de fil pour réparer le chandail de Jean. J'en ai pris au 5-10-15.

— Mon doux ! Ça avait l'air d'être pressant. T'es sortie pour du fil ? Tu me le donneras, m'as te le réparer.

— Ça va, m'man. Je vais m'en occuper.

— Comme tu veux ! Fais à ta tête.

Je commençais à marcher sur la corde raide. Elle ne branlait pas encore beaucoup. Je savais que je pouvais faire quelques pas.

⁂

Mon escapade resta lettre morte auprès d'Edmond. Il dormit jusqu'au milieu de l'après-midi et on l'appela pour remplacer un ouvrier malade. Ce fut le branle-bas de combat, car il allait travailler seize heures d'affilée. D'une certaine façon, cela m'arrangeait. Il y avait moins de risque qu'on revienne sur ma sortie improvisée.

Je peinais à contenir les émotions soulevées par ma rencontre avec Matthew. J'essayais de m'occuper l'esprit, mais son image surgissait devant mes yeux. La lecture de *L'Amant de Lady Chatterley* n'était pas ma meilleure échappatoire, non plus que la télé, qui nous retransmettait tant bien que mal *Le Survenant*, incarné par Jean Coutu. Quoi que je fasse, je revenais sans cesse au piège amoureux que j'avais moi-même tendu. Plus il me serrait dans ses mâchoires, moins je me débattais pour en sortir. Il me happait tout entière dans un maelstrom de sentiments qui finirait par me faire perdre la tête.

Ce soir-là, je fis ma toilette comme à l'habitude, debout devant l'évier de notre minuscule salle de bain. Je me retins de hurler lorsque le plaisir jaillit au bout de mes doigts. Il me fallut deux autres fois pour qu'enfin, au creux de mon lit, je trouve le sommeil. L'autre en moi ricanait.

Résidence Clair de lune, Trois-Rivières, printemps 2002

— On a-tu besoin de savoir ça? s'exclame son fils.

— C'est écrit, on le lit! tranche Héléna.

— Madame la lectrice pourrait en sauter des bouts, ça irait plus vite! Pis ça y ferait moins de rougeurs au visage.

— Continue, Huguette! J'suis sûre que c'est pas la masturbation qui t'étouffe.

Son amie toussote en rougissant d'un cran. L'agrandissement de son auditoire a rapetissé l'espace d'intimité qui s'était créé avec Héléna. Elle a l'impression d'être devenue la cinquième roue du carrosse.

La Tuque, automne 1954

À son retour, le lendemain matin, Edmond était crevé. Il déjeuna en vitesse et se coucha. J'envoyai Jeannot jouer dans la cour et je planifiai de travailler à l'extérieur. Marie-Jeanne se mit au tricot. Nous savions tous qu'il fallait éviter le bruit jusqu'au souper. Réveiller Edmond au cœur de sa nuit n'impliquait rien de bon pour la fin de journée.

Il n'était plus l'amoureux prévenant des premières années de notre mariage. Le travail à l'usine, la présence de ma mère et la taverne, qu'il fréquentait de plus en plus, l'avaient rendu maussade. Il lui arrivait régulièrement de bouder ou de manifester de la mauvaise humeur sans que nous sachions vraiment quelle en était la source. Une remarque anodine de Marie-Jeanne, un oubli dans sa boîte à lunch, ses cigarettes roulées trop mollement ou trop fermement… Nous étions parfois confondus par son attitude. Je l'étais encore plus quand il me manifestait sa jalousie. Flatteuse au début, elle devint vite envahissante. Si nous allions en ville et qu'un homme me regardait trop longtemps, il me questionnait sur mes dernières sorties. Moi, qui ne fréquentais la ville que par obligation ou pour rencontrer ma sœur ou ma tante Géraldine, je ne comprenais pas ses attaques sournoises. Elles me laissaient un goût amer. J'encaissais comme il était de bon ton à l'époque d'être au service de son mari et de sa famille. Ce qui était endurable jusque-là allait prendre une autre tournure avec l'envie que je n'arrivais pas à contrôler.

∞

Nous étions à la mi-novembre et la journée s'annonçait douce. Jean jouait dans les restes du jardin avec des bouts de bois et son camion de pompier. C'était son jeu favori. Il éteignait des feux imaginaires et je l'entendais donner des ordres à ses équipiers fantômes, qu'il contrôlait de main de maître. Je ramassais les feuilles coincées dans la clôture qui me séparait de ma voisine. Mes bras s'activaient à des lieues de mes pensées. Je sursautai quand elle m'interpella.

— Bonjour, Héléna!

— Ah! Bonjour, Louise. Salut, mon beau Denis.

Son fils de dix ans l'accompagnait. Comme d'habitude, Louise m'apparaissait au bout de ses forces. Je savais que la maladie de son fils y était pour beaucoup. Le petit devait se rendre souvent à l'hôpital et prendre des médicaments coûteux. De constitution gracile, il donnait l'envie de le serrer dans nos bras pour le réchauffer.

— Moé aussi, faudrait ben que j'ramasse un peu. La cour est à l'envers, reconnut-elle en regardant l'empilage de vieilleries et de bois que les mauvaises herbes envahissaient.

— Ça t'en fait beaucoup, avec le p'tit!

— Ouais, mais il va un peu mieux de ce temps-ci. Pas vrai, mon gars?

Le garçon plaqua un sourire sur son visage pâle.

— Y s'ennuie pas trop de son père ? demandai-je pour meubler la conversation.

La question sembla la troubler. Elle caressa les cheveux clairsemés de son fils, puis lui tendit son sac à main.

— Tiens, Denis. Prends ma sacoche, pis mets-la sur la table de la cuisine. Tu iras t'amuser dans ta chambre.

Elle attendit que la porte se referme sur lui avant de s'approcher de la clôture. Quand elle voulait se confier, elle prenait un sourire qui rappelait la Joconde. Un sourire ambigu. Une façon qu'elle avait de tempérer son propos.

Jusque-là, nous avions été des voisines. On se parlait de nos vies en glissant sur les sujets délicats. Je la connaissais assez pour avoir expérimenté l'amorce du sourire, mais trop peu pour être au courant des rouages de sa vie intime.

— J'arrive de l'hôpital avec mon fils. C'est vrai qu'il va mieux, mais ça durera pas. Le docteur voulait le transférer à Sainte-Justine, à Montréal. Ils sont meilleurs qu'icitte, mais ça le guérirait pas. Pis je pourrais pas le voir autant. J'ai pas voulu. J'vais le perdre, Héléna. En plus de tout le reste, je vais perdre mon p'tit cœur.

Comment pouvait-elle me dire une chose si atroce tout en gardant son sourire de Joconde ? Je lui pris le bras avec l'envie de pleurer, moi qui avais les émotions à fleur de peau depuis la veille.

— Ça doit être dur pour toé pis ton mari.

— Mon mari ? C'est un sans-cœur. Y pense rien qu'à lui, pis à sa nouvelle blonde. Denis trouve ça dur de jamais voir son père.

Cette fois, le sourire craqua un peu. Que dire devant la perspective de la mort d'un enfant ? Qui étais-je pour critiquer son mari, alors que je projetais de tromper le mien ?

— C'est terrible ce qui t'arrive.

Je prononçais ces mots et je voyais ma propre vie voler en éclats. Le désir de Matthew m'attirait au bord du gouffre et j'allais m'y précipiter. Qu'adviendrait-il de ma mère, de mon fils, d'Edmond ? Je serais celle qui les a abandonnés pour un autre homme. Aussi bien dire une moins que rien dans les critères de cette époque. L'équivalent du mari de Louise.

— Comment tu fais pour endurer tout ça ? demandai-je.

— J'me débrouille. J'travaille un peu à la p'tite épicerie, pis je vais faire des ménages. J'ai déjà trouvé deux places pas loin d'ici. Mon gars est assez grand pour rester tout seul pendant quelques heures. Son père m'a dit qu'il payerait les médicaments. Ça va me faire ça de moins. Mais il est pas vite pour m'envoyer le chèque.

— En tout cas, Louise, si t'as besoin d'aide, j'suis à côté. J'peux m'occuper de ton gars. T'as juste à venir me voir.

— T'es ben fine. Mais j'sais que ton mari travaille sur les *shifts*. Y a besoin de dormir. T'es chanceuse d'avoir une famille unie autour de toé.

Je me contentai d'approuver d'un coup de tête. Mon ton de voix aurait trahi mon malaise. Louise ferma le col de son lainage et vérifia d'un œil que la porte de son logement était bien fermée. Je profitai de ce court répit pour relancer la conversation de son côté de la clôture.

— Tu dois lui en vouloir ?

— À mon mari ? J'ai pas de temps à perdre avec lui ! C'est plus pour le petit que ça me fait quelque chose. Il comprend pas trop pourquoi son père est pas là le soir. J'y ai dit juste ce qu'il fallait.

— Ouais, c'est pas facile pour les enfants, reconnus-je en regardant Jean, qui jouait avec insouciance dans son monde imaginaire et parfait.

— Faut que je rentre, Denis a des médicaments à prendre. C'est pas les mêmes que d'habitude. J'suis allée les chercher à la pharmacie hier. On a failli s'en revenir ensemble.

— Comment ça ? demandai-je, soudain aux aguets.

— Ben, en revenant, j't'ai vue sur la rue Saint-François. J't'ai crié, mais j'ai pas de voix, pis tu marchais trop vite. T'avais l'air pressée.

Encore ce malaise. Ce sentiment indéfinissable qui me replongeait dans la culpabilité. Comme de petits coups frappés à la porte du secret et qui me donnaient l'envie de me cacher sous le lit en retenant ma respiration.

— J'avais une commission à faire. Il fallait que j'revienne vite pour le dîner.

— J'comprends ça. Dis-moé-le si t'as affaire en ville. On pourrait y aller ensemble, des fois.

— Ben oui, pourquoi pas ?

— M'as te laisser à ta *job*. Faut que j'aille m'occuper de Denis. Pis j'vais essayer de me reposer un peu. Merci de m'avoir écoutée.

C'est à partir de ce jour que nous nous sommes vraiment rapprochées l'une de l'autre. Depuis les évènements du début des années quarante, je me méfiais de toute nouvelle relation. Il me semblait que c'était tenter le diable qui était endormi au fond de moi. Je ne voulais pas que l'envie me reprenne de me laisser aller à nouveau sur une pente ténébreuse.

Résidence Clair de lune, Trois-Rivières, printemps 2002

Huguette est à la fin d'un chapitre. Elle constate que son amie a l'air épuisée. Le fils a les bras croisés et regarde sa mère.

— Ça veut dire quoi, ça « à nouveau » ? demande-t-il en se grattant la barbe dans un geste d'agacement.

— C'est ça qui arrive quand on est en retard, dit Héléna faiblement.

— J'suis pas venu pour écouter tes histoires inventées.

— Juge pas avant de savoir ! Asteure, veux-tu me remonter mes oreillers ?

Son fils s'exécute, non sans une certaine hésitation. Héléna lui agrippe le bras pendant l'opération, qui s'avère maladroite.

— Es-tu correcte, là ? interrogea-t-il avec une raideur dans la voix, comme s'il venait de constater combien est léger le poids de la vie.

— On va dire que ça va faire. La préposée va venir tout à l'heure. Pis si je t'ai demandé de venir icitte, c'est pour que tu saches qui était ta mère avant que je rende mon dernier souffle. J'ai déjà été un enfant, pis je connaissais pas grand-chose de mes parents. J'veux pas finir comme mon père en apportant tous mes secrets de l'autre bord. Ça fait que tu vas revenir demain matin à dix heures… parce que j'aimerais ça dormir. J'vais demander à l'infirmière… une pilule pour le mal, mais… pas de la morphine. J'ai besoin… de toute ma tête pour entendre… jusqu'à la fin.

Héléna a les lèvres desséchées. Sa longue intervention s'est terminée sur des phrases hachurées par des sifflements. Le fils a l'air d'un géant penché sur une brebis blessée dont il ne sait que faire. Devenu songeur, il semble avoir été ferré par le manuscrit d'Héléna. Sa bouche n'est plus qu'un trait et ses yeux regardent un ailleurs douloureux que les mots de sa mère ont ravivé. Madame Lafrenière se retire en emportant le manuscrit. Elle doit veiller sur le dernier projet d'Héléna. Demain, elle sera la voix de la vérité. Moïse et ses tablettes, sur sa montagne, n'en serait pas plus fier!

CHAPITRE 9

La Tuque, automne 1954

— ENVOYE ! INNOCENT ! Ça se peut-tu ? ILS VONT LE TUER !

— Yvonne, calme-toé. C'est pas pour le vrai. On va tous les revoir la semaine prochaine, dis-je à ma sœur pour la raisonner.

Nous étions assis en demi-cercle au salon. Michel Normandin commentait de sa voix nasillarde les combats de lutte. Mad Dog Vachon soulevait Édouard Carpentier et s'apprêtait à le projeter dans les câbles. L'image sur l'écran se mit à défiler à quelques reprises. Yvonne était rouge comme un coq et son mari Antoine au bord de l'apoplexie. Les lutteurs s'empoignaient sur notre écran noir et blanc. Edmond devait replacer les oreilles de lapin, servant d'antenne, chaque fois que son beau-frère se levait en frappant du pied. L'opération s'avérait aussi efficace que de chasser un lièvre avec un tire-pois. Marie-Jeanne tâtait du chapelet au fond de la poche de son tablier pendant que je tentais de calmer les ardeurs vocales de ma sœur.

Le mercredi était soir de lutte. Au fil des semaines se rajouteraient, à l'occasion, ma tante Géraldine et son mari, et parfois un copain de travail invité par Edmond. La télévision était une curiosité en soi et la lutte était un grand orgasme populaire. Le mélange des deux prenait des allures de réveillon. La bière rendait les bouches pâteuses et les discussions sans issue. Qu'importe, tout le monde repartait crinqué à fond par les exploits de ses héros.

— Un ! Deux ! Trrrois ! roucoulait Normandin.

Le verdict donnait la victoire à Vachon, au grand déplaisir de la maisonnée.

— Mad Dog, c'est un gros sale ! conclut Antoine

— L'arbitre EST VENDU ! clama ma sœur.

Ma mère se leva en furie. Elle alla à la cuisine. On l'entendit brasser la bouilloire sans ménagement. Carpentier était son préféré. Elle détestait le voir perdre. Dans ces moments-là, la bouteille de brandy écopait.

— C'est votre troisième ponce, m'man ! Pensez à votre foie ! lui criai-je sans me retourner.

— Laisse faire ! J'suis trop en maudit !

— Veux-tu une autre bière, Antoine ? demanda Edmond en ramassant la bouteille vide sous la chaise.

— Envoye ! Le prochain, ça va être Kowalski. Il se laissera pas manger la laine sur le dos, lui !

— J'espère qu'on a pas réveillé Jeannot, dis-je à ma sœur.

— Tu sais ben qu'y DOIT DORMIR COMME UNE BÛCHE. Ça fait UNE HEURE QU'IL EST COUCHÉ.

— C'est vrai qu'il commence à être habitué à ta voix.

— C'EST PAS DE MA FAUTE! J'suis FAITE DE MÊME. PIS LA LUTTE, ÇA « M'ÉNARVE »!

— Je vois ben ça. Veux-tu quelque chose à boire?

— Non, j'ai ENCORE DU COKE. Je t'ai-tu dit QU'ANTOINE VA APPLIQUER POUR TRAVAILLER SUR LES NOUVELLES MACHINES AU MOULIN? PAS VRAI, ANTOINE?

— Ouais, la vente de l'usine va nous donner de l'ouvrage en masse. Il paraît que l'ancien patron est en ville. Y lui restait quelques affaires à régler. Y en a qui l'ont vu. C'est une question de quelques mois avant que le département ouvre.

Je n'eus pas besoin de me retourner. La conversation dévia dans une autre direction et je ne la suivis pas. Je sentais le regard d'Edmond sur ma nuque. Sous ma chevelure, des perles de sueur coulaient dans mon dos. J'étais comme une biche que les phares viennent d'éclairer. Je ne l'avais pas vu venir. Jusqu'à ce moment, Edmond ne savait rien de la présence de Matthew. Je le savais parce qu'il n'y avait fait aucune allusion. Il était loin de se douter que j'avais prévu le retrouver le lendemain après-midi. C'était la seule occasion que j'avais. Edmond travaillerait seize heures d'affilée. Ma mère emmènerait Jean chez Géraldine, puis ils passeraient l'après-midi au sous-sol de l'église. Mon fils aimait voir la machine à tisser que la servante du curé avait mise à la disposition des femmes du quartier. J'avais quatre bonnes heures de liberté. J'espérais que Matthew serait chez lui. Comme d'habitude, je laissais une grande part à l'improvisation.

— Es-tu DANS LA LUNE, MA SŒUR?

— Ben non, j'écoutais ce qu'y disaient à la télévision.

— ...son adversairrre sera nul autre que Wild Bull Currry, du Texas! clamait Normandin dans son micro grésillant.

J'avais la peau moite. Je devais me comporter normalement. Jean me sauva la mise en pointant sa frimousse dans la porte de sa chambre. Je me levai d'un trait pour le recoucher. Je restai longtemps près de lui à chantonner une berceuse, bien plus pour moi que pour mon petit. Je profitai d'un moment particulièrement bruyant pour revenir au salon. Mon regard croisa celui d'Edmond sans s'y arrêter. Cela suffit à me convaincre que la corde raide, sous mes pieds, tanguait dangereusement.

Résidence Clair de lune, Trois-Rivières, printemps 2002

— J'me souviens vaguement de ces soirées-là.

Huguette s'interrompt, surprise par l'intervention de Jean. Héléna a détourné la tête. Le manuscrit a ravivé un autre passé.

— Mais j'pense que j'étais juste un peu plus vieux, poursuit-il songeur. J'me souviens de *Pépinot et Capucine*. Des marionnettes. Ça commençait avec l'ours qui donnait un coup de gong. Il fumait la pipe et marmonnait des « menoum-menoum » au lieu de parler. C'était mon préféré, avec Pan Pan le voleur. J'me sentais tellement ben quand j'écoutais ça…

— Tu t'assoyais, le nez collé sur l'écran.

— J'avais pas le choix, la télévision était tellement mauvaise.

— Mais on était chanceux de l'avoir, réplique Héléna.

— Chanceux ? J'dirais pas ça. Mais la télé était une sorte de porte magique par laquelle j'pouvais m'évader.

Huguette est troublée par la similitude avec son propre besoin de jeter un œil, de temps à autre, sur le poste muet de la chambre d'Héléna. Les images du présent l'empêchent de sombrer dans le passé torturé de son amie, là où les ours sont moins sympathiques et les méchants ne sont pas que des voleurs.

CHAPITRE 10

La Tuque, automne 1954

Le lendemain se déroula comme je l'avais anticipé, hormis la grisaille que la fin de novembre apportait, en recouvrant la vallée de la rivière Saint-Maurice de nuages menaçants. Dès le départ de ma mère, je m'étais lavée, j'avais revêtu une robe seyante, je m'étais maquillée et coiffée avec soin. Je me sentais comme une fille de joie qui se prépare pour un client. Cela me créait un blocage qui, curieusement, décuplait mon désir. Je n'avais que quatre petites heures devant moi pour apaiser la charge émotive dont je sentais l'insistance sous ma peau.

Ma transformation m'étonnait. La vue de Matthew devant l'hôtel Windsor avait allumé un feu que je croyais éteint. C'était comme si j'avais reçu une gifle à nouveau. Pareille à celle de mon père, qui avait réveillé une autre femme en moi au Wayagamac. La mort de Fabi et mes années de mariage m'avaient plongée dans une léthargie bonasse dans laquelle je m'enfonçais de plus en plus. Ce matin-là, j'étais une prisonnière qui voit une brèche dans la clôture et l'occasion d'échapper à une vie devenue terne. En fait, ce n'était que le réveil de mon autre moi qui ricanait de plaisir devant la possibilité de reprendre du service.

J'avais demandé un taxi. Je n'avais pas de temps à perdre. Je me ferais déposer près de la voie ferrée, à l'entrée de la rue des Anglais, et je marcherais le reste du chemin. Cela comportait un risque, mais au moins le chauffeur ne connaîtrait pas ma destination. Cette précaution me parut futile quand je me rendis compte que je passerais, à pied, devant la maison des Paterson. Je priai pour que la riche Anglaise ne sorte pas sur le perron pour me demander des nouvelles d'Yvonne. Comment avais-je pu négliger un tel détail lors de ma première visite ? Il n'y avait aucun doute que Matthew me troublait encore plus que je ne le croyais.

J'arrivai sur le pas de la porte le visage plus rouge qu'un coureur de marathon. Je dus me reprendre à deux fois pour cogner. Il me semblait que mes forces m'abandonnaient. J'étais sur le point de commettre une faute impardonnable. L'envie me prit de rebrousser chemin. L'autre me suppliait de rester. La porte s'ouvrit et ma vue se brouilla.

— Héléna ! Mais entre ! Laisse-moi prendre ton manteau.

Même au travers du lainage, je sentais la chaleur de ses mains. Il me fit un compliment sur ma tenue et m'embrassa sans façon sur les deux joues. L'odeur de l'amant du lac me frôla de son aile. Je ne me souviens pas de ce que j'ai dit, ni même si j'ai pu articuler quelque chose. J'avais l'impression de reprendre la scène de la semaine précédente. Il revint avec le plateau d'argent et me surprit en train de tirer sur mon bas de nylon. Gênée, je laissai retomber le bas de ma robe. Qu'est-ce qui me prenait de me comporter de la sorte ? Matthew n'en fit aucun cas et posa la théière et les tasses sur la table du salon.

— Je comptais repartir demain pour Québec, dit-il en s'assoyant sur le canapé. J'ai une rencontre avec le sous-ministre pour l'octroi d'une concession forestière. Je vais en profiter pour lui parler du flottage du bois sur le lac Wayagamac. La nouvelle compagnie veut aller de l'avant avec cette idée. La Ville semble d'accord, pourvu que le gouvernement lui verse une somme d'argent, mais les membres du club rechignent. On va devoir abaisser la prise d'eau au fond du lac. Le bois en quantité, c'est encombrant et ça pollue. Tu imagines les parties de pêche ? Mais je suis là à t'ennuyer avec mes histoires.

— Non, ça m'intéresse. Le lac est tellement beau. Je m'en ennuie souvent.

— Ouais. J'te comprends. Toutes les fois que j'y vais et que je passe près de votre ancienne maison, j'ai l'impression que ta mère va sortir sur la galerie en secouant sa nappe, que ton père va fendre son bois, pis que toi tu vas sortir de l'écurie en riant avec Fabi.

À l'évocation de ma sœur, je baissai les yeux. Je n'avais pas envie que son esprit flotte autour de moi. Je me sentais bien assez coupable de vouloir tromper mon mari qui travaillait dur à moins de cinq minutes de là où j'étais, sans en rajouter avec le souvenir de Fabi. Je m'empressai de repousser ce nuage d'une voix trop légère.

— T'es chanceux de voir le lac. Des fois, on va pêcher dans le ruisseau, mais on se rend pas jusqu'à la *dam*, dis-je en évitant de nommer Edmond.

— Je pourrais t'inviter l'été prochain.

Je vis qu'il avait dit ça sans réfléchir. Après quelques secondes de silence, ma réalité le rattrapa : j'étais mariée et j'avais un enfant. Ce n'était plus aussi simple. Il s'éclaircit la gorge pour masquer mon mutisme.

— Tu avais un rendez-vous ? m'interrogea-t-il en abaissant ses yeux sur ma robe.

— Non. Heu ! Oui. J'avais une ou deux commissions à faire. J'ai pensé que je pourrais passer te voir.

— T'as ben fait. Je suis vraiment content que tu sois là. J'vais pouvoir me sortir de la paperasse que je dois lire. Tu veux visiter la maison ? Ça va me faire une pratique pour le printemps prochain, quand je vais la vendre.

— OK.

— Par ici, madame, dit-il d'un ton enjoué en me tendant la main.

Il me montra la cuisine spacieuse, la chambre principale et la salle de bain avec un bain sur pattes et des robinets chromés ornés de porcelaine. Je m'exclamais sans retenue. Les tentures, les meubles, les tableaux, les canards et le renard empaillés dans le boudoir, tout m'apparaissait extravagant. À mesure que nous avancions, j'oubliais le monde extérieur. J'étais redevenue l'Héléna d'avant le mariage d'Yvonne. Celle qui croyait possible de devenir une femme du monde, de réussir là où sa sœur Fabi avait échoué. Mon mariage avec Edmond avait été un pis-aller aux conséquences mal calculées. Il assurait la sécurité, mais ne fournissait qu'un bonheur hachuré par la routine de l'ouvrier désabusé par son travail.

Tout dans cette maison respirait la liberté et le pouvoir de vivre comme on l'entend. Chaque meuble, chaque bibelot, chaque enjolivure des rideaux ou des tapisseries me chuchotaient l'existence d'un monde d'exception qui me semblait à portée de main.

Les chambres à l'étage avaient l'air de cocons. L'une d'elles était celle qu'occupait Matthew. Elle sentait le tabac frais et la lotion. Le lit était défait, un livre était posé sur la table de chevet: *Moby Dick*, d'Herman Melville. Je crois qu'il me mentionna de ne pas faire attention au désordre, mais j'étais déjà assise sur le bord du lit. Je feuilletai le roman en me promettant de le lire. Je lui parlai de Marie-Jeanne, qui lisait à haute voix, pour mon père, à la lueur d'une lampe quand nous étions au lac. Je m'embrouillai un peu dans le romantisme des détails. Je bouillais de désir. J'avais de nouveau vingt ans. J'étais heureuse. Il me regardait sans bouger, appuyé au cadre de la porte. Je souriais. Était-ce l'autre partie de moi-même qui se mit à fantasmer? Avais-je toute ma tête quand j'imaginais que ses mains ouvraient la fermeture éclair de ma robe ? Que je sentais ses doigts glisser sur mon corps avec tendresse ? Que le lit prenait la chaleur de nos corps et enveloppait nos ébats. Je n'étais plus la jeune fille timide qu'il avait initiée au pavillon du Wayagamac. J'étais une femme mûre qui en redemanderait jusqu'à épuisement. Peu importe si j'amorçais une autre bombe dans ma vie. Dans cette chambre, je ne voyais que lui.

Il sourit, s'avança et me tendit les mains. Je me levai, tremblante, et ce fut comme si le rideau tombait avant la fin de la pièce. Le mot fin barrait son visage.

— On continue la visite ?

Je n'avais pas imaginé que ça se passerait de cette façon. J'entendais sa voix, mais elle n'était qu'un bourdonnement à mes oreilles. Le sang y affluait comme un torrent. L'autre me poussait dans mes retranchements. Elle jubilait à l'idée de me remplacer.

— Je vois que tu portes encore la montre de ton frère. Tu l'enlèves jamais ? demanda-t-il d'un air moqueur.

La question eut l'effet d'une pierre que l'on jette dans l'étang. Les images se brouillèrent dans ma tête et le présent reprit le dessus.

— J'veux pas oublier Francis. Il a besoin de moé. Des fois, j'me dis qu'elle va se remettre à marcher toute seule, pis que ma vie va prendre un autre bord.

— C'est bien de rêver. Mais la magie, ça marche juste dans les films de Walt Disney.

— Moé, j'pense que ça marche dans nos cœurs aussi. Quand je t'ai aperçu, l'autre jour, sur la rue, j'ai ressenti la même chose que quand j'te voyais au Wayagamac. Ça m'a retournée ben raide. Comme la fois où on était allés au pavillon à cheval. J'oublierai jamais ça.

L'autre refusait de céder. Elle me glissait entre les doigts et elle était sur le point de franchir le pas.

— Beaucoup de temps a passé, Héléna.

— Je t'aime, Matthew. Le temps changera rien à ça.

— T'es mariée. T'as un enfant. T'es pas libre. C'est ça qui a changé.

— Y a rien qui peut pas être arrangé, murmura l'autre en l'embrassant.

Pendant un instant, je crus que ça y était. Il acceptait le baiser. Puis le charme se rompit. Ses mains se posèrent sur mes épaules et me repoussèrent lentement.

— J'pense que je ferais mieux d'aller te reconduire. J'ai une réunion d'affaires à midi.

À partir de cet instant, je sus qu'elle s'était installée dans ma tête. Comme pour les autres fois, elle avait un combat à gagner, une situation à redresser. J'allais devoir l'endurer, même si je n'osais admettre que sa fougue me plaisait.

— Si tu veux. Mais faudrait pas qu'on nous voie ensemble, par exemple! dis-je en reculant d'un pas.

— Écoute, Héléna. Tout ça est un peu précipité. Je vais revenir avant les Fêtes, au lac. Je te le ferai savoir.

En ce moment, je suis pas mal occupé avec toutes les formalités concernant l'usine.

— J'comprends, mais ça change rien à ce que j'éprouve pour toé. Je vais t'attendre. Surtout, appelle pas à la maison.

— Je t'enverrai un mot par la poste. Ça te va ?

— OK. Je prends ça comme de l'espoir.

Il opina de la tête avant de tourner les talons. M'écrire était une bonne idée. J'étais la seule à m'occuper du courrier. Chaque jour ou presque, je soulevais le rabat de métal de notre petite boîte aux lettres accrochée au mur près de la porte d'entrée. J'épluchais les comptes à payer, les publicités et les cartes de Noël durant le temps des Fêtes. C'était ma responsabilité et personne ne s'en mêlait.

Je me rendais compte que ma démarche était de la pure folie, mais je me sentais happée comme dans un tourbillon. Mes sentiments s'entrechoquaient et réveillaient petit à petit ce que j'avais enfoui au plus profond de moi-même. J'entendais le murmure d'un projet qui m'excitait. Je luttais pour combattre la force qui m'attirait vers le fond. Mon père me frappait au visage et Josette Gagné tirait sur ma botte. Je m'en débarrassais et j'acceptais la main de l'autre.

J'attendis sur le perron qu'il démarre l'auto avant de m'y installer. Je regardai de gauche à droite comme si j'étais une fugitive.

— Je vais t'amener jusqu'au collège Saint-Zéphyrin. Tu vas être plus près de chez vous.

J'acceptai son offre. Il me suffirait de baisser la tête si je repérais quelqu'un susceptible de me reconnaître.

Je me souviens d'avoir traversé la voie ferrée d'un pas allègre. Je descendis la butte en utilisant le tracé creusé par le passage des enfants revenant de l'école. Je me forçai à ralentir pour traverser la rue. Les voisins n'y verraient qu'une femme rentrant de la ville.

J'eus amplement le temps de me changer, de tout ranger et de commencer à préparer le souper avant que mon fils n'entre en criant. Je le soulevai de terre en le chatouillant pour me rebrancher avec mon quotidien. Ma mère me donna des nouvelles de ma tante avant de refermer la porte de sa chambre pour mettre son tablier. J'examinai une dernière fois autour de moi pour m'assurer que rien ne dénoncerait ma traîtrise. La vie coulait à nouveau dans mes veines. Je sentais la fraîcheur des grands espaces me parcourir. Je n'avais pas conscience qu'il y avait encore loin de la coupe aux lèvres, mais je savais que ma porte intérieure resterait maintenant grande ouverte.

Résidence Clair de lune, Trois-Rivières, printemps 2002

Jean est encore dans la chambre à La Tuque. Sa mère est avec un autre homme que son père. Il n'arrive pas à détourner le regard. Il essaye, mais le sourire d'Héléna est inconnu pour lui. Il est différent de celui qu'elle avait quand elle l'assoyait sur ses genoux et lui racontait l'histoire de la princesse, à la longue chevelure, prisonnière dans son donjon ; jamais il ne lui a vu cet éclat dans le visage. Elle rêvait de s'envoyer en l'air en trompant son mari et, à ce souvenir, la vieille femme d'aujourd'hui en est ravie.

— T'avais un amant ? demande-t-il dans un souffle.

Le sourire d'Héléna s'efface, emporté par le réel. Son fils a remplacé Matthew. Une vieille dame au regard attendri attend pour reprendre sa lecture. Le fantôme de sa jambe lui mord la cuisse. Le lit d'hôpital est bien concret, tout comme le pichet d'eau tiède, la moitié de biscuit sec dans son assiette et l'odeur de la mort qui flotte sur l'étage.

— D'une certaine façon, oui.

— On a-tu besoin de connaître tes histoires d'amour ?

— Ça va avec le reste. Je partirai pas sans me vider le cœur. Pis quand on aime, on se « badre » pas avec les mots. Pas vrai, Huguette ?

Madame Lafrenière sursaute. Le manuscrit lui échappe. Elle s'empresse de le ramasser. Le fils a l'air hypnotisé par sa mère. Comment faire pour ne pas entrer dans leur bulle ? Elle fait un signe incertain de la tête en direction d'Héléna.

— On pourrait pas en passer des bouts ? insiste Jean.

— Pourquoi tu restes, d'abord ? se fâche Héléna, visiblement irritée par l'attitude de son fils.

— Je te l'ai dit. J'suis venu parce que j'voulais pas de complications avec ta…

— …ma mort! Aie pas peur de le dire. C'est ben visible juste à me regarder. Pas besoin de faire du chichi avec ça! s'emporte Héléna en toussant.

— Pis aussi parce que madame Huguette m'a convaincu qu'on juge pas de la qualité d'une chaise sans la mettre en dessous de son cul.

— J'suis pas sûre que c'est flatteur, mais j'vais faire avec, dit-elle en se tournant vers son amie rougissante.

CHAPITRE 11

La Tuque, automne 1954

Les Fêtes approchaient à grands pas. La neige était au rendez-vous, au grand plaisir de mon fils. Les vitrines des magasins s'ornaient de guirlandes, de cannes colorées, de couronnes et de boules de Noël. Devant l'hôtel de ville, on avait dressé un sapin illuminé. Sur le bord des rues, il y avait des bancs de neige de belles dimensions. Dans tout La Tuque régnait une atmosphère festive soutenue par les chansons et les cantiques de Noël.

Edmond avait installé nos lumières autour de la porte d'en avant et de la fenêtre du salon. Il avait, comme d'habitude, râlé en cherchant l'ampoule rebelle qui boycottait son installation. Marie-Jeanne se préparait mentalement à son souper du jour de l'An, malgré son foie qui se révoltait de plus en plus souvent. Depuis notre séjour au lac Wayagamac, jusque bien après la mort de Fabi et l'internement de Francis, elle avait interrompu ce rituel. Avec la naissance de Jean, je finis par la convaincre de chasser le deuil qui lui collait à la peau. Il lui restait encore des enfants et son seul petit-enfant avait droit à un jour de l'An digne de ce nom. D'autant plus que du côté d'Edmond, il y aurait sa sœur Aline et son mari Wenceslas, ainsi que son frère Cyprien et sa femme Madeleine, venus de la lointaine Côte-Nord pour s'installer à La Tuque, attirés par les promesses d'emploi offertes par l'usine de pâtes et papiers. Le travail dans les mines ne les enchantait guère. L'isolement et le climat non plus. Chacun avait deux enfants âgés de cinq à sept ans, deux filles pour Wenceslas et deux garçons pour Cyprien. À ceux-là se rajouteraient Géraldine et son mari, Yvonne et son Antoine, mon frère Georges et sa femme. Assez de monde pour remplir notre petite maison.

De mon côté, je flottais sur un nuage. J'anticipais la venue du facteur qui m'apportait des nouvelles de Matthew. Je m'enfermais dans ma chambre pour en dévorer les mots. Le plus souvent, il racontait ses voyages, les grandes villes et ses excursions de pêche ou de chasse. Ses lettres étaient trop courtes et j'y sentais l'ambivalence de ses sentiments. Peu importe, j'en interprétais le sens à mon avantage. Sitôt lues, je les dissimulais dans mon corsage et je m'ingéniais à trouver une occasion pour les brûler en cachette dans le garage d'Edmond. Cette correspondance me demandait beaucoup d'énergie. Ce n'était pas simple de trouver le temps et la solitude nécessaires pour lire et rédiger une courte réponse. Avec la présence de ma mère, de Jean et de mon mari, qui occupait parfois la chambre tout le jour, ou se retrouvait en congé les jours où le facteur faisait sa tournée, je frisais la crise de nerfs quand j'entendais se rabattre le couvercle métallique de la boîte aux lettres. Mais mon expérience de fouineuse me servait abondamment. Personne ne me surprit jamais une lettre à la main. Ce qui n'empêchait pas Edmond de déceler le moindre changement dans mes comportements. Sans avoir de certitudes, je sentais qu'il était aux aguets.

Ses allusions étaient de plus en plus fréquentes. Sortir en ville m'attirait à coup sûr une kyrielle de questions sournoises. Il suspectait l'épicier, les vendeurs des magasins, un compagnon de travail qui disait m'avoir adressé la parole sur le trottoir et même le curé dans ses visites paroissiales. Curieusement, il ne fit aucune allusion à Matthew, car il le savait reparti aux États-Unis.

Une semaine avant Noël, je reçus une lettre qui m'excita au plus haut point. Matthew serait au club Wayagamac avec des amis pour passer le temps des Fêtes. Il souhaitait qu'on puisse se voir. Il s'arrangerait pour venir seul à la maison de la rue des Anglais le 21 décembre. C'était un mardi. Il y avait de fortes chances pour qu'Edmond soit au travail. Sa lettre était plus entreprenante qu'à l'habitude. Je ne me résignais pas à la détruire. Elle tenait sur deux feuillets que je glissai dans le bonnet de mon soutien-gorge. C'était risqué, mais je ne pouvais m'empêcher de la lire et de la relire, tellement elle me donnait de l'espoir.

Le lendemain, Edmond m'emmena avec Jean pour couper notre sapin de Noël. Nous allions habituellement le chercher aux environs du lac à Beauce. C'était un de ces moments où le bonheur nous rattrapait. Quand on s'éloignait de la maison et que la nature nous entourait, nous étions heureux. C'était une équation assurée.

Edmond longea la route en examinant la forêt. Après ce qui me sembla une éternité, il se gara sur le haut d'une côte et nous montra un sapin parmi une talle bien fournie. Aucun de nous trois ne voyait le même. Qu'importe, nous pataugions à mi-jambe dans la neige folle pour nous en rapprocher. Edmond ouvrait la marche avec la sciotte sur l'épaule et Jean portait une petite hache avec fierté.

— Regarde celui-là. Il a l'air d'avoir beaucoup de branches.

— Tu penses pas que l'autre dans le fond a plus d'allure ? demandai-je avec assurance.

— C'ui-là ! cria Jean en tenant la tête d'un sapin pas plus haut que lui.

— C'est vrai qu'il est *cute*, Jeannot, mais on pourra pas mettre les cadeaux en dessous ! lui dis-je en riant.

— Par là ! ordonna Edmond en s'approchant d'un arbre qui me semblait trop grand pour notre salon.

— Si on met ça dans le salon, où est-ce qu'on va s'asseoir ?

— En dessous du sapin ! cria Jean tout heureux.

Nos rires rebondissaient sur les branches enneigées. À travers elles, j'imaginais notre maison au bord du lac et ma sœur Fabi qui riait aux éclats. Elle soulevait deux beaux lièvres à bout de bras et la neige se collait à son bonnet pour lui faire une couronne. La hache de mon père fendait ses rondins et une fumée blanche sortait de la cheminée. Je savais que Marie-Jeanne roulait la pâte et fredonnait *Çà bergers,* en remplissant un fond de tarte d'une garniture de sucre brun. Son sourire s'élargirait à la vue du butin qu'on lui rapportait. Elle en ferait un ragoût succulent et passé le dessert, elle nous raconterait l'histoire du « quêteux » de Noël. Un récit où le partage était récompensé par la guérison miraculeuse d'un père malade, au douzième coup de minuit. Nous la connaissions par cœur, mais nous forcions Marie-Jeanne à ajouter des détails en la bombardant de questions. Inévitablement, le diable se faufilait derrière le « quêteux » et l'eau bénite récoltée au matin de Pâques prouvait enfin son utilité ! Ma mère était une conteuse exceptionnelle et se prêtait au jeu avec plaisir.

— Dépêche-toé, la sœur ! T'as l'air d'un bonhomme de neige ! me cria Fabi en me tournant le dos.

Je façonnai une boule de neige et la lançai dans sa direction.

— Maman ! On travaille, là ! se plaignit mon fils, qui tirait les branches coupées par Edmond.

Sortie de mes rêveries, je récidivai et la bataille s'engagea entre nous trois. En moins de deux, on se retrouva couverts de neige, moi chatouillant Jean, Edmond me chatouillant, et nos rires nous enveloppaient de bonheur alors que nous roulions les uns par-dessus les autres dans la neige.

Comme je l'avais prévu, le sapin dépassait de l'arrière du camion par deux bons pieds. Edmond haussa les épaules et m'embrassa sans façon. Je l'aimais pour ces moments complices où il oubliait le monde extérieur. Il redevenait le prétendant espiègle aux joues cramoisies. Celui qui m'avait enseigné à jouer aux quilles et qui me commandait un café sans sucre à la cantine de l'usine.

Jean se colla contre nos jambes. Une neige mouillée se mit à tomber. Si la vie avait pu se résumer à ce genre de plaisirs, elle aurait été parfaite. Mais à mesure que nous revenions vers La Tuque, la lettre pliée durcissait contre mon sein. La neige avait fondu et trempé ma chemise et mon sous-vêtement. Nul doute que la lettre en souffrirait.

À la maison, Edmond dut s'y reprendre à trois fois pour couper la base du sapin et le faire entrer dans la maison. Au final, l'arbre avait perdu sa prestance. Les branches étaient trop espacées et le joyau que nous avions rapporté avait maintenant l'air rachitique. Jean n'en fit aucun cas et se réjouissait des décorations que Marie-Jeanne sortait des boîtes.

Quand le sapin fut debout à côté du téléviseur, on décida d'attendre qu'il dégèle un peu avant d'y placer les ornements. J'en profitai pour me changer dans la chambre. Edmond m'y rejoignit et me prit dans ses bras, alors que j'étais en sous-vêtements.

Il m'embrassa avec chaleur et sa main glissa sur ma poitrine. J'en avais le souffle coupé. Il était à deux doigts de découvrir la lettre pliée. Il fit tomber la bretelle de mon soutien-gorge et m'embrassa dans le cou. J'avais peur que le papier mouillé ne tombe sur le sol. Je m'éloignai d'un pas en prenant un air coquin.

— J'ai de quoi de mieux, dis-je à demi-voix.

Je m'agenouillai et j'ouvris sa braguette. Je fis ce qu'il fallait pour apaiser son excitation. J'entendais mon fils et Marie-Jeanne s'exclamer en ouvrant les boîtes contenant les guirlandes, les boules et la crèche. Je n'avais pas le droit de mettre en péril la magie de Noël.

Résidence Clair de lune, Trois-Rivières, printemps 2002

Huguette fait une pause calculée en s'attendant à une remarque de Jean. Mais ni lui ni sa mère ne bronchent de leur position. Tous deux semblent assoupis. Jean a le menton sur l'estomac et les jambes allongées. Il respire régulièrement et a l'air de dormir. Ne manquerait à l'affront qu'il se mette à ronfler ! Quant à Héléna, son visage est apaisé et son souffle ténu. Devra-t-elle reprendre les derniers paragraphes ?

La télé diffuse un épisode de la série *Fortier*. L'héroïne, une psychologue criminelle interprétée par Sophie Lorain, semble avoir de la difficulté à interroger une suspecte réticente. L'envie est forte de mettre le son. Huguette adore cette équipe d'enquêteurs dirigée par le comédien Gilbert Sicotte. Encore une fois, elle en raterait un épisode, n'ayant pas programmé son magnétoscope.

Elle ne peut s'empêcher de se demander ce que penserait Fortier à propos d'Héléna. Y verrait-elle une tueuse en série ou une femme victime de sa folie intérieure ? Cela fait-il une différence que ce soit inscrit dans ses gènes ou pas ? Réussirait-elle, à force de questions, à cerner d'où provient le mal qu'Héléna prétend porter en elle ? Couvait-il depuis sa naissance ? Ou, au contraire, était-il né l'été où son cheval était mort, sa sœur était disparue et son père s'était pendu ? Et que dirait son chef de cette envie soudaine qu'a le fils de se gratter la barbe ? Y verrait-il le même genre d'anxiété qui le porte lui-même à tirailler le col de sa chemise dans les moments de tension ?

Huguette tente de lire sur les lèvres de la psychologue apparaissant en gros plan à l'écran. Son imagination comble les vides. « On peut pas savoir, dit-elle, on a pas assez de preuves. Ce que je sais, par contre, c'est qu'une personne comme elle va pas pouvoir s'arrêter ! Subir un traumatisme est parfois comme un tremblement de terre : les fissures sont difficiles à reboucher. »

— Tu peux monter le son, si tu veux, offre Héléna d'une voix faible.

— Hein ? Non, je faisais une pause pour vous attendre.

— Jean aussi a l'air fatigué. On continuera demain.

— Héléna ? Ça t'aide-tu que je lise ?

— Oui, j'ai les bras trop faibles, pis les yeux fatigués. J'te l'ai déjà dit.

— J'pensais plutôt à d'autres choses… Pourquoi c'est si important que tu brasses tout ça avant de mourir ?

— J'ai pas été juste une mauvaise personne, Huguette. Ça me fait du bien de me vider le cœur. J'aurais dû faire ça ben avant, pis payer pour mes fautes. J'ai jamais été capable. C'est une chance que je t'aie rencontrée. Toute seule, j'serais peut-être pas allée jusqu'au bout… Comme ça, j'vais me sentir plus légère par en dedans, quand j'vais partir.

— Veux-tu que je le réveille, d'abord ?

— Oui, pour y dire d'aller se coucher !

CHAPITRE 12

La Tuque, hiver 1954

Marie-Jeanne fit une crise de foie dans la nuit du lundi au mardi. Elle vomit une bile jaunâtre et épaisse, tout en se tenant le ventre, qui était gonflé comme une pastèque. Ni les sacs de glace ni la bouillotte d'eau chaude ne la soulagèrent. Pas plus que la chaise berceuse, le lit ou la marche autour de la table. Elle finit par réveiller Jean et je dus le consoler. Quant à Edmond, il se mit à râler après avoir claqué la porte de la chambre.

Je n'avais en tête que mon rendez-vous avec Matthew. Je renonçai à me coucher quand je vis les lueurs de l'aube. Je me préparai un café et je confectionnai la boîte à lunch d'Edmond. Mes gestes étaient lents, mais précis. La soupe poulet et riz dans le thermos, les deux sandwichs au jambon cuit et moutarde, la tomate ou le concombre, le sel et le poivre, un May West et du café dans un deuxième thermos. Une seule variante était possible : une soupe bœuf et orge avec un sandwich au poulet et mayonnaise, et trois biscuits Whippet. Aucune autre combinaison n'était envisageable. Pas question que la soupe bœuf et orge accompagne le jambon cuit ou que le May West se retrouve aux côtés des sandwichs au poulet. Le menu était si simple que, même décérébré, mon corps aurait pu faire le travail.

Je contenais mon excitation à mesure que la journée se mettait en marche. À mon grand soulagement, Edmond déjeuna, s'habilla et partit sans dire plus de trois phrases. Comme moi, il avait remarqué que les vitres étaient couvertes de givre. Ce qui signifiait qu'il allait se les geler tout au long de la journée. À son habitude, Jean picora dans ses Corn Flakes jusqu'à ce que les céréales deviennent une sorte de boue avec laquelle il remodelait le contour de son bol.

Je l'habillai en lui expliquant qu'il allait se faire garder chez Louise, notre voisine. Il protesta pour la forme et je dus me fâcher de peur qu'il ne réveille ma mère, qui n'était pas en état de jouer à la nounou.

Le fils de Louise vint nous ouvrir la porte. Il avait les yeux cernés et la peau aussi pâle qu'un vampire. Pendant un instant, je pensai qu'il était trop malade et que ma voisine ne pourrait pas s'occuper de mon fils.

— Ta maman est là ? demandai-je avec mon plus beau sourire.

— Mamaaan !!

Son cri n'avait aucune conviction. Il s'éteignit au lieu d'enfler. Je n'attendis pas d'invitation pour entrer et refermer la porte. Je ne voulais pas être responsable du coup de froid qui risquait de l'emporter. Sa mère s'amena en s'ébouriffant les cheveux. Sa robe de chambre était ouverte sur une chemise de nuit trop transparente. Elle la referma en nous voyant.

— J'étais encore couchée, dit-elle d'une voix pâteuse. Mon fils a eu une mauvaise nuit.

— Ma mère aussi. Moé qui voulais te demander un service.

— Y a pas de problème. J'vais en prendre soin, de ton Jean. Ça va distraire Denis. Je le garde-tu pour dîner ?

— Ça serait ben d'adon pour moé. J'ai pas mal de commissions à faire.

Ma voix a dû vaciller sans que je m'en rende compte. Louise a eu un drôle de sourire. Elle a senti que je cachais quelque chose. Je me suis empressée d'aider mon fils à se déshabiller.

— Laisse faire ça, Héléna, je vais m'en occuper. On s'entend ben, moé pis ton p'tit Jean. Pas vrai, mon ti-boutte ?

Jean acquiesça, un peu gêné. J'en profitai pour me sauver. Tout se mettait en place comme je l'avais espéré. Dans une petite heure, je serais avec lui. Mon scénario le plus fou prévoyait un enlèvement. Il m'emmènerait aux États-Unis après m'avoir fait l'amour. Il paierait un avocat pour le divorce et la garde de mon fils. On installerait ma mère dans une petite maison près de la nôtre. Je serais une dame de la haute et je boirais mon thé dans un service en argenterie. Jean fréquenterait les meilleures écoles et deviendrait riche.

J'étais sous l'emprise de mes rêves mégalomanes alors que je me lavais à la bassine dans ma chambre. La porte d'entrée s'ouvrit et me fit l'effet d'un couteau s'enfonçant dans mon ventre. J'entendis le bruit de la boîte à lunch posée sur la table. Le froissement du manteau et le son des bottes rebondissant sur le plancher. Je regardais les vêtements que j'avais étalés sur le lit. Ma débarbouillette pendait au bout de mes doigts et cachait mon sexe. Je ne pouvais plus respirer. Je cherchais désespérément une échappatoire.

La porte s'ouvrit et Edmond eut l'air aussi hébété que moi. Il détaillait chacun des vêtements en alternance avec mon corps nu. Je cachai mes seins de mon bras replié. Ce geste eut l'heur de l'irriter.

— Qu'est-ce que tu fais ? demanda-t-il, en retirant sa veste de laine.

— Tu le vois ben, j'me lave.

Ma voix manquait d'aplomb. J'hésitais et il le sentit.

— C'est mardi, à matin. Tu devrais pas être en train de repasser le linge ?

Je cherchais la sortie de secours. Mon château de cartes s'effondrait. J'étais démunie sans aucun vêtement sur le dos.

— Tu t'en allais où, de même ? insista-t-il.

— Des commissions à faire.

— Tu te mets belle en crisse pour faire des commissions.

— Pis toé, t'es pas à l'ouvrage ?

— Y a eu un *breakdown* dans la cour à bois. J'vais y retourner à quatre heures. Ça dérange tes plans ?

— Ben non. M'man est encore couchée, pis le p'tit est chez Louise.

— Tu l'as fait garder ? Ça t'a pas tenté de l'emmener magasiner ?

— Pour qu'il dise à tout le monde c'est quoi leur cadeau ?

— Arrête donc tes menteries. Dis-moé où c'est que t'allais ?

— En ville ! Où c'est que tu veux que j'aille ?

— Comment il s'appelle, le câlisse ?

Et voilà, on y était. Ça n'allait plus s'arrêter. Il s'approcha de moi et me tira par le bras. Il me serrait le poignet avec force. Je tentai de me dégager, mais il me frappa à l'épaule de son poing fermé. Je sentis la douleur remonter jusqu'à mon cou. C'était la première fois qu'il levait la main sur moi. Jusque-là, j'avais eu droit à des interrogatoires serrés, des remarques perfides, de la bouderie, des petites vengeances et quelques tassages le long des murs. Mais jamais il ne m'avait frappée.

— Reste tranquille, j'ai pas fini. C'est pour qui que tu te poudres les joues ?

— Pour personne. Aïe ! Tu me fais mal. Lâche-moé, Edmond !

— Tu me joues dans le dos, pis tu voudrais que je dise rien ! cria-t-il.

— Pas si fort, tu vas réveiller ma mère.

— C'est bon pour elle, elle a passé la nuit à nous faire chier avec son foie!

— Tu dis n'importe quoi, là!

— M'as te montrer si je dis n'importe quoi, moé! Tu veux du cul, m'as t'en donner!

Mon rêve virait au cauchemar. Je me débattis et essayai de le repousser. J'évitais de crier pour ne pas alerter ma mère. Son haleine sentait l'alcool, signe qu'il était passé par la taverne. Il m'obligea à m'agenouiller sur le rebord du lit en agrippant ma chevelure à la nuque. Je le frappai d'une ruade du talon. Je l'entendis gémir puis je ressentis une profonde douleur dans mon dos. J'en perdis le souffle. Il me souleva à nouveau et me prit comme une bête. Je pleurais, le visage enfoui dans l'édredon.

Quand il eut fini, il déchira chacun des vêtements étalés sur le lit. J'étais recroquevillée sur moi-même quand il se pencha à mon oreille.

— À l'avenir, tu sors pus d'icitte sans me dire où tu vas. T'as ben compris? J'vais revenir pour dîner, pis t'as besoin d'être là!

Aussi impensable que ce soit, je me sentais coupable. C'était de ma faute. Il avait raison sur toute la ligne: j'avais l'intention de le tromper. Je l'avais déjà fait dans ma tête. Je mettais ma famille en péril. Comme une idiote, je risquais le pire pour mon fils et ma mère. Nous avions besoin d'un toit, de nourriture et d'argent. Tout cela nous était fourni par Edmond. Qu'est-ce qui me prenait de bouleverser l'ordre des choses?

Le silence avait l'effet d'un baume. Je fermai les yeux, mais je n'arrivais plus à voir la chambre du pavillon au Wayagamac, ni à ressentir le bonheur d'être entourée par les bras d'amoureux de Matthew. Il n'y avait qu'Edmond qui me frappait, puis me prenait en recommençant dans une ronde infernale. C'était comme pour la mort de mon cheval Ti-Gars. Je l'avais vu mourir à répétition dans ma tête, avant de renaître sous une autre forme. Cette seconde nature était couchée à côté de moi et me répétait comme une litanie que je méritais mieux. Jamais, je n'avais autant envie d'y croire.

Résidence Clair de lune, Trois-Rivières, printemps 2002

Le jeune docteur Valois pose l'extrémité de son stéthoscope sur la poitrine d'Héléna. Il le déplace à quelques reprises en le réchauffant du creux de la main devant les grimaces de sa patiente. Il tâte le pouls en consultant sa montre. Puis il soulève la couverture pour examiner la jambe amputée. Huguette tourne la tête, regrettant d'être là. Mais son amie a insisté pour qu'elle soit présente à l'examen. Jean s'est éclipsé sans façon, en se grattant le côté du visage plus que jamais. Il semble que la progression du récit de sa mère lui donne de l'urticaire. Huguette n'arrive pas à bien saisir la source de ce reflux d'émotions.

— Quand vous aurez fini vos simagrées, vous me donnerez une réponse, dit Héléna avec impatience.

— C'est important de prendre vos signes vitaux, madame Martel. Votre jambe cicatrise bien. Est-ce qu'on s'est occupé de vos plaies de lit ?

— Laissez faire les plaies, pis les signes vitaux ! J'le sais que j'suis pas encore morte ! Ce que je vous demande, c'est de me donner de quoi pour quand ça va être le temps.

— Vous le savez bien, madame Martel, qu'on peut pas faire ça. Je peux juste vous faire une prescription de morphine en injection. Vous pourrez en prendre au besoin.

— On s'occupe mieux des chiens que de nous autres !

— On est là pour vous soulager. Pour que vous soyez à l'aise et le mieux possible avec vos proches.

— Voyez-vous ben des proches icitte, vous ? À l'âge que j'ai, ils sont tous de l'autre bord ! Vos injections, ça va-tu être vite fait ?

Le docteur Valois semble pris au dépourvu. Il sourit à Huguette, qui se tient à l'écart. Il tire son calepin d'ordonnances et griffonne à la hâte.

— Ce que vous demandez, madame, ça existe pas. Notre travail, c'est pas de faire mourir nos patients, mais d'apaiser leur souffrance. Je vais vous laisser la prescription, vous la donnerez à l'infirmière. Le personnel est habitué. Ils vont bien s'occuper de vous. Ah ! J'ai ajouté une crème plus forte pour vos plaies, puis un médicament pour vos brûlements d'estomac et un autre pour la douleur. C'est le mieux que je puisse faire. Je vous souhaite que ça se passe bien, madame Martel. Bonne journée à vous deux!

— À vous entendre, ça a d'l'air que je vais être obligée de m'organiser avec ça. Comme si je l'avais pas assez fait dans ma vie!

Le docteur Valois a un sourire d'incompréhension. Il salue d'un coup de tête et quitte la chambre.

— Tiens, Huguette. Tu donneras le papier à l'infirmière. Mon gars est pas là?

— Il m'a dit qu'il devait aller à Victoriaville pour rencontrer un client. J'ai compris que c'était pour la réparation d'une commode en chêne. Il va revenir après le souper.

— Va falloir attendre pour la lecture. Je veux qu'il sache pour Edmond.

— Je pensais que c'était pour l'histoire de l'incendie.

— C'est tout relié. J'ai déjà essayé de lui expliquer, mais il a pas voulu m'écouter.

Huguette se souvient de ses propres tentatives d'explication auprès de son père. Il ne voulait rien entendre. Sa fille ne pouvait aimer une femme comme on aime un homme. Le sujet tombait vite aux oubliettes. Frôler la question le rendait irritable, l'aborder de front le faisait fuir. Jamais elle n'avait osé dire qu'elle était lesbienne devant lui, ni devant sa mère, qui était morte dans le déni.

— Y en a qui préfèrent pas savoir, dit Huguette.

— Pas savoir ce qui nous a blessés, ça veut dire jamais guérir.

— Tu penses pas qu'y a des affaires qu'on serait mieux de garder pour soi ?

— J'ai longtemps cru ça. Mais quand on voit notre bateau accoster pour l'autre bord, on a envie d'avancer léger pour le dernier « boutte ».

— C'est toé qui as les rames. Ton fils va comprendre ça. Y t'abandonnera pas.

— T'es ben fine. Mais j'suis pas toute seule. T'es là !

Huguette s'approche et prend la main d'Héléna. Ses yeux sont humides et elle effleure de ses lèvres celles desséchées de son amie. Elle n'a jamais pu s'expliquer l'amour. Béatrice lui répétait qu'il suffisait de lui ouvrir la porte, de l'inviter à s'asseoir pour faire connaissance et partager, mais de ne jamais refermer la porte, pour qu'il puisse un jour repartir par choix, par obligation ou pour se trouver une nouvelle maison. Héléna l'a accueilli dans la sienne en offrant de lui partager sa vie jusque dans ses plus sombres recoins. Qu'importe la durée, cela vaut le coût. Il y a bien longtemps qu'Huguette Lafrenière ne s'est pas sentie aussi importante.

CHAPITRE 13

La Tuque, hiver 1954

Le matin du 31 décembre, nous étions quatre à nous agiter. Ma mère à ses fourneaux, moi pour la seconder, faire le ménage et préparer la place, Edmond à confectionner un long banc de bois avec des madriers, et Jean à s'exciter, en touchant à tout. L'odeur du ragoût de pattes de cochon nous caressait les narines et se mariait aux tourtières dorées qui sortaient du four. Plusieurs pots de betteraves marinées, de cornichons vinaigrés et de ketchup maison s'alignaient sur le comptoir de la cuisine. La veille, malgré la fragilité de son foie, Marie-Jeanne avait fait quatre gros pains de ménage qui attendaient leur cuisson, alignés côte à côte sous un linge à vaisselle, sur le dessus du réfrigérateur. À intervalles réguliers, j'ouvrais la porte d'entrée pour tempérer la pièce, dont la chaleur devenait insupportable. Les préparatifs allaient bon train au rythme des airs de La Bolduc, que diffusait la radio locale.

Depuis sa colère explosive, Edmond était redevenu affable. C'était comme si l'évènement n'avait jamais eu lieu. Il souriait, s'amusait avec Jean et se rendait serviable dans la maison. Il m'offrit de m'accompagner en ville pour m'acheter une robe neuve et des souliers assortis. Je jouais le jeu, car je ne voulais pas gâcher la période des Fêtes. Vus de l'extérieur, nous formions un couple ordinaire et sans histoire.

J'avais gommé Matthew de mes pensées. Mon dos endolori suffisait à ériger une barrière infranchissable entre lui et moi. De toute façon, il avait dû interpréter ma défection comme un changement de cap de ma part. À mes yeux, il était devenu comme le prince d'un livre sur lequel on rabat la couverture avant d'entreprendre une brassée de lavage. La crise d'Edmond avait balayé les fantasmes que j'entretenais. En lieu et place, des idées de vengeance se bousculaient dans ma tête. Au-dedans de moi, l'autre femme fomentait une révolte.

Marie-Jeanne avait boudé durant un avant-midi avant de constater que tout semblait reprendre son cours normal. Elle passa son mécontentement sur son chapelet et sur des passages de la Bible, qu'elle se récitait à haute voix en activant sa chaise berçante. Elle savait que la manœuvre avait le don d'horripiler Edmond.

À trois heures, tout était prêt. La table montée portait les plats de friandises. Les bonbons forts, de toutes les couleurs, s'entassaient sur les barquettes de verre taillé, aux côtés des arachides, des *cachous* et du mélange incontournable de noisettes, d'amandes, « d'ergots de cochons » et de noix de Grenoble, qu'il fallait broyer avec un casse-noisette chromé. Puis, dès l'arrivée des premiers invités, je sortis la boîte de chocolats Lowney's. Cinq livres de douceurs entassées sur plusieurs étages, dans de petites coupoles de papier crêpé. Jean avait les yeux sortis de la tête tellement l'odeur du chocolat était intense.

Marie-Jeanne et moi sentions le parfum et le maquillage. Edmond portait son pantalon du dimanche, ses souliers vernis et son unique chemise blanche, dont il roulait les manches jusqu'aux coudes. Il refusait la cravate, mais gominait ses cheveux vers l'arrière. Ses joues prenaient une couleur rosée que je lui enviais. Ma mère et moi étrennions une robe neuve et nos plus beaux bijoux. J'endurais la combinaison corsetée en me demandant comment j'arriverais à manger. Juchée sur mes talons hauts, j'avais le cul dressé comme une poule de basse-cour.

Quand j'y repense, il était étonnant qu'une vingtaine de personnes puissent loger dans un si petit espace. Un bout de la table était accolé au sapin et un geste de travers enverrait valser les boules de Noël, qui se fracasseraient sur le sol. Une vague de déception se propagerait alors jusqu'à l'autre extrémité, où les convives suaient à grosses gouttes près du ragoût fumant sur le poêle. Les bouteilles de vin se succédaient, entrecoupées d'un coup de fort apparaissant comme par magie près de l'assiette.

Marie-Jeanne et moi étions au service et l'absence de Georges nous inquiétait de plus en plus. La plupart des invités en étaient à leur deuxième assiettée de soupe aux pois quand la porte s'ouvrit et qu'un nuage de vapeur blanche vint se mêler à celui de la fumée des cigarettes. Un soupir de soulagement ponctué de cris de joie accueillit mon frère aîné et sa femme. Puis le froid de l'extérieur sembla geler tout le monde. La porte se referma sur Francis.

Cela faisait plusieurs semaines que je ne l'avais pas vu. Certains dans la pièce ne l'avaient pas revu depuis des années. Tout le monde savait qu'on l'avait interné à la suite de la noyade de Fabi au lac. On avait conclu qu'en voulant contrôler la crise de folie de mon frère, elle s'était noyée. Un accident malheureux pour lequel Francis avait payé de son équilibre mental pendant des années. Cela n'empêcha pas les rumeurs de courir, mais le temps fit son œuvre et on oublia. Sa présence dans notre veillée surprenait et provoquait un malaise. Ceux qui ne le connaissaient pas attendaient pour réagir.

Je dois dire qu'il avait l'air bien portant. Il avait les cheveux courts, frais coupés et grisonnants. Il portait veston et cravate sous un paletot de bonne qualité. Il tenait son chapeau à la main et ses doigts couraient sur le rebord. Il souriait avec gêne. J'en avais les genoux comme du Jell-O. Ma mère avait cessé de respirer et agrippait son tablier brodé à hauteur de poitrine. Georges retira son couvre-chef avant de déclarer :

— C'est ma surprise du jour de l'An ! C'est pour vous, la mère, pour que vos enfants soient tous là pour commencer l'année !

Marie-Jeanne pleurait sans pouvoir dire un seul mot. Puis ma tante Géraldine se leva et vint serrer la main de Francis et lui faire l'accolade.

— Je suis contente de te voir, mon gars. Dégraye-toé pis viens t'asseoir, on a du bon manger.

Yvonne ne put s'empêcher d'en rajouter.

— OUI, PIS DÉPÊCHE-TOÉ, FRANCIS! PARCE QUE, COMME C'EST LÀ, MON ANTOINE EST PARTI POUR FAIRE UNE INDIGESTION!

Ce fut le signal pour que la soirée se remette en marche. Antoine fit une blague salace sur le cochon dans le ragoût et les éclats de rire fusèrent en même temps que les conversations.

Je pris Francis par le bras pour l'entraîner dans ma chambre. Ma mère le happa au passage sans être capable de lui répéter autre chose que: « Mon p'tit gars. J'suis contente que tu sois là! » Il déposa son paletot sur le lit parmi ceux des autres invités. Ses gestes avaient pris de l'assurance. J'attendis que Georges fasse de même avec le sien et celui de sa femme. Quand nous fûmes seuls, je pris Francis par les épaules.

— J'arrive pas à croire que t'es là. Comment ça va?

Il me regarda avec un soupçon de malice au fond des yeux. Ses mains se frottaient l'une à l'autre pour en enlever la froidure. Ses lèvres étaient sèches et il respirait dru en écartant les narines. Je le serrai contre moi en lui caressant le dos pendant un moment.

— J'suis correct, Héléna. J'ai juste frette, pis j'ai perdu l'habitude des fêtes de famille.

— Crains pas, tu vas te réchauffer. Pis inquiète-toé pas, ça va ben aller. Viens-tu juste d'arriver de Trois-Rivières ?

— Georges est venu me chercher avant-hier. Il m'a gardé à coucher. J'me sens ben. Ça fait longtemps que j'ai pas fait de crise.

— C't'une bonne nouvelle, ça ! Regarde. J'ai encore ta montre.

— C'est pas trop chic avec ta robe.

— Mais quand j'la vois, j'pense à toé.

Il hocha la tête à plusieurs reprises. De l'autre côté de la porte, les conversations enflaient. La voix d'Yvonne se distinguait facilement. Quelqu'un commença une chanson à répondre où il était question d'un homme que sa femme trompait allègrement. Il me semblait que j'étais directement visée. J'embrassai Francis sur la joue. En d'autres temps, il m'aurait soulevée de terre, comme il le faisait avec Fabi. Il se contenta d'un sourire gêné.

— Ça sent le bon ragoût, dit-il.

— Oui, je vais te faire une place à côté de moé. Promets-moé que si tu te sens mal, tu vas me le dire.

— C'est correct. J'te ferai signe comme dans le temps : avec un coup de genou en dessous de la table. Notre père haïssait ben ça quand on parlait en mangeant.

— C'est bon de t'entendre dire ça. T'as vraiment l'air d'aller mieux !

— J'prends mes médicaments comme il faut. J'en ai moins qu'avant. Pis j'écoute le docteur.

— Ça paraît, t'as bonne mine !

— J'pense que le bijoutier chez qui je travaille va me prendre à temps plein. Il me trouve bon.

— J'en doute pas une minute ! Pis ton appartement ?

— J'me débrouille. C'est pas toujours facile, mais j'pense que je m'en sors.

— Ça paraît, juste à te voir !

Je constatai à son air qu'il y croyait, lui aussi. J'étais heureuse pour Francis. Il ne méritait pas ce qu'il avait vécu. Il eût été bien suffisant qu'il combatte les démons, que la guerre lui avait rentrés dans la tête, sans qu'il s'en rajoute avec la mort de Fabi. Mais il n'était responsable de rien. La faute m'en revenait. J'avais envie de lui enlever ce poids, mais comment lui parler de l'autre femme qui m'avait habitée en ce temps-là ? Je me contentai de retrouver au fond de ses yeux le frère qui me faisait rire, quand nous habitions sur notre terre le long de la rivière Saint-Maurice avant notre passage au Wayagamac, et dont l'insouciante joie de vivre me manque tant.

La chanson grivoise prit fin dans un éclat de rire général, que la voix de Marie-Jeanne décupla en annonçant que son ragoût était prêt. Des applaudissements retentirent et Antoine entonna une chanson à boire. Je profitai de l'excitation pour installer Francis auprès de moi. Je fis signe à Edmond de ne pas lui servir de boisson.

Nos veillées atteignaient leur sommet juste après le repas. Les ventres repus et gorgés d'alcool prenaient leur envol pour la fête. Entre les tartes au sucre et les pets de sœur dans le sirop d'érable, Géraldine y allait de son répertoire de chansons à répondre. Elle repoussait sa chaise et agitait les bras dans tous les sens pour stimuler les plus frileux. Ma sœur Yvonne et son Antoine avaient l'enthousiasme contagieux et on finissait par les suivre.

« *C'est à boire, à boire, mesdames! C'est à boire qu'il nous faut!* »

— J'te fais un café, offris-je à mon frère, qui semblait un peu étourdi par l'ambiance débridée.

— Tiens, mon gars, j't'ai coupé une autre pointe de tarte, dit ma mère en posant sa main dans son cou.

— Merci, m'man.

Sa voix fut enterrée par le mari de la sœur d'Edmond. Un grand échalas, prénommé Wenceslas, qui se leva pour entamer une ritournelle. Il était déjà beurré plus qu'il ne faut.

« *Derrière chez nous y a t'un enfant!* »

— Pas UN ENFANT! UN ÉTANG! cria Yvonne en riant.

L'autre continua comme si de rien n'était. Il avait la bouche molle et renversa sa coupe de vin sur la nappe en voulant appuyer sa deuxième strophe.

« *Trois beaux canards se noient dedans... Oups!* »

— Comme c'est là, t'es en train de te noyer dans ton vin ! constata sa femme Aline en le rassoyant sur sa chaise.

Tout le monde eut un fou rire, que Géraldine brisa avec son grand succès, tiré du répertoire de La Bolduc. Sous l'influence de l'alcool, elle réarrangeait parfois les paroles à sa convenance, en bégayant avant de turluter. Ses émules perdaient alors le rythme et la face en marmonnant n'importe quoi. Ma tante en profitait pour monter d'un ton.

« J'ai un bouton su'l bout de la langue, qui me fait bé-bégayer… J'ai un bouton su'l bout de la langue qui m'empêche de tu-tu-tu de turluter. »[1]

J'observais Edmond du coin de l'œil. Il avait l'air du *waiter* que j'avais connu plusieurs années auparavant. Il préparait les consommations et les servait avant même qu'on les commande. Il butinait autour de tous les invités, mais il m'ignorait. Ses sourires et son apparente bonne humeur ne m'étaient pas destinés, pas plus qu'à Francis, dont la présence l'incommodait manifestement. Il n'était pas le seul. Depuis que mon frère avait pris place près de moi, les conversations s'étaient déplacées vers l'autre extrémité de la table. Mon frère aurait fort à faire pour réintégrer une place dans la famille élargie.

Quand tous eurent vidé leur assiette, les femmes commencèrent à débarrasser et à laver la vaisselle. Les quatre enfants du côté de la famille d'Edmond

1 *J'ai un bouton sur la langue*, paroles et musique : Mary Travers (La Bolduc), 1932.

s'enfermèrent avec Jean dans sa chambre et les hommes se mirent à jaser sérieusement de leur travail, de la chasse, de leur auto ou des parties de pêche à venir.

À la demande de Géraldine, Edmond mit en marche notre minuscule poste de radio. Un *reel* endiablé couvrit le brouhaha et les femmes se mirent à taper du pied. Cyprien, le frère d'Edmond, étonna tout le monde en poussant la table et en exécutant une gigue qui le mit en sueurs. Marie-Jeanne lorgnait le prélart, où les marques de chaussures mouchetaient le passage du danseur. La vibration fit bouger la roulette du syntoniseur et Edmond dut la réajuster. À la énième tentative, il arracha le fil de la prise électrique, ouvrit grand la porte d'entrée et projeta la radio dans le banc de neige. Cet éclat de rage subite saisit tout le monde. Antoine me fit une blague à propos du poste de télé que je ferais mieux de surveiller. Une vague de rires s'ensuivit et la soirée reprit son cours. Personne ne remarqua que je tremblais en posant mon assiette sur le comptoir. Edmond avait de plus en plus tendance à avoir des sautes d'humeur. C'était pire quand il buvait.

Géraldine proposa de faire une partie de cartes et Yvonne se mit à caqueter en imitant les battements d'ailes d'une poule. J'en conclus qu'elle commençait à avoir son quota de gin-tonics.

— SORS LES CARTES, Héléna! ÇA A L'AIR QU'ON JOUE À LA POULE!

Les rires et les cris d'éclat allaient reprendre de plus belle. On s'accuserait d'avoir le cul bordé de nouilles, de jouer comme un poulet ou de tricher comme un rat. Qu'importent les quolibets, Marie-Jeanne était imbattable à ce jeu. Je crois qu'elle distrayait tout le monde en racontant des histoires d'orage, de fantômes et d'avertissements que les morts lui envoyaient mieux que des lettres à la poste.

À l'approche de minuit, la plupart des hommes étaient ronds comme des billes. Les femmes tentaient d'endiguer la générosité d'Edmond, qui maniait l'ouvre-bouteille avec la délicatesse d'un bûcheron. Son frère Cyprien lui donnait un coup de main, trop heureux de se libérer de sa femme Madeleine, qui regardait sa montre de plus en plus souvent.

Antoine faillit perdre son dentier en annonçant le décompte de minuit. Tout le monde se leva pour les souhaits d'usage.

« ...cinq, quatre, trois, deux, un ! BONNE ANNÉE ! »

J'embrassai Francis la première et le serrai dans mes bras, puis je passai à ma mère. Quand arriva Wenceslas, le grand escogriffe, il me prit par la taille et me plaqua un baiser sur la bouche. Je sentis sa langue frotter contre mes dents. Surprise, je mis quelques secondes de trop pour réagir. Une blague fusa. Je me sentis tirée vers l'arrière et une ruade à l'épaule envoya valser l'inconvenant contre le mur.

— Lâche ma femme, toé! cria Edmond en brassant l'autre au collet.

— Bah! c'est le jour de l'An… y a pas de mal, se défendit-il en bafouillant.

Edmond lui fendit la lèvre d'une claque bien appuyée.

— Wô! On se calme! cria Georges.

On sépara les deux hommes et la fête se termina. Aline houspilla son mari et le grand Wenceslas fut le premier à passer la porte, sans manteau ni bottes, et à s'écraser la face sur le trottoir glacé. Francis était blotti contre la porte du réfrigérateur et ne savait plus où se mettre. Ma mère portait la main à sa bouche. Edmond retraita dans notre chambre et s'enferma. Antoine cogna à la porte et entra. Après quelques minutes, ils ressortirent et tout le monde put récupérer ses affaires. Edmond avait le regard de celui qui m'avait frappée quelques jours auparavant. Antoine le tenait par l'épaule et lui parlait à voix basse. D'une certaine façon, j'étais contente qu'il ait remis son beau-frère à sa place.

Le froid s'engouffra plusieurs fois, à mesure que chacun repartait. Je ne pus retenir mes larmes au départ de Francis. J'espérais que cette finale en queue de poisson n'avait pas réveillé ses démons.

Je mis plus de temps qu'il ne faut pour endormir mon fils. Je n'avais pas tellement envie de m'allonger près d'Edmond. J'attendis que le silence retombe sur cette première journée de 1955 avant de regagner mon lit. Je sentais que je perdais le contrôle et que l'envie de régler mon problème s'élargissait comme une flaque de ressentiment au fond de moi.

Résidence Clair de lune, Trois-Rivières, printemps 2002

— J'me souviens pas de celle-là, avoua Jean quand Huguette termina sa phrase en ralentissant le débit, comme si elle tirait le rideau sur la représentation.

— T'étais trop p'tit. Tu devais jouer dans la chambre avec les autres enfants, précisa Héléna.

— J'l'ai pas connu, Francis.

— Il est mort trop vite. Tu l'aurais aimé.

— On avait pas un chien dans ce temps-là ?

— T'étais plus vieux quand on a eu Milou. C'était un chien blanc avec des taches noires. Il était fou comme de la marde, pis y creusait partout dans mon jardin ! On l'a pas gardé longtemps.

Encore une fois, la tension baisse dans la chambre. Huguette respire mieux. Un peu de complicité semble fleurir entre la mère et le fils. Ils s'échangent quelques anecdotes avant qu'un éclair de douleur ne ramène Héléna à sa réalité.

— Huguette ? Passe-moé mes pilules. Les roses. C'est de la codéine. J'pense qu'ils m'ont pas coupé assez long de jambe !

— T'as ben des affaires là-dedans. On se retrouve pus. Ça, c'est de la crème pour le corps, des aspirines, des sachets de sucre, des pastilles pour la toux, de la gomme à mâcher… Ah ! ça doit être ça !

— Donnes-en trois.

— C'est écrit deux aux quatre heures sur la bouteille.

— Laisse faire la consigne ! Au point où j'en suis.

— Veux-tu que je demande à l'infirmière ? suggère Jean pour se rendre utile.

— Ben non, j'ai ce qu'il faut pour me soigner. On va garder la morphine pour quand ça va être sérieux.

— Tu devrais te reposer pour à soir, propose Huguette. On continuera demain.

— Il en reste peut-être pas beaucoup de demain, Huguette. Mais j'pense que t'as raison. À neuf heures et demie, j'ai un bain. Ça fait qu'à onze heures, ça devrait être correct.

Huguette résiste encore une fois à l'envie de lui manifester trop d'affection devant son fils. Elle range le manuscrit et sort avec Jean sur les talons.

CHAPITRE 14

La Tuque, été 1955

Durant tout l'hiver, Matthew m'écrivit quelques lettres auxquelles je ne répondis pas. Je cessai même de lire les dernières parce qu'elles m'étaient douloureuses. Je les découpais en petits morceaux, que je glissais parmi les ordures ménagères, ou je les brûlais quand j'en avais l'occasion. Il me parlait d'un monde inaccessible, des gens de la haute qu'il fréquentait, de restaurants chics où il discutait affaires, de ses voyages entre les grandes villes qui lui pesaient de plus en plus. Je comprenais entre les lignes qu'il se sentait comme un marin las de bourlinguer. Ses mots, à mon égard, étaient d'une douceur et d'une tendresse prudentes. Il les enrobait des souvenirs du lac et de la beauté des montagnes. Il souhaitait qu'on se revoie et qu'on discute de notre rencontre et du dernier rendez-vous manqué. Il essayait d'en saisir le sens et me priait de l'éclairer sur mes intentions. Il m'avait espérée sans comprendre et désespérait de mon silence. Que pouvais-je répondre alors que j'étais prisonnière de mon quotidien ? Alors que je me débattais avec mon autre moi, qui me poussait lentement vers des extrêmes qui m'épouvantaient.

Edmond travaillait beaucoup et cumulait les heures supplémentaires. Il fallait payer notre télé et des réparations à la chaîne sur son camion. Je le voyais peu. Quand il ne travaillait pas, il dormait ou il buvait à la taverne. Il rentrait éméché et nous empoisonnait l'atmosphère par son attitude suspicieuse, boudeuse ou colérique. Nous y étions habitués et vivions en deux temps, réservant nos petits bonheurs pendant ses absences. Quand j'y repense, je crois qu'il souffrait lui aussi de sa vie. Son travail à l'usine lui pesait. On l'avait muté de façon définitive au tas de bûches, où il devait affronter les intempéries, jour après jour. Il s'escrimait sur les convoyeurs que je connaissais bien pour m'y être cachée le soir où Josette Gagné était tombée dans mon piège. En somme, il était un homme de nature et de liberté, coincé dans un carcan rigide dont il n'avait pas la maîtrise. En cela, je dois admettre qu'il me ressemblait, à la différence qu'il détenait le pouvoir de nourrir et de protéger, alors que je n'avais le choix que d'obéir.

À cet égard, la période des Fêtes avait donné le tempo. Je devais m'y conformer au risque de représailles. Edmond battait la mesure de son refrain, qui n'acceptait aucune variation. La saison de pêche apporta un peu de souplesse dans cette mécanique étouffante, mais elle marqua aussi, au fer rouge, le premier jalon d'une série d'évènements qui m'amenèrent encore une fois au bord de la falaise.

Au début du mois de juin, Edmond annonça que nous irions pêcher au ruisseau du Wayagamac. Jean resterait avec ma mère à la maison. Sa marraine avait promis de passer le voir en après-midi.

Mon mari connaissait le gardien de la barrière qui donnait accès aux chemins étroits tracés par la compagnie pour le transport des billes de bois. Des travailleurs les empruntaient quotidiennement pour se rendre au lieu de coupe. Il était maintenant possible d'aller au lac sans utiliser la voie ferrée.

J'étais excitée de me rapprocher du Wayagamac. La journée était magnifique et le poisson au rendez-vous. Je sautillais d'une roche à l'autre en écartant les branches encombrantes. Comme d'habitude, Edmond me suivait en ferrant les truites que je laissais derrière moi. Il prenait son temps en tétant sa bouteille de bière, qu'il gardait dans son sac en bandoulière.

J'avais l'idée de remonter le ruisseau jusqu'à la *dam* et à notre ancienne maison. Je pourrais alors me recueillir au bout du quai, là où j'avais perdu Fabi. À tout moment, je tâtais le sac de perles de lac pendu à mon cou. Il me semblait que les manitous de Mikona m'entouraient. Ils ravivaient le souvenir de ma sœur. En frottant mon talisman, je leur demandais naïvement de la faire apparaître. La revoir, juste un instant, dans sa chaloupe, voguant vers son rocher. Cette idée folle m'excitait. Aussi, je perdais le moins de temps possible, tout en m'assurant de garder Edmond à vue. Je n'avais jamais oublié que ce large ruisseau avait englouti quelques pêcheurs imprudents. Ni lui ni moi ne savions nager.

À mesure que je me rapprochais de mon objectif, les lieux m'apparaissaient de plus en plus familiers. Même si les arbres avaient grandi et que les buissons se courbaient sur le bord des étangs, que de grands chicots abattus par la foudre ou la maladie modifiaient le tourbillon de l'eau, je reconnaissais facilement le territoire où, jadis, deux sœurs avaient élu leur domaine. Il ne m'était pas difficile de les imaginer assises sur un gros rocher, vêtues de leurs robes fleuries, riant de qui, la première, verrait une truite sauter. Nos dimanches après-midi étaient des moments de liberté. Nous étions dispensées de corvées durant quelques heures. Le ruisseau devenait notre terrain de jeux. Nous nous amusions de futilités. D'une course de bouts de bois dans les rapides ou du nombre de ricochets que ferait une pierre plate lancée sur un étang. Nous traversions d'un bord à l'autre avec de l'eau fraîche à mi-jambe. Fabi était imbattable pour dénicher les écrevisses sous les grosses pierres. C'était le temps où demain n'avait pas vraiment d'importance, c'était avant le fameux soir d'orage, bien avant la dynamite et l'ours rebelle.

Ancrée dans mes pensées, je mis un certain temps à voir l'homme debout sur un tronc d'arbre, au pied d'une petite chute. Il se tenait immobile, les mains dans les poches, et il m'observait. Son chapeau, à large bord, traçait une ligne d'ombre sur son visage. Je n'apercevais que son sourire et une barbe de quelques jours. Mais la silhouette m'était familière.

Ma ligne était à l'eau et je sentais qu'une grosse truite se délectait de mon appât. C'était le moment de tirer le fil d'un coup sec. Ma main restait inerte. Mon cerveau reconstruisait l'image que j'avais brouillée pour survivre. Ce ne pouvait être que lui. Le choc me coupa la respiration mieux qu'un direct à l'abdomen. Je tournai la tête et vis Edmond décrocher une belle truite et la suspendre à sa branche d'aulne. La panique me gagna. Matthew me fit un signe de la main. J'étais incapable de répondre. Je le vis s'avancer vers moi. Je me tournai une seconde fois et Edmond s'était accroupi sur un rocher. Je ne savais pas quoi faire ni ce que j'allais dire. Il fit quelques pas de plus et s'arrêta près d'un gros érable. Il s'y appuya d'une main. De là où il était, mon mari ne pouvait pas le voir.

— Salut, Héléna. J'ai vu votre camion plus bas sur le chemin. J'étais pas sûr que c'était vous autres. J'ai pris une chance.

— Reste pas icitte ! dis-je en m'avançant vers lui.

— J'veux te dire quelques mots. Il y a pas de mal.

— Va-t'en, j'te dis ! Edmond s'en vient. C'est mieux qu'on se voie pus !

Mes paroles me crevaient le cœur. Elles étaient à l'opposé de mes sentiments. J'espérais qu'Edmond avait fait une pause sur le bord du ruisseau et que le bruit de la chute couvrait ma voix. Je me sentais coincée entre les deux hommes et la truite qui gigotait au bout de ma ligne. Mon indécision sembla durer une éternité. Je n'entendais plus ce que Matthew disait. J'avais en tête l'image de mon cheval, que mon père allait abattre d'un instant à l'autre. J'entendrais les coups de fusil. Ma joue brûlait sous la gifle. Je poussai un cri quand Matthew sauta de côté. Edmond venait de sortir du bois en le menaçant d'un long bout de branche.

— Approche-toé pas de ma femme, mon hostie! cria-t-il en brandissant son arme improvisée.

Matthew recula de quelques pas. Edmond voulut s'avancer, mais son pied glissa sur le limon et il chuta dans le ruisseau, entre deux rochers. Il se releva enragé. Je jetai ma canne sur la rive et me précipitai vers eux. Matthew lui criait de se calmer. Il retraita à nouveau devant l'agressivité d'Edmond. Il était évident qu'il n'avait pas envie de se battre comme un voyou. Il perdit pied et tomba sur le dos en grimaçant. Edmond s'approcha et leva sa branche à nouveau.

— Edmond! Arrête! m'exclamai-je en me plaçant devant lui.

— C'est ça, défends-le!

— Arrête! Y va s'en aller!

Matthew se releva avec peine en se frottant le dos. Il cueillit son chapeau. Il l'ajusta sur sa tête et se tourna dans ma direction.

— Tu devrais pas endurer ça, Héléna.

— Mêle-toé de tes affaires, pis sacre ton camp! cria Edmond.

— Calme-toé ! dis-je au bord des larmes pendant que Matthew disparaissait dans la forêt.

— Viens-t'en ! On rentre à la maison ! ordonna Edmond, hors de lui.

Je récupérai ma canne à pêcher et coupai la ligne sur le tranchant d'une pierre, abandonnant ma prise qui ne survivrait sans doute pas à l'hameçon pris dans sa gueule. Edmond était trempé et avançait en perdant l'équilibre tous les deux pas. Nous prîmes ses affaires, qu'il avait laissées sur la rive un peu plus bas. Un filet de sang lui barrait le front. Je sortis un mouchoir et l'épongeai. Il me l'arracha des doigts et éclusa sa bouteille de bière abandonnée sur une grosse roche. Puis, il la jeta, d'un geste rageur, dans les rapides.

— As-tu couché avec lui ?

— Tu veux la vérité ? Ben oui ! C'est vrai que je suis sortie avec lui avant toé. Tu sais comment ça a fini. Maintenant, y a pus rien. Mets-toé ça dans la tête, une fois pour toutes !

— Ben pourquoi il vient te relancer jusque dans le bois ?

— C'est juste un adon. Il montait au club, j'suppose. Y a le droit de me dire bonjour.

— Je te l'ai dit, joue-moé pas dans le dos parce que ça va mal aller !

— Tu trouves pas que ça va déjà assez mal de même ?

Je n'attendis pas sa réponse. Je pris mes affaires et je redescendis le ruisseau, cette fois sans me préoccuper de savoir s'il me suivait. J'entendais ma petite voix intérieure souhaiter qu'il se noie. Il était amoché. Il avait bu. Je pourrais le piéger près du grand étang. Prendre une pierre ronde et le frapper à la tempe. L'eau était profonde à cet endroit. Elle tourbillonnait méchamment. Ce serait facile de prétendre que je n'avais pu le sauver.

Je m'arrêtai, les yeux fixés sur un remous à mes pieds. Il y avait des années que je ne m'étais pas entendue réfléchir de cette façon, avec autant de détermination. Je serrais ma canne d'une main et de l'autre, une branche souple qui retenait un amas de truites, dont la peau se ratatinait sous le soleil. Dans mon état normal, je les aurais trempées dans l'eau. Perdue dans mes pensées, je ressassais mon idée de noyade.

— Envoye ! Avance ! Qu'est-ce que t'attends ? ragea-t-il en me rejoignant.

Edmond s'épongeait le front avec son mouchoir. Comme d'habitude, les mouches lui tournaient autour de la tête dans une ronde infernale. Je trempai les poissons et elle et moi rentrâmes à la maison.

Résidence Clair de lune, Trois-Rivières, printemps 2002

Huguette s'arrête et vérifie l'effet de la dernière phrase sur le fils. Elle s'attend à ce qu'il demande des explications, mais il se contente de hocher imperceptiblement la tête. Puis il se met à parler tout haut en regardant par la fenêtre.

— C'est vrai qu'il était pas reposant, mon père. J'avais huit ans quand il est mort. J'étais assez vieux pour comprendre ben des affaires. Je me rappelle le soir où la police est venue le chercher à la maison. J'étais terrorisé. Vous arrêtiez pas de crier, tous les deux. T'es même entrée dans ma chambre pour essayer de le calmer. Il parlait de fusil, puis de te tirer avec. Je pleurais en me bouchant les oreilles. Toé, tu baragouinais des affaires que j'comprenais pas, mais je voyais ben que tu parlais de moé. Il t'a pognée par un bras, pis il t'a sortie de la chambre. C'est là qu'il y a eu des coups à la porte et que j'ai entendu crier: «Police!» Je me suis levé en tremblant. Les gyrophares éclairaient la fenêtre du salon par intermittence. Les deux policiers l'ont emmené dans le char. J'suis retourné me coucher en pleurant. J'pense que t'es venue me border.

— C'était pas longtemps avant qu'il meure, murmura Héléna. On était à l'été 1958. C'est Louise, ma voisine, qui avait appelé la police. Elle nous entendait crier.

— Le pire, ça a été le lendemain matin. En allant dans le garage, j'ai trouvé son fusil de chasse caché en dessous de l'établi. C'était pareil comme si j'avais trouvé un cadavre.

— C'est la première fois que tu me dis ça.

— T'es pas toute seule à avoir des secrets.

— J'le sais que c'était pas facile pour toé. On se chicanait...

— Non, tu l'sais pas ! Tu sais rien ! Tu te racontes des histoires en te faisant accroire que c'était pas toé qui étais responsable. T'as pas changé ! J'vais aller me prendre un café.

Huguette tripote son collier. Le malaise n'apparaît pas où elle pensait. Son amie a perdu de son assurance. Elle a l'air d'une magicienne qui voit un spectateur tenir le lapin qu'elle s'apprêtait à sortir de son chapeau.

CHAPITRE 15

La Tuque, été 1955

L'incident du ruisseau mit fin à la correspondance de Matthew. La boîte aux lettres redevint muette. J'essayai de retrouver un équilibre acceptable pour ma famille. Un compromis avec Edmond dans lequel nous pouvions nous donner l'illusion d'être heureux. J'avais mis en veilleuse mes idées noires, même si je me surprenais parfois dans cette ambivalente position de dualité avec moi-même. Je m'appliquais aux tâches ménagères. Ma mère me donnait des leçons de couture à l'aide de patrons. Nous fîmes un jardin plus grand que d'habitude. Je jouais avec mon fils et je laissais Edmond utiliser mon corps une fois par semaine dans la plus grande indifférence. La pêche, la cueillette de petits fruits, les pique-niques du dimanche avec Yvonne et Antoine, tout semblait vouloir prendre sa place, comme les pièces d'un casse-tête dont on est lassé, mais qu'on n'ose pas remettre dans sa boîte parce qu'il est trop avancé.

Le temps s'écoula ainsi, jusqu'à cette nuit chaude du mois d'août où je peinais à dormir seule au fond de mon lit. Pourtant, j'attendais ces moments de solitude avec plaisir. Le quart de nuit était mon préféré. Je me sentais libre. Je n'avais pas à m'allonger près d'Edmond, à l'entendre ronfler, à sentir son odeur forte qu'il ramenait de la taverne, ni à subir ses avances grossières. Mais la chaleur moite gâchait tout. J'allais me lever quand j'entendis frapper à la porte de ma chambre.

— Va te coucher, Jeannot. C'est la nuit, ordonnai-je.

— C'est moé, dit ma mère d'une voix tremblotante.

— Maman? Êtes-vous malade? demandai-je en me levant précipitamment.

— J'viens d'avoir un avertissement, me confia-t-elle quand j'ouvris la porte.

— Hein? De quoi vous parlez?

— Ça vient de frapper trois coups dans mon miroir de chambre. Y a quelqu'un qui est mort.

Dans ces moments-là, Marie-Jeanne prenait une voix à glacer le sang. Il fallait une bonne dose de scepticisme pour ne pas s'inquiéter. Comme elle nous avait élevés dans la croyance de ses chimères effrayantes, je sentis un frisson me parcourir le dos, malgré l'humidité ambiante.

— Voyons, m'man. Dites pas des affaires de même. Vous avez fait un cauchemar, c'est tout.

— J'te dis que ça a cogné. Trois coups, ben lents, dans le miroir.

— Ça doit être Jean, d'abord. Il arrête pas de bouger en rêvant.

— C'était pas après le mur! C'était dans le miroir.

— On va aller se recoucher, là. Il fait chaud, pis faut que je dorme. On en reparlera demain.

— Comme tu voudras. Mais c'était ben un avertissement. Quand ma sœur Berthe est morte, ça a fait pareil. Je venais juste de me marier avec ton père. Elle était partie rester à Québec. J'ai entendu marcher dans ma chambre, pis ça a frappé ben clair, trois coups dans le miroir. Je me suis levée d'un trait. J'ai allumé la lampe, mais y avait rien. C'est le lendemain que j'ai appris qu'elle était morte subitement.

À la chaleur se rajoutaient maintenant les fantômes de Marie-Jeanne pour m'empêcher de dormir. Je la raccompagnai jusqu'à sa chambre. Elle laissa sa lampe de chevet allumée en se recouchant. Ma mère devenait vulnérable devant ses croyances. En tirant le drap sur ses épaules, elle avait le regard d'un enfant qui vient de croiser le Bonhomme Sept Heures.

Il fallut attendre le milieu de l'avant-midi pour que l'au-delà vienne donner raison à ma mère. Le téléphone sonna et Marie-Jeanne sortit de sa chambre, le tricot à la main. Ses yeux écarquillés, derrière ses lunettes épaisses, lorgnaient l'appareil fixé au mur, comme si un spectre pourrissant allait en sortir. Son attitude me faisait hésiter. J'attendis une sonnerie supplémentaire avant de décrocher.

À mesure que mon interlocuteur s'expliquait, ma voix perdait de son assurance. À la fin, j'étais devenue aussi faible qu'une fillette et j'eus du mal à reposer le combiné sur son socle.

— C'était qui ? demanda ma mère.

— Un policier de Trois-Rivières. C'est au sujet de Francis.

— Jésus, Marie, Joseph ! Dis-moé pas que c'était lui, cette nuit ?

— Il a eu un accident. Il s'est fait frapper par un char. Il est mort un peu après qu'on l'a amené à l'hôpital.

— Oh ! Non ! Pas lui aussi !

La formule me ramena face à Fabi et au trou dans la glace. Ce jour-là, le poids de mon impuissance avait écrasé une part de moi-même. Je ressentais la blessure à nouveau, devant la nouvelle qui venait de m'atteindre. Mon frère ne me sourirait plus jamais. Je défilais dans ma tête toutes les images que j'avais de lui : fantasque à la table familiale, sûr de lui avec Fabi sur le quai, heureux, penché sur ses boîtiers de montres, triste dans son habit de soldat, abandonné après chacune de nos visites à l'hôpital de Trois-Rivières. Je me mis à pleurer quand je me vis toute petite, sur son dos, à courir dans le champ fleuri alors qu'il hurlait : « Accroche-toé, la p'tite sœur ! C'est moé le meilleur ! » La vie était injuste. Depuis la fin de l'hiver, Francis renouait avec la réalité. Il avait son appartement et du travail. Il nous téléphonait de temps en temps pour nous donner des nouvelles. Toujours bonnes. Je lui avais promis d'aller le visiter au début de septembre. Il me semblait que le destin avait toujours un pas d'avance sur moi. Il s'ingéniait à me refuser le bonheur.

Marie-Jeanne se mit à prier en pleurnichant dans sa berceuse. Je frottai la vitre de ma montre, comme je l'avais fait des centaines de fois auparavant. Elle ne porterait plus l'espoir, mais le deuil. Pareille aux perles de lac à mon cou, elle pèserait lourd sur le plateau de la balance familiale. Assez pour que l'équilibre soit hors de ma portée.

Résidence Clair de lune, Trois-Rivières, printemps 2002

Sitôt entrée dans la chambre d'Héléna, Huguette ouvre grand les rideaux de la fenêtre. Elle ressent le besoin de faire une pause dans ses séances de lecture. La dernière s'est terminée sur une note trop sombre. Une lumière vive envahit la chambre. Elle s'approche du lit, saisit la télécommande et éteint le poste. Héléna est assise dans son lit, froissée par le sans-gêne de son amie.

— Fais comme chez vous ! dit-elle sèchement.

— Regarde dehors.

— Ça fait des mois que j'regarde dehors !

— Oui, mais là, c'est pas pareil. Le soleil est revenu. Il fait 24 degrés ! C'est un record pour un 14 avril.

— J'le sais, la fille de la météo l'a dit, tantôt.

— Faut en profiter.

— Pas de problème. Tu reviendras faire ma lecture à soir.

— Non, non! Toé, tu vas en profiter. Ton gars et la préposée s'en viennent avec une chaise roulante.

— Es-tu folle? J'suis trop faible. J'suis à l'article de la mort. C'est pus le temps de parader.

— Arrête de dramatiser. La mort, c'est pas une raison pour pas prendre du soleil!

— Tu passeras pas à l'histoire avec des phrases comme ça.

Jacinthe, la jeune préposée, pousse la porte et Jean introduit la chaise roulante.

— Vous êtes chanceuse d'aller dehors, madame Martel, j'ferais ben comme vous.

— J'peux te laisser la place!

— C'est pas l'envie qui manque, mais ma *boss* aimerait pas ça. Vous allez voir, j'vais vous arranger ça, pis vous allez être ben au chaud. Monsieur Jean, vous allez la prendre dans vos bras, mais avant, on va l'approcher au bord du lit.

Héléna grimace durant l'opération. Jacinthe donne ses directives avec précision. Lorsque son fils la soulève, elle éprouve une sensation bizarre. Celle de la mère qui retrouve le contact de son enfant. Elle en oublie la brûlure dans sa cuisse. Une odeur de copeaux de bois émane de la veste de Jean. Semblable à celle que transportait Aristide à toute heure du jour, mêlée aux arômes acres de sa pipe. Elle n'avait jamais pensé qu'il y avait un rapprochement à faire entre les sculptures de bois de son père et le travail d'ébéniste de son fils. Sans que rien l'y prédestine, Jean a été attiré par le travail du bois. Elle-même a ressenti le besoin de contrôler la vie, comme son père le faisait. Une œuvre moins glorieuse dont elle se serait bien passée, n'eût été cette femme qui ne cessait de renaître sous sa peau, malgré tous ses efforts pour l'en chasser.

— Voilà, madame Martel, vous êtes prête. J'vous ai mis une couverture, mais j'pense que vous en aurez pas besoin. Le soleil est chaud.

— Merci, t'es ben fine, Jacinthe, même si tu complotes dans mon dos, dit Héléna en lui offrant un sourire amical.

— C'est pour votre bien, ma p'tite madame, rétorque-t-elle en s'éloignant.

— T'embrasseras ton Matthew pour moé! ajoute Héléna.

— Vous voulez dire Mathieu. Deux fois plutôt qu'une! Bonne journée!

Le temps est encore mieux que l'avait annoncé Huguette. Dès que la porte menant au long balcon est franchie, Héléna se sent enveloppée d'une douceur que l'humanité n'a jamais pu reproduire entre quatre murs. Elle rabat la couverture sur ses genoux et l'air s'infiltre jusqu'à sa peau. Malgré sa réticence première, elle se met à sourire. Un oiseau plane et se perche sur un érable. Derrière lui, un écran de branches dénudées se découpe sur un ciel d'un bleu inimitable. Qu'importe la présence imposante de la toiture de la galerie ou de l'arrière des maisons, ce morceau d'azur est un baume sur ses plaies. Cela fait des mois que son corps s'est replié sur lui-même, oubliant presque le bonheur du dehors, la joie d'un simple jour ensoleillé.

— Et pis? Qu'est-ce que t'en penses? demande Huguette tout sourire.

— Merci.

Rien de plus ne sort de sa gorge nouée. Le soleil promis caresse sa peau. Le lac revient dans sa tête. Fabi est agenouillée devant elle et défait sa chevelure. Héléna prend le peigne de bois et le glisse avec lenteur dans les cheveux chatoyants. Le Wayagamac vient lécher la base du gros rocher de ses va-et-vient paresseux. Des canards flemmardent près de la rive. Un oiseau-mouche butine les fleurs sauvages.

« Quand je vais mourir, Héléna, j'aimerais ça me souvenir de maintenant. »

« Pourquoi tu parles de même, Fabi ? »

« Parce que le bonheur, c'est précieux. Quand y passe, faut le mettre dans un écrin, dans sa mémoire. Puis l'ouvrir quand on en a besoin. »

« C'est vrai qu'on est ben. Le lac est tellement beau aujourd'hui. »

— J'te l'avais dit que le soleil était beau, affirme Huguette en tournant son visage vers le ciel.

— Oui, Fabi. Comme le lac.

Jean échange un regard interrogateur avec Huguette. Celle-ci hausse les épaules. Héléna semble vouloir s'assoupir. Elle garde les yeux fermés et son visage est calme. Le fils vient s'appuyer à la rambarde, près de madame Lafrenière.

— Ça fait longtemps que vous connaissez ma mère ?

— Depuis son premier jour ici. Je l'ai accueillie sans le vouloir. Une coïncidence.

— Vous avez l'air d'être proches l'une de l'autre. Elle est chanceuse de vous avoir.

— Elle est aussi ben contente que vous soyez là.

— Ouais. Je suppose que c'est normal, dans les circonstances, d'être là.

— C'est vrai que vous vous êtes pas revus depuis trente-deux ans ?

— Pas tout à fait. Même si j'ai quitté La Tuque après l'incendie, elle a réussi à me retrouver en questionnant un de mes amis. J'avais un travail dans une cour à bois à Shawinigan. Elle m'a écrit des lettres que j'ai pas lues, pis un beau matin, elle s'est pointée à l'ouvrage. Elle m'a apporté un sac avec des affaires inutiles que j'avais laissées derrière moé. J'ai pris le sac, pis j'y ai dit de partir. Ça a pris plusieurs années avant qu'on se revoie. Mais, dans la façon, ça se ressemblait pas mal.

Huguette se demande comment l'héroïne de la série *Fortier* s'y prendrait pour lui tirer les vers du nez. Le provoquerait-elle ? Ou bien irait-elle réfléchir à haute voix dans le bureau de son patron, Gilbert Sicotte ? À défaut de supérieur hiérarchique, monsieur Lacoste pourrait-il jouer ce rôle auprès d'Huguette ? L'idée lui apparaît farfelue. Mieux vaut prendre le taureau par les cornes.

— Qu'est-ce qu'Héléna vous a fait pour que vous vouliez pus la voir?

— Si ça vous fait rien, j'aimerais ça qu'on parle d'autres choses.

Le ton est sans équivoque. La frontière est fermée. Fortier subtiliserait sans doute le manuscrit pour le lire jusqu'à la dernière ligne, plutôt que de le déposer, après chaque séance, dans le tiroir de la commode. Il contient sans doute la réponse à sa question. Huguette ne se résigne pas à cette solution, qu'elle perçoit comme un sacrilège face aux dernières volontés d'une mourante. Il ne lui reste qu'à poursuivre dans une autre direction.

— Vous êtes pas marié?

— Non. J'ai eu quelques relations qui ont fini en queue de poisson. J'étais pas dû pour avoir une famille. J'pense que c'est génétique.

— J'connais ça. Mais ça empêche pas l'amour.

— Vous y croyez encore?

Que lui répondre? Il n'a pas voulu mettre l'accent sur son âge. Elle le voit à son air songeur. Il l'a demandé par dépit.

— Ça aide à rester en vie.

— Alors, j'suis mort.

— Dites pas ça, vous êtes un bel homme.

— Mais je suis tout seul et sans famille.

— Vous avez encore votre mère, pis y vous reste encore du temps.

Il se retourne vers Héléna, qui se prélasse au soleil. Sa respiration est calme et ses joues se colorent d'une teinte rosée. Ses doigts bougent lentement. Ses lèvres frémissent d'un sourire.

— Pensez-vous qu'elle dort ? demande Jean.

— J'le sais pas, mais l'important, c'est qu'elle rêve !

CHAPITRE 16

La Tuque, été 1955

Pas longtemps après qu'on eut enterré Francis, ce fut au tour de Louise, ma voisine, de perdre son garçon. Son corps affaibli n'avait pas supporté les assauts d'une vilaine grippe. J'emmenai Jean au salon mortuaire et il ne comprenait pas pourquoi Denis dormait dans une boîte blanche. Plutôt indifférent devant le cercueil de son oncle Francis, il réagissait devant celui de ce petit garçon qui avait accompagné ses jeux. J'éclatai en sanglots quand il tenta de lui agripper le bras pour le réveiller. Ce geste innocent me bouleversa et je m'excusai auprès de Louise. Elle serra mon fils dans ses bras et il le lui rendit en entourant son cou de ses petites mains. Je me disais que cela devait être un réconfort pour elle.

Louise attendait ce moment depuis déjà quelques années. Au mieux, on lui avait dit que son garçon atteindrait peut-être l'âge de quinze ans et que ce ne serait pas sans souffrance. Devant cette sombre perspective, elle préférait qu'il soit mort rapidement, même si la vie lui avait enlevé sa raison d'être.

Notre amitié grandit dans les mois suivants. Nos conversations de clôture évoluèrent vers nos galeries, puis nos cuisines. Je sentais que la perte de son garçon était une cicatrice difficile à suturer. Louise en parlait souvent avec des trémolos dans la voix. Elle avait conservé intacte la chambre de son fils. Quelquefois, je l'ai surprise au dîner, mangeant face à un deuxième couvert dressé à la place qu'occupait Denis. Au jardin, penchée sur mes légumes, je l'entendais fredonner des berceuses dont la mélodie m'arrachait le cœur. Je la soutenais de mon mieux en l'encourageant de mots qui m'auraient été bien utiles dans ma propre vie.

Elle m'aidait parfois pour les menus travaux extérieurs et je lui rendais la pareille pour ses plats préparés. Elle confectionnait des ragoûts, des pâtés, des tartes, des beignes qu'elle vendait à petits profits. Rien pour s'installer une enseigne sur la rue, juste assez pour régler ses fins de mois et trouver un exutoire à sa peine. La qualité de sa nourriture se propageait de bouche à oreille. Elle eut rapidement une clientèle régulière. J'étais contente de l'aider dans son projet. Elle me le rendait en s'occupant de Jean, car pour ajouter du noir à cette année grise, Marie-Jeanne fit une crise de foie mémorable qui l'obligea à être hospitalisée. Elle en resta très affaiblie pendant de longues semaines. Par moments, je devais me transformer en infirmière. Avec Edmond qui me traitait de plus en plus comme une servante, j'en avais plein les bras.

Au milieu de l'automne, mon autre voisine, madame Durand, me donna l'occasion de laisser échapper la tension accumulée jusque-là. Je contenais de plus en plus difficilement l'autre femme en moi. Je la sentais impatiente de s'exprimer.

— T'as pas vu mon chat? entendis-je dans mon dos.

Je me retournai. Il me restait encore un demi-panier de linge à suspendre à la corde. J'étais juchée sur le petit podium qu'Edmond m'avait confectionné au bout de la galerie pour me permettre d'étendre avec facilité.

Madame Durand m'examinait en penchant la tête sur le côté. Un mégot fumant collait à sa lèvre. Elle portait une veste de laine trouée, qu'elle serrait contre sa poitrine pour contrer la fraîcheur du jour. De ma position surélevée, elle semblait encore plus trapue. Sans avoir un défaut d'articulation, elle parlait trop vite pour les capacités motrices de sa bouche. Les sons se bousculaient dans un magma parfois incompréhensible.

— Quoi?

— Mon chat? J'cherche mon chat. J'l'ai sorti à matin, pis y'é pas revenu.

— Ah! Non. J'l'ai pas vu.

— Il s'appelle Popeye. Comme le vrai marin. Y'é jamais en retard d'habitude. Y a des grosses rayures grises.

— Oui, j'le sais. Je l'ai déjà vu dans mon jardin.

J'omis de lui dire qu'il venait y déposer ses excréments en creusant de grands trous. Je me remis à la tâche, mais je sentais sa présence dans mon dos.

— Je l'aime ben, mon gros lard. J'voudrais pas le perdre.

Cela donnait : « Je aim in mo gwos làw. Oudrais pas e perde. » ou quelque chose d'approchant le langage de l'ivresse, bien que je ne crusse pas qu'elle s'adonne à la boisson.

— J'vous comprends, répondis-je, même si je n'étais pas tout à fait sûre d'avoir bien saisi sa répartie.

Puisqu'elle semblait vouloir insister, je décidai d'aborder un problème qui me tracassait.

— Changement de sujet, madame Durand. Vous trouvez pas que votre gars est un peu grand pour venir jouer avec le mien ?

— Romain ? demanda-t-elle en faisant une pause, comme si elle avait plusieurs enfants.

— Ben oui, vous en avez juste un.

— Y vient d'avoir onze ans. Y'é encore ben bébé.

— Mais le mien vient d'en avoir cinq, pis y aime pas trop ça, la chicane.

C'était la façon la plus correcte que j'avais trouvée pour lui dire que son fils embêtait le mien. Je soupçonnais qu'il terrorisait Jean, qui refusait toujours de se confier quand je le questionnais à ce sujet. J'avais remarqué depuis quelque temps un changement dans son attitude. Il était plus morose et avait la distraction facile.

— C'est juste des enfants. Faut ben qu'y s'amusent. *Checkez* ça pour mon chat.

Elle s'en retourna de sa démarche nonchalante et je la vis propulser son mégot dans mon jardin d'une pichenette bien ajustée. Je n'eus pas l'impression de me remettre à l'ouvrage, pourtant le linge s'accrocha à la corde. J'étais dans un état second qui m'attirait et me faisait grand bien. Il me fallait intervenir pour le bien-être de mon fils.

Je mis moins d'une semaine à m'emparer de Popeye. Je savais que le chat revenait au bercail par la ruelle entre six et sept heures du matin. C'est à ce moment qu'il bifurquait dans ma cour pour y déposer ses crottes. Je l'amadouai en déposant une enfilade de sardines jusque dans notre garage. Le gros lard était un gourmand de première classe. Dès le premier jour, le piège fonctionna. Je refermai la porte du garage donnant sur notre jardin et je le regardai s'empiffrer à même la boîte.

— Salut, mon gros Popeye. Regarde, je t'en ai apporté d'autres.

Je lui parlais avec une voix qui sonnait faux à mes oreilles. Je lui ouvris une seconde boîte, que je posai sur l'établi. Il sauta près d'elle en miaulant. J'enfilai mes gants de jardinage. J'avais pris soin de revêtir une chemise à manches longues pour éviter les griffures. Je m'assis à côté de lui pour l'observer. Je savais ce qu'un animal de compagnie peut représenter dans une vie. J'avais déjà perdu mon cheval. Je savais aussi que ce n'était pas une bonne idée pour moi de mettre ce projet à exécution. Il réveillait l'image de Ti-Gars mourant dans la boue. Mais à mesure que je flattais la fourrure rayée de ce gros chat, je sentais monter le désir de m'affirmer, de redonner de l'allant à ma vie, qui n'avait été que défaite depuis un an. Matthew parti, mon frère mort, Edmond violent, le petit Denis au ciel, Marie-Jeanne malade et l'affreuse voisine qui se moquait de mes inquiétudes. C'est elle que je visais à travers le chat. Je plaçai mes deux mains autour de son cou.

Je me rendis compte que ce n'était pas facile de passer à l'acte. Le félin planta ses yeux verts dans les miens en se pourléchant les babines. Je serrai un peu plus fort et il sortit de sa gorge un cri qui ressemblait aux pleurs d'un bébé. Popeye se cabra et plaça ses pattes sur mes gants. Cela suffit à contrer mon projet. Je relâchai mon étreinte.

Popeye hésitait entre les sardines et la fuite. J'enlevai mes gants et l'empoignai par la peau du cou. Il se laissa soulever et pendre mollement au bout de mon bras.

— Popeye ? Viens, mon minou ! Viens voir maman.

Je cessai de respirer. Les bottes de madame Durand raclaient la terre de la ruelle. Je calai le chat contre moi en le flattant. Pour l'empêcher de miauler, je lui fourrai une sardine devant la gueule.

— T'es où, mon gros minet ? Viens-t'en, là. J'ai une surprise pour toé.

Elle continua d'appeler son chat jusqu'à ce que j'entende la porte de sa maison se refermer. Je me rendais compte que mon autre moi était incapable de ce genre de violence brutale.

J'ouvris la porte et traversai chez madame Durand.

Elle m'accueillit d'un grand sourire en voyant son chat. Elle tendit les bras pour s'en emparer, mais je le gardai contre moi.

— Je l'ai trouvé dans ma cour. Vous devriez pas le laisser courir partout. On sait jamais ce qu'y pourrait lui arriver. Y pourrait manger des cochonneries, pis mourir.

— Pourquoi vous dites ça?

— Parce que je voudrais pas que votre garçon ait trop de peine. J'pense qu'il est comme vous, il l'aime gros son chat.

— C'est sûr!

— Ben dites à Romain de laisser mon fils tranquille. Y'é trop vieux pour s'amuser avec des p'tits bouts de cinq ans! Ça peut finir mal, ces affaires-là.

— Donnez-moé mon chat!

— Ça m'a fait plaisir de vous le ramener, madame Durand. Oubliez pas de parler à Romain, prévins-je en lui remettant Popeye dans les bras.

Madame Durand me regarda comme si j'avais été le diable en personne. Sans doute, l'expression de mon visage n'était pas celle de sa voisine habituelle. Je ne revis plus ni le chat ni Romain dans notre cour durant un bout de temps.

Résidence Clair de lune, Trois-Rivières, printemps 2002

— J'ai pas envie de manger leur poulet *crunchy*, dit Héléna en soupirant.

— Veux-tu qu'on commande quelque chose? demande Huguette en s'approchant du lit.

— J'vais rien goûter, j'le sais.

— L'appétit vient en mangeant. As-tu le goût de quelque chose en particulier?

— J'aimerais ça du chinois.

Le fils lève les sourcils. Comme Huguette, il est surpris. Ce choix n'est pas ce qu'il y a de mieux pour un estomac fatigué.

— Ben quoi? reprend Héléna. J'aimais ça en manger de temps en temps. J'vais juste grignoter. Vous partagerez le reste.

Huguette comprend que c'est une façon détournée de proposer un souper à trois.

— OK, on va s'en occuper, déclare Huguette.

— Laissez faire, madame Lafrenière, j'vais aller en chercher. Ça va me faire du bien de prendre l'air, asteure que je sais que ma mère était prête à tuer des chats pour me protéger!

L'ironie de la remarque est évidente. Jean se lève en écrasant son gobelet de café vide dans sa main. Il le projette dans la poubelle près du lit.

— De toute façon, il faut que j'aille au guichet automatique, ajoute-t-il avec l'allure de quelqu'un qui n'est pas enchanté de devoir revenir.

— C'est moé qui paye, ordonne Héléna. Huguette, passe-moé le téléphone. J'vais demander qu'on sorte de l'argent de ma petite caisse à la réception. T'auras juste à le prendre en passant. Cinquante piastres, c'est-tu assez ?

— Avec cinquante piastres, j'peux même te rapporter un chat ! dit Jean en quittant la pièce.

CHAPITRE 17

Résidence Clair de lune, Trois-Rivières, printemps 2002

Le morceau de *spare ribs* descend dans sa gorge. Il se fraye un passage à force de déglutition. La fourchette touille le riz frit et soulève un amas vite reposé. Héléna boit une gorgée de son thé. Elle déchire le *egg roll* par le milieu. Le contenu n'a pas la consistance de son souvenir. Son estomac se révulse. Son cancer est un ogre qui n'a besoin que d'elle-même pour se nourrir.

— Est-ce que c'est bon ? demande-t-elle.

— C'est du chinois, s'empresse de répondre Jean en enfournant les *spare ribs* à la chaîne.

— Essaye le *chow mein*, propose Huguette, à l'intention de son amie.

— J'pense que j'vais me contenter du biscuit jaune, pis du thé. Quand vous aurez terminé, tu continueras à lire. À manger comme un oiseau, m'a ben finir par crever.

L'énoncé de la fin prochaine jette un froid sur le repas. Jean chipote encore quelques morceaux de poulet Général Tao avant de reposer sa fourchette. Huguette rapaille les restes, qu'elle met dans un sac-poubelle. Héléna se racle la gorge.

— J'voulais vous dire que j'ai parlé à mon notaire quand je l'ai fait venir l'autre jour.

— Veux-tu que je sorte? propose Huguette en se levant.

— Reste là, ça te concerne.

Huguette se rassoit. Son malaise est palpable. Elle évite de regarder le fils.

— J'ai pas un testament ben compliqué. Le peu d'argent que j'ai à la banque, ça te revient, Jean. T'auras rien à débourser pour ma mort, tout est déjà payé. Le notaire va te dire où sont toutes mes affaires. J'veux pas de cérémonie religieuse. Avec ce que j'ai fait dans ma vie, ce serait déplacé. J'ai ben essayé de convaincre le p'tit curé de me donner un ticket de passage pour l'autre bord, mais y a pas voulu. J'pense qu'y me croyait pas ou qu'y voulait pas prendre de chance avec son *boss* en haut. De toute façon, il me reste juste vous deux. Mon seul garçon, pis mon amie, mes deux seuls amours.

Huguette rougit jusqu'aux oreilles. La déclaration lui va droit au cœur et la gêne à la fois. Jean est immobile et semble craindre ce qui va suivre.

— J'veux que vous vous occupiez tous les deux de mes cendres. Vous brûlerez le manuscrit, pis vous le mettrez avec moé dans l'urne.

— T'as écrit ça dans ton testament? s'étonne Jean.

— Pas pour le manuscrit, c'est ce que je voulais vous dire à tous les deux, aujourd'hui.

— Non, mais ça rime à quoi toutes ces simagrées-là? s'emporte Jean. Penses-tu qu'on va faire publier ton roman après ta mort?

— C'est pas un roman, c'est la vérité!

— Ben oui! C'est pratique d'avoir un double. Comme ça, tu te sens moins coupable! Tu y mets tout sur le dos, pis tu veux te faire passer pour une victime! Si madame ton amie veut gober tout ça, c'est son affaire. Moé, j'marche pas là-dedans!

— Jean! Attends…

La voix d'Héléna ne porte plus. Elle est trop faible pour retenir son fils. Huguette s'approche du lit et caresse le bras de son amie. La chambre a retrouvé le calme avec le départ de Jean.

— Est-ce que tu me crois, Huguette?

Comment répondre à cette question sans apporter des nuances? Il n'y a plus de témoins et il faudrait faire des recherches pour retracer l'existence du vicaire ou la mort de Josette Gagné. Existe-t-il un compte rendu des évènements survenus au lac Wayagamac en 1940? Un chef de police est-il tombé d'une falaise après avoir été éventré par un ours? Cela prendrait du temps et il n'en reste visiblement plus assez. Héléna a les paupières lourdes et le teint cadavérique. Bientôt, la codéine ne sera plus suffisante. Elle devra reprendre la morphine pour échapper à la douleur et basculer dans le dernier droit.

— Inquiète-toé pas, j'suis avec toé, lui assure Huguette.

La Tuque, été 1956

Le monde continuait de tourner autour de nous. Les jours se succédaient et j'avais l'impression qu'ils étaient la copie conforme de ceux d'hier. Edmond avait réglé les pendules à son rythme. Il travaillait, buvait, me soupçonnait, m'insultait, regrettait puis recommençait. Mais il n'avait plus levé la main sur moi depuis le matin fatidique où il m'avait surprise nue, dans la chambre, en revenant inopinément du travail. Il distribuait sa peur par des attitudes, des remarques ou des regards désobligeants. Sans la présence de Marie-Jeanne, j'étais convaincu qu'il en aurait été autrement.

Heureusement, il y avait quelques moments de répit, où le bonheur se pointait le bout du nez. Parties de pêche ou de chasse, pique-niques du dimanche au relais des 4 H le long de la rivière Saint-Maurice, feux de la Saint-Jean au pied de la montagne, ramassage de bleuets, de fraises ou de framboises, soirées de télé à se défouler devant Séraphin l'avare et Donalda la soumise à qui je m'identifiais parfois.

C'est aussi durant cet été que se solidifia mon amitié avec Louise, ma voisine. Je me souviens d'un soir en particulier, où elle avait accepté de préparer le repas pour une fête familiale chez les Cossette. Cette famille voulait organiser une réception pour la fille aînée qui revenait d'Afrique, où elle avait passé trois ans à titre de missionnaire auprès de la population locale. Ce qui, au départ, consistait à préparer un buffet froid pour une dizaine de personnes devint une tâche titanesque quand elle m'appela à la rescousse.

— Il faut que tu traverses, Héléna! J'suis mal emmanchée! entendis-je dans le combiné du téléphone.

— Mon Dieu, qu'est-ce qui se passe?

— J'en ai trop pris!

Je pensai immédiatement qu'elle parlait de médicaments. Elle prenait des calmants de temps à autre depuis la mort de son fils.

— Attends-moé, j'arrive!

Je la trouvai dans sa cuisine, au milieu d'un fouillis indescriptible. J'étais face à une orgie de casseroles, de plats, d'ustensiles et d'ingrédients de toutes sortes, plutôt que devant une surdose de pilules.

— Ma foi, qu'est-ce qui te prend?

— Y me prend qu'y m'avaient dit pour dix personnes. Ils vont être 44!

— De quoi tu parles?

— Des Cossette! Y fêtent leur fille demain midi. J'avais accepté de leur préparer un repas froid, mais je m'étais pas engagée pour un buffet de noce!

Dans les moments de tension, Louise devenait encore plus belle. Ses joues se coloraient de rose et ses yeux pétillaient comme du champagne. Elle agitait ses longs doigts enfarinés en me pointant les diverses préparations étalées sur la table autant que sur son tablier. Je me mis à rire de bon cœur devant ce capharnaüm. Loin de s'en offusquer, elle plia en deux à son tour.

— Sors-moé un tablier, m'as t'aider! lançai-je avec entrain.

C'est dans la plus parfaite harmonie que deux voisines s'activèrent pour qu'une troisième fasse honneur à sa fille. J'aimais Louise pour ces instants de complicité qui me tiraient de mes préoccupations quotidiennes. Il suffisait que l'une de nous manque de sucre pour que s'amorce une conversation sur tout et rien. Elle me voyait au jardin et elle venait sarcler avec moi. Je l'apercevais à étendre son linge et je traversais la clôture. Seule la présence d'Edmond entravait ces rapprochements. Je pense qu'il la considérait comme une sorte de rivale. Louise et moi évitions d'en parler. Nous avions suffisamment de matières à discussions avec les péripéties de mon fils, les aléas du foie de Marie-Jeanne et les potins du voisinage.

En arrière-plan, notre ville prospérait. L'usine de papier tournait à plein régime et avait rapatrié sa division forestière Saint-Maurice, qui créait plus d'une centaine d'emplois. Elle insufflait un vent d'optimisme et d'euphorie parmi la population. L'administration du nouveau maire profitait de cette pulsion pour annoncer des projets d'importance. Le développement d'un nouveau quartier résidentiel, le quartier Bel-Air, était le plus apprécié. Situé en arrière de l'hôpital, sur la rive basse de la rivière Saint-Maurice, il symbolisait la croissance de notre ville. On s'enorgueillissait aussi de la construction de l'école secondaire Champagnat et de la rénovation de l'église Saint-Zéphyrin, même si nous avions maintenant notre propre paroisse, avec son nouveau temple : l'église Marie-Médiatrice.

Nous écoutions la radio en fredonnant *Le Déserteur* pendant que le rock and roll s'apprêtait à déferler sur l'Amérique, porté par les déhanchements d'Elvis Presley. Les robes se portaient sous le genou et cein-turées à la taille. On sentait que l'avenir allait pétiller comme une bouteille de Coca-Cola.

Mon fils fréquentait l'école Saint-Zéphyrin en première année. Il traversait la voie ferrée sac au dos et je m'inquiétais plus pour moi que pour lui. J'avais le sentiment d'être abandonnée à mon sort et d'être enchaînée à mes obligations. Jean avait la chance de sortir de la maison, d'étudier et de se forger une nouvelle vie. La mienne était dans un cul-de-sac. Sans le fantasme de Matthew, j'étais à la merci des idées noires qui m'assiégeaient depuis des mois. Elles occupaient mes pensées dès que je posais la tête sur l'oreiller. J'en venais à espérer que madame Durand relâche son étreinte sur son chat ou son fils. Mais le quotidien s'obstinait à être immuable.

Résidence Clair de lune, Trois-Rivières, printemps 2002

— J'me rappelle mon premier jour d'école.

L'interruption surprend Huguette. Déjà qu'elle

ne s'attendait pas à revoir le fils dans la chambre sitôt après son éclat du souper.

— T'étais venue me reconduire. Quand on est entrés dans la classe, tous les enfants braillaient. Certains s'accrochaient à leur mère en hurlant. La maîtresse avait les cheveux gris et portait un petit foulard bleu noué autour du cou. Elle actionnait une sorte de castagnettes pour essayer d'obtenir l'attention. Elle se tenait raide comme un piquet derrière un immense bureau. J'ai pas pu m'empêcher de faire comme tout le monde, pis de me mettre à chialer. Tu m'as installé derrière un pupitre libre, pis t'as dit à la maîtresse : « Il s'appelle Jean Fournier, il connaît son alphabet, pis il sait écrire son nom. » Puis t'es sortie sans te retourner.

— C'est vrai, dit Héléna. J'me rappelle que les autres mères m'ont regardée de travers. Mais comme j'avais aimé l'école, j'me disais que ce serait pareil pour toé. Ça a pas été le cas, mais t'as au moins fini ton secondaire.

— Ouais. C'est vrai. Mais ça aurait pu être différent.

Huguette attend le signal d'Héléna avant de reprendre. Il semble que ce ne soit pas le moment de disserter sur cette différence. Pourtant le fils laboure sa barbe comme s'il tentait d'en extraire une matière qui lui brûle la peau. Nul doute que les propos d'Héléna ont un effet abrasif. Jean est aussi tourmenté que l'était le patron de Fortier quand les évènements négatifs le submergeaient. Rien d'autre qu'une explosion ne pourra en résulter !

CHAPITRE 18

La Tuque, été 1956

L'état de Marie-Jeanne s'était aggravé depuis un an. Elle avait maigri. Ses gestes n'avaient plus la même précision. Je n'osais plus la laisser seule au fourneau depuis qu'elle avait échappé une lèchefrite et un poulet rôti sur le sol. Elle se plaignait sans cesse de douleurs à l'estomac. Elle prenait ses médicaments en bougonnant contre le docteur qui n'avait, à ses yeux, pas plus d'efficacité que le charlatan chez qui elle avait déposé son pipi plusieurs années auparavant. En réalité, elle refusait de changer quoi que ce soit à son alimentation trop grasse ou trop sucrée.

Il n'y avait que Jean pour lui changer les idées. Elle passait de longs moments, assise à la table, à jouer aux cartes avec lui. Elle l'aidait pour la lecture et lui parlait du lac Wayagamac. Je l'entendais décrire la petite maison de bois, les froids pénétrants de l'hiver et les glaçons qui pendaient au rebord de la couverture ou le vol léger des libellules à la surface du lac. Elle racontait la pêche près du gros rocher et imitait le comportement des truites qui s'approchaient de sa ligne morte sans se méfier. Jean riait de lui voir la bouche en cul de poule s'avancer vers un index gigotant comme un ver. Je vaquais à mes occupations tout en l'écoutant. Je frissonnais un peu quand elle parlait du Windigo qui rôdait autour du lac. Elle disait l'avoir aperçu les soirs d'orage, « Vrai comme j'te vois ! », disait-elle les yeux ronds. « Il griffait les arbres et ses cornes de feu brûlaient les branches. » Elle poursuivait en décrivant une silhouette d'homme squelettique, d'une puanteur extrême, dont l'appétit de chair humaine était insatiable. « Sa bouche était un gouffre noir qui aspirait l'âme jusqu'en enfer et déchiquetait les corps en broyant les os comme des fétus de paille. » Je devais tempérer ses ardeurs de conteuse pour ne pas que mon fils en perde le sommeil.

Quand nous la laissions seule à la maison, je demandais à Yvonne de lui téléphoner ou de passer la voir. Edmond rechignait devant la présence encombrante de ma mère. Moi, je savais qu'elle était un garde-fou qui me protégeait de ses excès.

La situation bascula au mois d'août 1956. Comme chaque été, nous traversions le pont suspendu, derrière l'usine de pâtes et papiers, pour cueillir les bleuets dans les champs, le long de la rivière Saint-Maurice. La plupart du temps, Jean insistait pour monter à l'arrière du camion pour faire le reste du trajet. Il devait baisser la tête et ne pas sortir les bras, car le tablier du pont était très étroit. Il se tenait debout tout au long du chemin de terre et nous l'entendions crier de joie à la moindre bosse.

Il était étonnant de constater à quel point nous nous transformions dès la traversée de la rivière Saint-Maurice. C'était comme de passer, en compagnie d'Alice, dans son pays des merveilles. La forêt étendait ses branches jusque dans le chemin. Nous croisions un renard, une couleuvre ou une perdrix qui s'envolait devant nous. Les trous étaient des lacs mystérieux remplis d'eau de pluie, que les roues projetaient sur le bas-côté. Les virages en épingle devenaient l'entrée de pays mystérieux, où le possible se confondait à notre imaginaire pour teinter le réel des couleurs de nos rêves. Puis venaient les champs en friche envahis de fleurs sauvages. Nous y entrions sans façon, le cœur léger, comme si le fond de terre nous appartenait.

À l'ombre d'un grand hêtre, nous étalions une couverture pour y poser un sac de nourriture, quelques chaudrons pour rapporter les petits fruits et des vestes pour le cas où une averse nous surprendrait. Sans plus de façon, nous avancions dans l'herbe folle, nos contenants à la main. Je marchais avec Jean sur les talons en cherchant les taches bleutées parmi les nuances de jaune et de vert, de mauve et de rose. Chacun de nos pas froissait les fleurs et nous enveloppait d'un parfum délicat. Les insectes, dérangés dans leur labeur, tourbillonnaient dans l'air chaud avant de reprendre leurs activités. Plus loin, la rivière Saint-Maurice coulait en contrebas et s'enfonçait dans la vallée.

Edmond, fidèle à ses habitudes, décapsula une bouteille de Dow qu'il traîna avec sa chaudière.

Il cueillait avec lenteur, buvait une lampée et regardait souvent autour de lui. Parfois, il examinait une fleur ou levait la tête au cri d'une hirondelle. Je l'aimais dans ces moments-là. Il s'apaisait. Il n'avait plus besoin de me surveiller. La nature le prenait sous sa coupe et l'ensorcelait. Je pouvais respirer l'air pur en toute tranquillité et les bleuets filaient entre mes doigts jusqu'au fond de mon vaisseau.

Je perdais la notion du temps. Mes gestes devenaient mécaniques. Quand j'avais ratissé une talle, je me redressais et, comme une ourse affamée, j'en cherchais une plus belle. J'avais presque rempli mon contenant quand j'aperçus au loin une tache parmi les fleurs. Ce n'était ni Jean ni Edmond, qui ramassaient dans l'autre direction. En plissant les yeux, j'eus l'impression de voir une femme avec un chapeau de paille. Elle était courbée et devait cueillir tout comme moi. Je me demandais d'où elle sortait. Je savais qu'il n'y avait pas d'habitation dans les environs. Elle se leva et je la vis disparaître derrière un talus. Je continuai à grappiller les bleuets en revenant vers Edmond, qui examinait quelque chose avec mon fils.

— Ça ramasse pas fort ! leur dis-je en riant.

— Viens voir la belle couleuvre, maman !

— Maman aime pas trop les serpents. As-tu vu la femme dans le champ ? demandai-je à Edmond.

— Quelle femme ? J'ai vu personne.

— Elle était là-bas. Elle avait un grand chapeau de paille. Elle avait l'air de ramasser des bleuets, elle aussi.

— Il y a peut-être quelqu'un qui l'a amenée, pourtant j'ai pas entendu de char, dit Edmond en soulevant le reptile par la tête.

Un malaise me traversa. Je tournai les talons et me rendis au talus. Le champ s'étendait jusqu'à une clôture qui le séparait d'une terre qu'on avait labourée sans rien y semer. Aussi loin que portait mon regard, je ne voyais personne. La femme m'avait semblé corpulente et sa démarche incertaine. Elle ne pouvait avoir rejoint la route dans un si court laps de temps. J'en conclus au mirage. Sans doute la chaleur. Je revins en cueillant les bleuets. À peu près à l'endroit où j'avais vu la silhouette s'accroupir, je trouvai une talle particulièrement fournie. Les fruits étaient dodus et d'un bleu foncé. Je les arrachais par grappes qui me remplissaient la main. C'était comme de déterrer le trésor des pirates. Puis je vis un pied qui ne portait pas de fruits. Les pédoncules étaient tous dégarnis. Puis j'en aperçus un second et un autre et un autre encore. J'étais au milieu d'un cercle qu'on avait ratissé, là où j'avais vu la femme.

Je serrai ma chaudière contre moi et me mis à courir vers Edmond. J'arrivai près de lui tout essoufflée.

— Venez-vous-en, on s'en va!

— Qu'est-ce que t'as? On dirait que t'as vu le diable.

— On a assez de bleuets. Viens-t'en!

— On reste encore, maman, pleurnicha Jean.

— On reviendra une autre fois, mon Jeannot.

Edmond me regardait d'un drôle d'air. Il tenta d'en savoir plus sur le chemin du retour, mais je savais qu'il me tournerait en dérision si je lui faisais part de mon inquiétude.

Je ne fus pas surprise de voir l'ambulance devant la maison. C'était comme de voir tomber une série de dominos après que le premier s'est incliné. Yvonne suivait la civière manœuvrée par deux hommes. Edmond fit un commentaire, Jean questionna. Je n'avais plus de voix.

Sitôt qu'il fut stationné, je sautai du camion et courus vers l'ambulance.

— HÉLÉNA ! ENFIN, T'ES LÀ ! cria Yvonne qui s'agrippait à la porte du véhicule pendant qu'on y insérait la civière.

— Qu'est-ce qui est arrivé ? lui demandai-je.

— Je l'ai TROUVÉE RÂLANT DANS SON LIT ! Tu m'avais DEMANDÉ DE PASSER.

— Calme-toé, pis dis-moé ce qu'elle a.

— J'LE SAIS PAS, MAIS ÇA A L'AIR GRAVE !

Edmond me rejoignit et me prit par l'épaule. Je me dégageai d'un geste brusque.

— Emmène-moé à l'hôpital ! Yvonne, va reconduire Jean chez Louise. Tu viendras nous retrouver.

Marie-Jeanne n'allait pas reprendre connaissance. On tenta de la réanimer à son arrivée à l'hôpital, mais ce fut peine perdue. Je ne savais plus ce que je lui avais dit avant de partir. Sans doute une banalité. Pourquoi n'étais-je pas restée auprès d'elle ? La culpabilité me rongeait. Nous avions traversé, elle et moi, bien des épreuves et je n'avais pas été là pour la dernière.

Une semaine plus tard, après l'avoir enterrée au cimetière près de la montagne, je sarclai le jardin qui n'en avait pas besoin. Je préférais retourner la terre plutôt que les souvenirs enfouis dans sa chambre. Je savais que j'y trouverais les restes de sa vie. Les vieilles photos qu'elle nous sortait les jours de fête pour nous conter leurs histoires et les enjoliver avec le temps. Les chapelets usés et les faux bijoux qu'elle portait avec fierté. La griffe d'un ours et la *cup* sculptée que mon père lui avait offertes. Toutes ces choses qu'il me faudrait ranger ou donner et qui viendraient peser sur son absence.

C'était elle que j'avais vue dans le champ. J'en étais convaincue. Sa dernière pensée avait été pour moi. Pour m'avertir qu'elle devait partir. Pour me laisser d'elle une image de son bonheur, quand elle était courbée au jardin du lac Wayagamac, que nous étions tous là et que son chapeau de paille jaune rayonnait comme un soleil entre les rangs d'oignons.

**Résidence Clair de lune, Trois-Rivières,
printemps 2002**

L'arrivée de l'infirmière brise l'effet de lecture escompté par Huguette. Chaque mot de la dernière phrase avait été prononcé avec une lenteur calculée. La lectrice perçoit l'émotion de l'écrivaine et sait parfaitement qu'une pause est nécessaire pour que retombe la poussière du souvenir.

— J'm'excuse de vous déranger, madame Martel. C'est que je prépare ma commande à la pharmacie. J'voulais savoir si vous aviez besoin de quelque chose.

— Entre, Nathalie, dit Héléna. Huguette va reprendre son respire. J'te présente mon gars, Jean.

— On s'est croisés dans le corridor. Enchanté. Faudrait que vous passiez me voir, pour que je vous inscrive au dossier de votre mère. J'avais pas les informations.

Jean fait un signe de tête bourru et reporte son regard sur la télé, qui diffuse en silence un match de hockey. Nathalie prend la rondelle au bond pour faciliter la conversation.

— Les Canadiens vont faire les séries cette année! Ça fait quatre ans qu'ils y participent pas. Y était temps qu'y se déniaisent. Une chance que le p'tit capitaine Koivu est là pour les réveiller!

Là où elle croyait ferrer l'attention de Jean, elle n'a droit qu'à une mimique d'approbation plutôt molle. Pour une fois, la lecture du manuscrit semble l'avoir touché. Héléna s'empresse de prendre la relève.

— Tu me commanderas une meilleure crème pour les mains. J'ai la peau sèche comme un crapaud. Pis aussi, le liquide blanc pour l'estomac, j'ai des brûlements.

— J'm'occupe de ça, madame Martel. Vous avez meilleure mine ce soir. C'est la visite qui vous fait cet effet-là ?

— T'es ben fine, mais j'ai l'impression d'avoir la mine pas mal rentrée dans le crayon.

— J'vous l'ai dit, si vous avez trop de mal, j'peux vous donner des médicaments plus forts. Les prescriptions sont prêtes. Endurez pas ça !

— Faut que je garde toute ma tête pour entendre mon amie Huguette.

— J'vous trouve bonne d'avoir écrit tout ça. On va-tu pouvoir le lire un jour, votre livre ? Vous pourriez le faire publier.

— Pour ce qui me reste, j'pense que j'vais me contenter de le méditer.

— Vous êtes une femme pleine de sagesse. J'vous dérangerai pas plus longtemps. Bonne fin de soirée.

Huguette a perdu le *momentum*, pendant que les Canadiens semblent l'avoir retrouvé. Jean célèbre d'un sourire le but que les joueurs acclament en s'agglutinant. Héléna ferme les yeux. La mort de Marie-Jeanne n'a été ressentie que trop brièvement, alors qu'elle va briser le fragile équilibre qui entourait Héléna.

CHAPITRE 19

La Tuque, hiver 1957

Avec la mort de ma mère, je me sentais comme le prisonnier abandonné dans sa cellule par le gardien de sécurité. À la merci de l'autre détenu, qui n'attendait que cette occasion pour déverser son amertume sur moi.

Edmond n'était pas fondamentalement mauvais. Envers son fils, il n'était ni mieux ni pire que les pères de cette époque. Il était un bon ouvrier et il aimait rendre service. Il donnait généreusement à moins fortuné que lui. Mécanicien à ses heures, il procédait aux changements d'huile et aux petites réparations pour tout un chacun. Le garage résonnait souvent de conversations bien arrosées autour d'un capot grand ouvert.

Tout se gâtait quand il s'agissait de moi. J'étais sa chose, sa possession. Il m'aimait d'une façon maladive. Il me voulait à son seul service. Qu'on me regarde un peu trop et c'était l'interrogatoire assuré! Un faux numéro le plaçait dans un état de suspicion insoutenable. Je m'achetais un nouveau vêtement et il y voyait un désir d'aventure.

Il est vrai que j'avais voulu le tromper. C'était son meilleur argument. Il me le servait sans jamais s'en lasser. J'en étais venue à penser que cela l'excitait. Il orientait la conversation pour aboutir à cette conclusion imparable, au-delà de laquelle je devais me soumettre pour montrer ma bonne foi. Le pire est que je lui obéissais la plupart du temps pour éviter l'atmosphère corrosive à mon fils. Sans le savoir, il me poussait dans de vieilles ornières.

Certains jours, j'avais plus ou moins conscience d'avoir vécu. En fin d'après-midi, Jean posait son sac d'école près de la porte et je m'apercevais que du linge avait été lavé et plié, que de la nourriture mijotait sur le poêle et que le plancher reluisait. Je n'avais aucun souvenir des gestes qui avaient opéré tous ces miracles. En fait, je me souvenais du lever, du déjeuner et de la porte qui s'était refermée sur un jour semblable au précédent. Il n'y avait que les échanges avec Louise ou avec ma sœur Yvonne pour me sortir de ces trous noirs. Elles étaient une sorte de bouée qui flottait autour de moi et que je saisissais de temps à autre pour rester dans une réalité acceptable.

J'avais remarqué que Jean était parfois atteint de cet état songeur. Il arrêtait son jeu et restait un long moment immobile, le regard perdu dans un monde lointain. Je devais le secouer pour le ramener à la réalité.

Sa condition fut loin de s'améliorer quand, un matin de février, son école fut détruite par le feu. Je m'en rendis compte au moment où je sortais pour étendre le linge. Une fumée noire s'élevait dans le ciel et des lueurs orangées s'y profilaient. Mon inquiétude monta en flèche et j'abandonnai ma corvée pour courir sur les lieux.

Les flammes avaient déjà détruit la moitié de l'édifice. Les pompiers tentaient tant bien que mal d'endiguer l'appétit du brasier, mais le bois sec crépitait et s'effondrait comme un château de cartes. J'appris que l'incendie avait débuté alors que les élèves étaient encore dans la cour d'école. La plupart étaient restés sur place, impressionnés par ce divertissement impromptu. Plusieurs ne se gênaient pas pour manifester leur joie, car l'évènement signifierait un congé forcé. Je parcourus la foule composée de curieux et de parents cherchant leur enfant, tout comme moi. Connaissant l'intérêt de mon fils pour le travail des pompiers, je me dirigeai vers les camions. Les policiers avaient érigé une barrière de sécurité qu'ils devaient repousser à mesure que la chaleur du brasier augmentait. Je cherchais à repérer sa tuque aux couleurs des Canadiens.

— Héléna ! Par ici !

Je tournai la tête et aperçus ma voisine tenant Jean par la main.

— Louise ? Qu'est-ce que tu fais ici ?

La question me semblait oiseuse vu l'importance du drame. On en parlerait pendant des jours dans toute la ville. Jean se jeta dans mes bras avant de me supplier de rester pour voir les pompiers à l'œuvre.

— Si ça t'adonne pas, j'peux le faire, j'ai le temps à matin. Toé, t'as un mari à t'occuper, proposa Louise.

Elle avait raison. Si Edmond se réveillait sans que je sois au poste, cela pouvait signifier quelques représailles déplaisantes.

— Jeannot, maman va s'en retourner, pis madame Saint-Onge va te ramener tantôt. Approche-toé pas trop du feu, pis écoute ce qu'elle va te dire.

— Maman, reste donc!

— J'ai de l'ouvrage à faire, pis ton père travaille à quatre heures. T'es ben fine, Louise.

— C'est rien, voyons. Depuis que j'ai pus mon Denis, ça me fait du bien de m'occuper de Jean.

— OK, tu me le ramèneras pour dîner.

— Sans faute! Viens, Jeannot, on va mieux voir là-bas.

Je les regardai s'éloigner avec un pincement au cœur. Je savais mon fils entre bonnes mains, mais j'aurais préféré être à ses côtés. À mesure que je m'éloignais du brasier, le froid me transperçait de part en part. Une main glaciale qui me nouait l'estomac et m'empêchait parfois de respirer.

∾

Deux semaines s'écoulèrent avant que les autorités scolaires ne relocalisent les élèves à l'autre bout de la ville, dans une nouvelle construction, financée en bonne partie par le gouvernement fédéral, et destinée à l'enseignement des enfants provenant des réserves indiennes. L'espace y était restreint, mais c'était une solution qui permettrait de terminer l'année scolaire sans trop de conséquences sur les programmes.

Jean vécut difficilement ce changement. Il devait marcher une bonne demi-heure, beau temps, mauvais temps, pour se rendre à sa nouvelle école, située de l'autre côté du lac Saint-Louis, sur une colline jouxtant l'usine de pâtes et papiers. Les classes étaient surchargées d'élèves et la sienne était au sous-sol, dans un local aux fenêtres minuscules. Ses résultats scolaires s'en ressentirent. Je le sentais s'étioler de jour en jour. Sa maîtresse d'école parlait de le faire redoubler. Je voyais cela comme un poids additionnel sur mes épaules.

En mars, on convoqua les parents pour une remise de bulletins. J'appréhendais ce moment. Il fut au contraire très révélateur. Alors que j'attendais dans le couloir, je vis s'approcher une femme pressant des dossiers contre sa poitrine. À peu près de mon âge, ses traits m'étaient familiers. Son profil se superposa dans ma tête à celui de l'Indienne qui avait défendu l'Italien, cireur de chaussures, bien des années auparavant.

— Mikona ?

Elle s'immobilisa et me dévisagea un instant avant de me serrer la main avec chaleur. Elle m'entraîna à l'écart.

— Tu parles d'une coïncidence ! J'ai pensé à toé pas plus tard qu'avant-hier. J'voulais passer te voir. J'viens juste de revenir en ville. Je remplace un enseignant qui est malade. Ça se peut que ça dure jusqu'aux vacances d'été. T'es ici pour les bulletins?

— Oui, pour mon garçon, Jean Fournier. Il est en deuxième année.

— Moé aussi, j'ai trois enfants: deux filles, dont une a lâché l'école, pis mon garçon, qui finit sa sixième année. On vit dans un logement sur la rue Saint-Pierre. On est à l'étroit, mais on est heureux. Mon mari travaille dans le bois, y'é bûcheron. À l'été, si j'ai pus mon travail, on va retourner à Sanmaur. Mon père reste là, asteure.

— J'suis contente pour toé, t'as l'air ben.

— Ça a pas été facile. J'ai fait toutes sortes de *jobs* avant qu'on me prenne à l'essai dans un petit projet à Kahnawake, sur la rive sud du fleuve, près de Montréal. J'avais hâte qu'ils ouvrent l'école à La Tuque. J'ai eu de la chance parce qu'il y a juste trois classes avec des enfants de la réserve. On parle de développer un pensionnat d'ici quelques années. Il y a encore d'autres bâtiments à construire. J'sais pas ce que ça va donner. Pis toé?

— J'suis un peu inquiète pour mon gars. Ça va pas ben à l'école depuis qu'il vient ici, dis-je pour ne pas avoir à discourir sur ma vie personnelle.

— C'est sûr que les classes sont pleines. Y a pas autant d'espace qu'à Saint-Zéphyrin. C'est qui son professeur?

— Madame Chouinard.

— Oui, j'pense qu'elle a une classe difficile. J'ai entendu dire que c'est une bonne enseignante, sauf qu'on lui a donné deux ou trois redoubleurs à répétition. Y en a un qui s'appelle Lemire, l'autre, c'est un Durand, le pire des deux. Y a achalé mes élèves une ou deux fois. J'suis pas sûre qu'il est à sa place ici.

Madame Chouinard sortit dans le couloir pour m'appeler. J'embrassai Mikona et lui promis de l'appeler pour prendre un café, même si je ne voyais pas comment je pourrais concrétiser ce rendez-vous.

Tout au long de mon entretien avec l'enseignante, j'écoutai sans rien comprendre. Je n'avais en tête que madame Durand, qui avait l'air d'avoir oublié mes menaces. Madame Chouinard me parla du changement d'attitude de mon fils et de son manque d'attention. Je répondais brièvement et de façon vague à ses questions concernant l'atmosphère à la maison. Elle me suggéra de porter attention à ce qui entourait Jean. J'acceptai le bulletin et promis d'y voir.

Sur le chemin du retour, ma tête était remplie de scénarios farfelus, que le souvenir de Josette Gagné alimentait. Sans m'en rendre compte, je remettais l'autre femme sur les rails et je m'enfermais à sa place.

Résidence Clair de lune, Trois-Rivières, printemps 2002

Huguette arrête de lire. Héléna s'est assoupie. Sa poitrine se soulève avec régularité en émettant un sifflement léger. Jean se lève et enfile son manteau.

— C'était qui, Josette Gagné? demande-t-il en brassant les clefs de son automobile.

— Une femme avec qui elle a travaillé à l'usine.

— Quelle usine?

— L'usine de pâtes et papiers, à La Tuque.

— Je savais même pas que ma mère avait travaillé là.

— C'est à ça que ça sert, son livre: à mieux la connaître.

— C'est ben beau, mais j'ai du travail qui m'attend. J'peux pas rester planté ici à écouter des histoires pendant des jours.

— J'pense pas que ça va durer ben longtemps encore. Elle a pas mangé beaucoup depuis une semaine. Elle est faible. Elle a mal aussi, ça paraît. Sa peau est sèche. Elle perd beaucoup de cheveux. Ses yeux ont moins éclat. Elle fait des efforts pour aller jusqu'au bout.

— Vous avez d'l'air à connaître ça.

— Il suffit d'avoir vu mourir une fois pour pus jamais l'oublier.

— Demain, c'est jeudi, je serai pas là. Faut que je repasse à mon atelier. Vous lui direz que je vais revenir vendredi matin. Vous pourrez continuer la lecture, de toute façon, pour ce que ça change!

— Pour la lecture, c'est pas moé qui mène. Pour le reste, j'peux vous dire que j'ai regretté de pas avoir été là quand mon amie de cœur a rendu son dernier souffle. Faites pas la même erreur que moé. Peu importe qui était votre mère, vous en aurez pus dans pas long…

Le fils tourne la tête vers Héléna. Songeur, il pousse un soupir.

— Quand je vous écoute, j'ai l'impression d'entendre ma grand-mère qui racontait ses histoires épeurantes. Elle avait un don pour ça. On dirait que ma mère en a hérité.

— Vous pensez pas que c'est vrai, tout ça ?

— Est-ce important, asteure que le mal est fait ? Je vais vous laisser mon numéro de téléphone à l'atelier. Appelez-moé si ça se gâte.

CHAPITRE 20

La Tuque, printemps 1957

Ma rencontre avec Mikona avait miné les fragiles barrières me retenant d'agir. Je perdis le contrôle de moi-même et m'abandonnai à la femme sûre d'elle qui prendrait les choses en main. Les jours continuaient de s'emboîter, les uns après les autres, comme un ensemble de poupées russes. Le suivant faisait disparaître le précédent et était lui-même avalé par le prochain. Je n'avais qu'à me laisser porter, sans penser à rien d'autre qu'aux tâches quotidiennes à accomplir. La réalité me rattrapa quand un policier vint frapper à ma porte au dernier jour de l'hiver.

La journée était glaciale. Les deux cheminées de l'usine crachaient une fumée grise qui s'élevait haut dans le ciel, bien au-dessus des montagnes. Dans la rue, le crottin du cheval du laitier était dur comme de la pierre. Les enfants le botteraient en riant au retour de l'école. Des bancs de ouate éthérés s'accrochaient à la montagne et la glace avait repris de la vigueur dans nos fenêtres. L'hiver s'installait dans la vallée de la rivière Saint-Maurice.

Quand j'ouvris la porte, un nuage de vapeur blanche accompagna le jeune homme en uniforme. Il referma derrière lui et resta poliment sur le tapis.

— Bonjour, madame. Je suis le sergent François Trépanier. J'vous dérangerai pas longtemps. C'est au sujet de votre voisine.

Je pensai immédiatement à Louise. J'attendis qu'il ouvre un carnet pour y consulter des notes. Il avait un visage poupin, coloré par le froid, qui jurait sous sa casquette officielle. Je l'invitai à s'asseoir. Son sourire était engageant et ses yeux vifs avaient la couleur d'un ciel d'été. De la main, je vérifiai que les boutons de ma robe étaient bien en place. Le souvenir du chef Picard et de son regard inquisiteur vola un instant autour de moi.

— Elle s'appelle madame Durand. Elle reste juste à côté, sur l'autre coin de rue, dit-il, comme s'il entamait une banale conversation.

— Je sais qui elle est.

— Son p'tit gars s'est sauvé de l'école…

— Ça me surprend pas. Elle a un peu de misère avec lui. C'est pas un enfant facile.

— Mais c'est pas à cause de lui que je viens vous voir. C'est parce qu'en revenant à la maison, il a trouvé sa mère morte dans son bain. Vous comprenez qu'il est ressorti aussi vite en criant. Vous l'avez pas entendu ? Il devait être pas loin de dix heures.

— Non. Avec la radio qui joue, pis tout est fermé… il fait tellement froid.

— Oui. C'est un homme qui passait sur la rue Réal qui l'a intercepté. Il est entré dans la maison et nous a appelés. On a envoyé le corps à la morgue. C'est pour ça qu'il y avait une ambulance dans l'autre rue.

Il attendait que je confirme cette information, mais je ne savais rien de cette ambulance. Je le regardais sans aucune expression. L'annonce de la mort de madame Durand ne me touchait pas. J'étais plus préoccupée par le sac de farine, le sucre, les pommes et le rouleau à pâte qui m'attendaient sur le comptoir. J'étais occupée à confectionner des tartes avant que ce policier n'entre chez moi.

— Vous avez pas vu personne de louche dans les environs de bonne heure à matin?

— Pourquoi?

— Madame Durand est morte électrocutée. Sa radio était à côté d'elle dans le bain.

— C'est dommage. C'est un accident bête.

— Ça se pourrait que c'en soit un, mais son jeune a dit que la porte d'entrée qui donne sur la ruelle était entrouverte, quand il est revenu de l'école. Il faisait froid dans la maison. On prend pas son bain en laissant la porte ouverte en plein hiver. Ça fait que je fais le tour des voisins qui sont proches, pour voir si quelqu'un a vu quelque chose de bizarre. De chez vous, on voit quasiment leur porte d'entrée qui donne sur la ruelle.

— Non, j'ai rien vu. Son mari était pas là? demandai-je en connaissant très bien la réponse.

— Il travaille dans le bois. Il bûche pour un sous-traitant de la compagnie de papier. Il devrait redescendre en fin de journée. Un de mes collègues est monté jusqu'au barrage La Trenche pour l'informer. Vous êtes sûre que vous avez rien entendu ou vu ? N'importe quoi, des fois on pense pas que ça peut être important…

— Ben non, rien pantoute. Peut-être qu'elle aura mal fermé la porte ?

— Le p'tit gars dit qu'il l'a ben refermée en partant pour l'école vers sept heures et demie.

— C'est un enfant un peu agité. Il a pu se tromper.

— Oui, c'est vrai. J'ai remarqué. Mais on a trouvé des éclats de verre près du bain. Ça avait l'air d'une sorte de bol.

— Pis ?

— Pis ça se pourrait qu'on ait voulu l'assommer avec.

— Vous avez pas dit qu'elle était morte électrocutée ?

— Oui. Mais en voyant la radio sur le bord du bain, on a peut-être pensé que c'était plus facile que de la frapper.

— Vous aimez ça, les affaires compliquées. Pourquoi on aurait voulu faire ça ?

— On le sait pas. On va voir avec le mari si on l'a volé. La connaissiez-vous un peu ?

Depuis l'épisode du chat, nous n'avions échangé que quelques saluts.

— Pas plus que ça. On se parlait pas beaucoup.

— Savez-vous si elle fréquentait d'autres voisins ?

— Comment je pourrais savoir ça ? J'passe pas mon temps à écornifler !

— J'le sais ben, mais des fois, entre voisins, on connaît des affaires.

— J'vois pas ce que vous voulez dire.

— Rien, je réfléchissais tout haut. Bon, je vous dérangerai pas plus longtemps. Peut-être ben qu'elle avait oublié de refermer la porte après tout.

— Ou son p'tit gars s'est trompé. Ça doit être énervant de trouver sa mère morte.

— C'est sûr qu'il est dans tous ses états. Mais ça explique pas le bol brisé. Je vais vous laisser. Si jamais vous pensez à quelque chose, téléphonez au poste de police, puis demandez François. Ça m'a fait plaisir de vous rencontrer, madame, ajouta-t-il en me serrant la main.

— Oui. Merci.

Une impression de malaise et de déjà-vu persista après son départ. Il me rappelait, de plus en plus, celui du Wayagamac, qui lorgnait mon corps sans se gêner. Le chef Picard qui s'acharnait sur nous avec le pouce agrippé à son ceinturon. L'homme à la bouche de poisson, frondeur devant Aristide, sournois dans son approche. Il me semblait que le passé tendait son bras vers moi pour me rattraper. François Trépanier en était la matérialisation. Je le regardai cogner à la maison d'en face, chez la famille Soucy. Que lui dirait-on ? Les Durand n'étaient pas les plus appréciés du voisinage. La mort de la maîtresse de Popeye ferait jaser, mais personne ne la pleurerait. Je me surpris à sourire en allant chercher la vadrouille pour éponger la neige fondue, laissée par la visite du policier. Dans l'opération, je déplaçai mes propres bottes. Sous les semelles, deux flaques d'humidité étaient bien visibles. Il me semblait que cela faisait deux jours que je n'avais pas mis les pieds dehors. Je me sentis faiblir et je tentai de trouver une explication à cette flaque d'humidité. Je me rendais compte que je ne pouvais distinguer la présente journée de celle de la veille ou de l'avant-veille. Cela faisait trois jours qu'Edmond travaillait seize heures par jour de minuit à quatre heures de l'après-midi. Mon fils partait pour l'école un peu avant huit heures. Je refaisais les mêmes gestes chaque matin. La météo n'avait pas beaucoup varié depuis plusieurs jours. Je cherchais un indice qui aurait pu expliquer l'eau sous mes bottes. Je n'avais que le même film insipide à me repasser en boucle.

Résidence Clair de lune, Trois-Rivières, printemps 2002

Le fils n'attend pas que madame Lafrenière reprenne son souffle. Il se lève et sort sans rien dire.

— Va donc y parler, Huguette, dit Héléna. De toute façon, j'suis trop fatiguée pour continuer. J'vais sonner la préposée pour la bassine.

Madame Lafrenière se dépêche d'obtempérer. Elle se heurte à monsieur Lacoste, qui lui agrippe le bras.

— Comment elle va, madame Martel ? demande-t-il en se grattant l'aine.

— Comme d'habitude. Vous avez pas vu un grand barbu ?

— Il est entré dans la cuisinette. Je gagne pus depuis que vous venez pus jouer au 500.

— Lâchez de reluquer les seins de madame Gervais, puis vous allez gagner !

— Vous êtes ben bec sec à soir ?

— J'ai pas le temps de vous parler. J'suis pressée !

— Allez-vous venir au bingo demain ?

— Sacrez-moé la paix avec vos boules !

Elle le laisse planté au milieu du corridor, indécis sur la nature des boules.

Jean est seul dans la cuisinette et se prépare un café. Elle s'en approche avec précaution.

— Vous en voulez un ? offre-t-il.

— Non, le soir, ça m'empêche de dormir.

— Ce serait pas plutôt les histoires de ma mère ? Qu'est-ce qui lui prend d'inventer tout ça ?

— C'est peut-être pas inventé.

— Ben voyons ! Elle a pus toute sa tête. Ça doit être les médicaments qu'on lui donne.

— Elle a écrit tout ça il y a quelques années. Elle avait pas encore son cancer. Elle devait pas prendre de médicaments. Votre père était pas comme elle le décrit ?

L'homme se penche sur son verre de styromousse et y ajoute deux sachets de sucre et un peu de lait. Il teste le mélange du bout des lèvres. Ses mains sont rudes et ses gestes précis.

— Je suppose que mon père était pas heureux. Ça devait pas être drôle de travailler à l'usine à petit salaire. Peut-être qu'y rêvait d'une autre vie. Pis dans ce temps-là, ça buvait plus qu'aujourd'hui.

— C'est pas une raison pour s'en prendre à sa femme.

— On est qui pour le juger ? On le sait pas ce qu'il pensait vraiment. On sait pas tout de nos parents.

— J'pense que c'est ça qu'Héléna veut que vous sachiez. Elle veut vous dire qui elle était vraiment.

— C'est-tu nécessaire qu'elle nous parle de la voisine, morte électrocutée dans son bain ?

— Elle veut se vider le cœur avant de mourir, plaide Huguette.

— Ça donne quoi ? Ce qui est fait est fait. On peut rien changer au passé, en supposant que c'est vraiment arrivé comme elle le dit. Pis vous trouvez pas que c'est un peu tard pour sortir du placard ?

— S'il y a une chose que votre mère m'apprend, c'est qu'on doit assumer ce qu'on est, pis vivre avec les conséquences, rétorque Huguette en songeant à sa propre double vie.

— J'ai pas besoin d'elle pour ça.

— J'pense que vous devriez lire ce que vous avez pas entendu, propose Huguette de sa voix la plus douce. Le bout du baptême en particulier. Votre mère était fière de son fils. Elle a pris le temps de l'écrire.

— J'vais aller me coucher. Faut que je remonte à Victoriaville demain matin. Mon client veut que j'y répare ses portes d'armoires. La vie continue, énonce Jean sur le ton de celui qui ne veut pas s'étendre sur le sujet.

— Allez-vous être là après le dîner ?

— Ben oui. Mais pas avant trois heures. C'est sa mort après tout ! Elle a ben le droit de la vivre comme elle veut.

CHAPITRE 21

La Tuque, printemps 1957

La mort de madame Durand enflamma les conversations dans mon entourage. Il n'y avait pas moyen de croiser quelqu'un qui n'avait pas son opinion sur le sujet. D'Yvonne à Géraldine, d'Edmond à Louise, chacun me transmettait les rumeurs qui impliquaient son mari, malgré le fait que son alibi était en béton. Plusieurs bûcherons pouvaient confirmer sa présence au chantier le jour de la mort. Qu'importe, son allure de malfaiteur jouait contre lui. On allait jusqu'à dire qu'il aurait payé quelqu'un pour le faire. Cependant, l'enquête de la police ne trouva rien de concret et la thèse de l'accident fut retenue, puisque rien n'avait été volé dans la maison.

Le sergent Trépanier me rappela à deux reprises pour me poser des questions banales. Je le sentais hésitant au bout de la ligne, mais pas menaçant. J'avais plutôt l'impression qu'il voulait surtout parler à la femme et non à un témoin ou à une suspecte. Je ne fis rien pour l'encourager dans cette direction.

Quelques jours plus tard, mon fils retrouva un semblant de sourire en rentrant de l'école. Il me montra un examen où il avait obtenu un peu plus que la note de passage. J'avais espéré un changement plus radical de sa part, mais à l'évidence, ce n'était pas si simple pour lui. Au moins, son bourreau n'était plus sur son chemin. Romain avait été placé chez quelqu'un de la parenté. Son père ne pouvait s'en occuper, avec son travail de bûcheron qui lui demandait de s'absenter pendant plusieurs jours d'affilée. J'appris beaucoup plus tard que le garçon était à Shawinigan et qu'il avait abouti dans une école de réforme.

Cet épisode était confus pour moi. Je crois que j'en étais venue à occulter la partie sombre de moi-même jusqu'à essayer de m'en dissocier. Ce que mon autre moi pensait, disait ou faisait était dans un autre compartiment de ma tête et je préférais l'ignorer. C'était une solution qui me menait droit à la folie. Je m'en rends compte, aujourd'hui. Mais elle me permettait aussi de fuir la prison dans laquelle j'étais enchaînée.

À la mi-avril, Edmond entra dans une phase particulièrement difficile. L'hiver se moquait du calendrier et s'acharnait à rendre les nuits froides. Un vilain vent du nord descendait le long de la rivière Saint-Maurice et se gorgeait d'humidité. Cela hypothéquait sa résistance. Il partait, harnaché comme un coureur des bois, et revenait de son quart de travail le visage brûlé par le vent et d'une humeur massacrante. Il se plaignait que les billots étaient durs comme de la pierre et que les gaffes et les pics utilisés pour les manœuvrer arrivaient à peine à les érafler. L'ouvrage était dur et il se mit à boire encore plus pour l'oublier.

Bien entendu, j'écopai de son mal-être. J'étais responsable de la moindre anicroche. S'il venait à manquer de beurre ou de tabac, si j'oubliais le couteau ou la salière dans sa boîte à lunch, si la ration de bières était insuffisante, j'en étais la cause première. Il me couvrait de propos méprisants et de regards corrosifs qui jetaient une chape de terreur sur notre quotidien. Jean longeait les murs et s'enfermait dans sa chambre. Comme je voulais lui éviter notre atmosphère empoisonnée, je l'envoyais de plus en plus souvent chez Louise. Elle ne volait pas très haut, elle-même, mais elle était ma bouée de sauvetage. Ma plus grande crainte était qu'Edmond tombe malade et qu'il ne puisse plus travailler. L'avoir tout le jour à la maison me serait insupportable.

La veille de Pâques, Louise me fit une visite d'amitié, et nous apporta, à Jean et à moi, une boîte remplie d'une trentaine de chocolats en forme de cœur pour me remercier de l'aide que je lui offrais avec la cuisine.

— T'aurais pas dû, Louise. C'était pas nécessaire.

— Au contraire ! Tu mérites ben plus. Pis ton p'tit Jean est comme un rayon de soleil pour moé. Tu sais comment que j'aime ça le garder. Il me semble que je vois grandir mon Denis à travers lui. On s'entend ben, lui pis moé. Si tu savais comme sa présence me fait du bien !

— T'es ben fine. Ça va aller mieux pour lui à l'école.

— Ouais, depuis que le flanc-mou à Durand est pus là. On le dira pas trop fort, mais on se plaindra pas de la disparition de la bonne femme. Non, mais elle avait-tu l'air bête ? Pis son gars arrêtait pas d'achaler Jeannot.

— Ah ! Il t'a parlé de ça ?

— Ben oui. C'était rendu qu'il le lâchait pus.

— T'as l'air d'en savoir plus que moé.

— Jeannot, c'est tellement un bon p'tit gars.

— Est-ce que la police t'a interrogée pour la mort de madame Durand ?

— Hein ? Oui, le sergent est passé me voir. J'avais rien à lui dire. Ce matin-là, j'étais debout de bonne heure. Toé aussi, j'pense, parce que je t'ai vue revenir du garage pas longtemps après que les enfants sont partis pour l'école. D'habitude, j'me lève vers dix heures. Tu l'sais que j'dors mal depuis que mon Denis est pus là. J'ai beau prendre des médicaments, ça donne rien. J'me reprends avec un somme dans l'après-midi. Changement de propos, si tu veux que je garde Jean demain, ça va me faire plaisir, pis ça va te donner une chance de te reposer, t'as les yeux cernés depuis quelque temps.

— Il a de l'école, demain. C'est vendredi.

— Ben non. Les enfants sont en congé, c'est Jeannot qui me l'a dit. C'était écrit sur une feuille qu'il a rapportée de l'école. Tu l'as pas vue ?

Je ne pouvais pas avouer que je n'en savais rien. Mon autre moi l'avait peut-être vue. Je pris une attitude nonchalante, bien que je fusse perturbée par ce blanc et par le fait qu'elle m'avait aperçue revenant du garage le matin de la mort de madame Durand. J'avais l'impression de ne plus savoir si j'étais une mère, une tueuse ou la voisine d'une femme qui avait un si gentil garçon.

— Oui, j'avais oublié. J'te l'enverrai dans l'après-midi, faut que je cire mon plancher.

— Ben correct. Pis Joyeuses Pâques ! C'est en fin de semaine. Faites-vous quelque chose de spécial ?

— J'penserais pas, non. Edmond a ben de l'ouvrage de ce temps-ci.

Elle eut la gentillesse de ne pas insister. Elle savait que ma relation avec Edmond ressemblait à des montagnes russes. Elle entendait sûrement nos chicanes tard le soir. À moins qu'elle n'ait questionné Jean, qui semblait plus enclin à la confidence avec elle.

Dès son départ, je me fis une tasse de thé et j'essayai de me souvenir de ce que j'avais fait le matin de la mort de madame Durand. J'avais maintenant l'explication de l'eau sous mes bottes : j'étais allée au garage, Louise le confirmait. Je fermai les yeux et je visualisai ma main qui ouvrait la porte donnant sur la cour. J'avais les doigts gelés. J'étais irritée d'être là. Il y avait une raison qui m'avait obligée à sortir dans ce matin glacial. Edmond était parti en ronchonnant parce qu'il était en retard. Je l'avais vu reculer avec le camion puis sortir et fermer les portes du garage.

C'est ça qui m'avait obligée à sortir : il avait mal refermé les portes. Je m'en étais aperçue un peu plus tard, juste après que Jean était parti pour l'école. S'il fallait qu'un de ses outils disparaisse, ce serait de ma faute et j'en baverais. Je m'étais habillée en vitesse et j'étais sortie. Le garage sentait l'huile et l'essence. Ça m'avait soulevé le cœur.

Les portes étaient lourdes et difficiles à refermer. J'essayai à plusieurs reprises de l'intérieur, mais j'avais les mains gelées. J'enfilai une paire de gants qui traînaient sur le sol. Puis je vis, de l'autre côté de la ruelle, que la porte arrière de la maison de la voisine était mal fermée. Sans doute un oubli de son petit morveux.

Le thé me rentrait dans la gorge comme une traînée de sable. J'étais assise à ma table de cuisine et, en même temps, je traversais chez madame Durand. D'un pas assuré, comme si de rien n'était. Je poussai le battant sans faire de bruit et le refermai derrière moi. Je restai sur le tapis qui représentait un loup en pleine course. Je me rappelle m'être dit que c'était laid. Je retirai mes bottes une à une. J'entendais la musique du poste de radio. À ce moment, je ne savais absolument pas ce que je faisais là. Je pensais à son fils et au mien. À toutes les fois où il l'avait harcelé. J'avançai en pieds de bas dans une maison que je ne connaissais pas. Popeye le chat ne semblait pas être présent. Il avait dû sortir par la porte entrouverte. Je m'emparai d'un plat de verre en passant près d'une table basse. Il me fallait un objet à brandir pour que ma menace porte.

La cuisine était malpropre. Des plats sales croupissaient dans l'évier, des bouteilles de 7Up étaient étalées sur la table, une tache de ketchup Heinz avait séché sur le comptoir, un gros sac de *chips* Humpty Dumpty était éventré et un cendrier débordant de mégots puait la cendre refroidie. Les meubles du salon étaient usés et recouverts par des jetés dépareillés. Il y avait des bas ratatinés au milieu de la pièce et des sous-vêtements souillés près d'une étagère.

La musique provenait de derrière une porte où j'entendis le bruit de l'eau qu'on agite. Je me retrouvais encore une fois près de mon élément. J'ouvris le battant avec précaution. Madame Durand était étendue dans son bain. Sa tête reposait sur le rebord. Une débarbouillette lui recouvrait le visage. Ses gros seins semblaient flotter sur l'eau. Sur une chaise, près de son bras, un poste de radio, branché à une prise murale, fredonnait une chanson d'Alys Robi. Je m'avançai avec douceur. Elle se rendit compte de ma présence quand la porte émit un grincement. Il y eut une éclaboussure quand elle se redressa vivement. Son bras crocheta la radio, qui tomba dans la baignoire. J'échappai le plat en verre et il se fracassa au moment où la lumière s'éteignait. Il y eut un grésillement et quelques étincelles jaillirent de la prise murale. Le corps de madame Durand se raidit plusieurs fois, puis son bras inerte retomba le long du bain. Je restai plusieurs minutes à examiner son visage. Elle avait la même expression que son chat quand je lui avais serré le cou. Je voyais un bout de sa langue et ses yeux étaient ronds comme des billes. J'avais eu l'intention de lui faire peur en la menaçant à nouveau. Le résultat était tout autre et, malgré moi, j'en ressentais de la satisfaction. Pendant un instant, mes yeux se voilèrent. Je m'appuyai au cadre de la porte. Je pensai m'évanouir, mais mon cœur se remit à battre à grands coups. Il fallait que je sorte de là au plus vite.

Je refis le chemin en sens inverse en m'assurant que la rue et la ruelle étaient désertes. Je laissai la porte entrouverte comme je l'avais trouvée. J'ôtai mes gants dans le garage. Avais-je laissé des traces suspectes derrière moi ? Je touchai ma tête en souvenir du chapeau que m'avait rapporté l'agent de police, des années auparavant, après la mort de Josette. Ma tête était nue. Avais-je pris un couvre-chef en sortant de la maison ? Je ne pouvais en être sûre, mais comme pour les autres fois, l'improvisation décidait du déroulement.

Louise m'avait vue sortant du garage, mais avait-elle interprété les sentiments sur mon visage ? Le sergent Trépanier avait sans doute conclu que le mari avait des fréquentations douteuses et que le fils était en bonne voie d'imiter son père. Le plat de verre éclaté n'était pas si bizarre dans cette maison où le bordel régnait dans chaque pièce. J'essayais de me convaincre qu'au final, ce n'était qu'un accident.

Je me retrouvais face à moi-même avec un sentiment ambivalent. Qui étais-je au juste ? Le « T'es qui toé ? » de la salle commune de l'hôpital de

Saint-Michel-Archange grinçait à nouveau à mes oreilles. Cette visite, faite lors du premier internement de mon frère Francis à Québec, obtenait une résonance inquiétante dans mon crâne. N'était-ce pas prémonitoire que ce fou m'ait poursuivie en me harcelant de cette unique question? N'avait-il pas senti dans mon sillage les effluves de la folie? Si au moins, je ressentais du remords. Non, ce qui me troublait était cette part de moi-même qui semblait trouver de la satisfaction à agir de la sorte. Je préférais l'occulter pour m'en dissocier.

Le reste de mon thé s'était depuis longtemps refroidi quand mon fils revint de l'école. J'étais restée tout l'après-midi assise au bout de la table sans m'en rendre compte. Jean ramassa la boîte de chocolats et ouvrit la télé pour regarder Bobino et Bobinette. Dans moins d'une heure, Edmond serait là. Je devais me grouiller pour préparer le souper. Je n'avais qu'une chose en tête: ne pas déroger de notre rituel journalier. Une fausse note et toute la soirée serait foutue. Dans mon empressement, j'oubliai la boîte de chocolats. Jean en mangea le quart et la poussa du pied sous le poste de télé en se tortillant de plaisir devant les facéties de Bobinette.

Résidence Clair de lune, Trois-Rivières, printemps 2002

Héléna ronfle d'un bruit rauque, comme si son corps avait commencé à refermer son ouverture à la vie. Jean leur tourne le dos depuis un bon moment. Sa main triture la barbe sur sa joue gauche. Debout, devant la fenêtre, il semble absorbé par le vent qui agite les branches dénudées. Huguette cesse de lire. Encore une fois, les mots ont atteint le fils. Sa carapace a des failles. Il a préféré fuir dans la lumière extérieure. À quoi bon continuer devant un auditoire si peu attentif?

— Quand ma grand-mère est morte, ça m'a laissé un grand vide. Je me suis ennuyé de ses histoires à faire peur. Elle aimait ça m'épouvanter avec le diable, le Windigo, pis les fantômes qui cognent dans les miroirs ou qui grattent dans les fenêtres pour nous annoncer la mort. Avez-vous peur de la mort? demande-t-il en se retournant.

— Quoi? rétorque Huguette, qui s'apprêtait à quitter la chambre.

— Enfant, j'aimais les frissons qu'elle me procurait. J'en redemandais. Elle me racontait les soirs d'hiver quand elle vivait au Wayagamac et que les loups hurlaient autour de leur petite maison de bois. Ça finissait que le grand-père en tuait un d'un coup de fusil, pis qu'après, le loup revenait, marchait debout et les hantait jusqu'à ce qu'ils soient obligés de tout quitter pour venir en ville. Ça avait l'air tellement vrai quand elle racontait ça. Ça me faisait peur. Aujourd'hui, j'sais pas quoi penser du cadavre dans la baignoire. Je suis pus un enfant.

— Y a peut-être un fond de vérité dans ces histoires-là, suggère Huguette.

— La vérité est pas toujours bonne à dire.

— Mais, des fois, elle est lourde, quand on est tout seul à la porter!

Huguette est fière de sa répartie. Fortier, dans son rôle, n'aurait pu faire mieux. La caméra aurait capté son air satisfait dans un gros plan bien cadré. Tout le monde aurait compris que l'armure du fils commençait à se craqueler.

— Vous serez là à soir?

— Non. Regardez-la. Elle a besoin de se reposer, pis moé aussi. Demain matin à dix heures, tranche-t-il avant de passer la porte.

CHAPITRE 22

Résidence Clair de lune, Trois-Rivières, printemps 2002

Héléna s'est efforcée de manger une bouchée de l'œuf brouillé et de sa rôtie. Son estomac tente d'expulser le mélange en produisant des gargouillements et des refoulements acides qui lui brûlent l'œsophage. Elle a l'impression de se refermer sur elle-même. Son corps refuse la nourriture et résiste même au passage de l'air dans ses poumons. Mais elle n'a pas le choix, il lui faut tenir encore un peu.

Jacinthe, la jeune préposée, s'agite autour du lit qu'elle vient tout juste de changer. Son enthousiasme est mitigé. Elle converse sans entrain.

— C'est votre garçon, le grand barbu ?

— Oui, il fait des meubles, répond Héléna en crachant dans son mouchoir.

— C'est un beau métier. Mieux que de…

— Tu peux finir tes phrases. Mieux que de t'occuper des vieux qui vont mourir.

— Désolée, madame Martel, c'est pas ça que je voulais dire.

— C'est pas grave. J'peux comprendre... T'es toute jeune, toute belle, t'as encore la vie devant toé. Pis t'es en amour, c'est le principal.

— Ouais, dit la jeune femme sans conviction.

— Ça marche pas comme tu veux?

— Ah! J'le sais pus trop. Ça fait deux jours qu'il retourne pas mes appels. Je sais qu'il est en période d'examens au cégep, mais un p'tit mot, ça ferait pas de mal.

— Moé, dans mon temps, il fallait que j'attende une semaine, au moins, pour avoir une réponse, dit Héléna au travers d'une quinte de toux.

— Prenez un peu d'eau, ça va vous aider. Votre amoureux était pas avec vous?

— Quand on aime, ma p'tite fille... l'autre est toujours dans notre cœur... même quand on est trop loin pour l'étreindre.

— C'est beau ce que vous dites. Vous l'aimiez beaucoup?

Héléna sourit à cette question. Comment expliquer le fourmillement au bout de ses doigts quand elle décachetait la missive timbrée aux États-Unis? Les mots qui jaillissaient du papier étaient lus et relus. Ils se glissaient dans sa tête et y dansaient pendant des jours. Appris par cœur, ils devenaient fantasmes au bout de sa main les soirs où elle était abandonnée à elle-même. Elle matérialisait son amant par la force de l'esprit.

— C'est le seul homme que j'ai aimé vraiment, murmure-t-elle.

— Vous vous êtes mariée ?

— Pas avec le bon ! J'ai choisi la sécurité… Fais jamais c'te gaffe-là !

— Je sais pas trop à quoi m'en tenir avec Mathieu. Il est fin avec moi. Mais je le trouve un peu distant. Moi, j'aime ça être avec lui, mais il passe plus de temps avec ses *chums*.

— Penses-y comme il faut. Prends ton temps… C'est ça l'avantage à ton âge.

— Vous avez peut-être raison. Avez-vous besoin d'autre chose ?

— Oui, mais y a personne qui peut me ramener en arrière pour que je tricote ma vie autrement.

La Tuque, printemps 1957

Ce soir-là, je sentais Edmond plus irritable que d'habitude. Il me fit réchauffer sa soupe deux fois et finit par me demander de l'eau pour la refroidir. Le steak était trop cuit et la salade trop salée. Edmond était prévisible comme on voit venir les orages à l'horizon. On l'entendait râler à la façon du tonnerre et son visage se couvrait de noirs signaux annonçant le pire.

Il attendit que Jean fût au lit avant de me brandir la boîte de chocolats sous le nez. Je l'avais complètement oubliée. Il était pourtant évident qu'elle prendrait à ses yeux une importance démesurée. J'aurais dû refuser ce cadeau de Louise. Je n'avais pas réfléchi. J'allais payer pour ma bêtise.

— Qui c'est qui t'envoie des cœurs en chocolat? demanda-t-il d'une voix menaçante.

— C'est Louise, la voisine. Des fois, j'lui donne un coup de main dans la cuisine.

— Ben voyons! Une femme qui envoie des p'tits cœurs à une autre femme! Sors-en des meilleures!

— Crois-moé pas, si tu veux. C'est la vérité.

— T'as l'air bizarre depuis quelque temps. J'comprends pourquoi. Madame reçoit des p'tits cadeaux. Des p'tits cœurs de son amoureux!

— Commence pas, Edmond.

— Rentre dans la chambre, m'as te l'arranger ton envie!

La peur me fit obéir. Je n'avais pas le goût que l'orage s'abatte sur moi. Encore moins qu'il me traite comme une moins que rien, qu'il me prenne en m'insultant. Je ne voulais pas que mon fils entende son père traiter sa mère de putain, de salope, de guidoune. Il m'arracha ma blouse aussitôt après avoir refermé la porte. Elle se déchira aux trois quarts. Au passage, ses ongles égratignèrent ma peau et allumèrent en moi un brasier de colère. Il me lança au visage les cœurs en chocolat, mais je n'entendais plus ce qu'il disait. Ce qui restait du contenu de la boîte revola plus loin. Je reculai vers la commode et mes doigts se refermèrent sur ma bouteille de parfum. De forme rectangulaire, elle avait à peu près la grosseur d'une poire. Quand il mit la main sur moi, mon bras fit un arc de cercle et l'arête de la bouteille le frappa à la tempe. Il continua dans son élan et se retrouva à quatre pattes entre le lit et le mur. La chambre empestait le bouquet floral. Je tremblais comme une feuille. Je regrettais mon geste. Je souffrirais de ses conséquences. Je n'arrivais pas à croire que j'avais osé. Je l'ai déjà dit, je n'avais pas ce courage.

Edmond se redressa et s'assit sur le bord du lit. Il se tenait la tête et sa main était rouge de sang. J'étreignais la bouteille de mes doigts crispés. Je sentais qu'un chocolat avait adhéré à ma semelle.

— Mon Dieu, tu saignes ! m'exclamai-je en posant mon arme improvisée sur le bureau.

— Va me chercher une serviette, répondit-il d'un ton neutre.

Je me précipitai hors de la chambre. Jean était dans l'embrasure de la sienne et ses yeux s'arrondirent à la vue de sa mère, dont la moitié de la blouse, tachée de sang, pendait sur ses hanches.

— Va te recoucher, Jeannot. Tout est correct. J'irai te border tantôt.

En plus de la serviette, je rapportai ce qu'il fallait pour panser la blessure. Edmond me laissa faire sans dire un mot. Je ramassai les chocolats et la boîte, replaçai les rideaux et essuyai les gouttes de sang sur le mur. J'épongeai le parfum, mais l'odeur allait persister plusieurs jours.

J'étais surprise du résultat. C'était la première fois que je lui résistais. Je l'avais fait sans avoir à basculer du côté sombre de moi-même. Je me sentais libérée d'un énorme poids. Je rassurai mon fils, puis j'allai m'étendre sur le lit de ma mère. Son odeur y était encore présente. Je m'endormis en mouillant l'oreiller. Elle ne m'avait jamais autant manqué.

Au réveil, la vie quotidienne reprit son cours. Edmond avait une bosse sur le côté de la tête et il s'était refait un pansement. On ne manquerait pas de l'asticoter à l'usine, surtout qu'il traînerait une odeur de parfum dans son sillage. Jean avait la mine basse et gardait ses yeux baissés sur son bol de Corn Flakes. L'un partit travailler et l'autre marcha avec lenteur vers l'école.

Quand je voulus m'habiller, je constatai que mes plus beaux vêtements avaient été découpés en morceaux. Edmond en avait rempli un tiroir de la commode. Des bas de nylon jusqu'au chapeau, il avait taillé soigneusement les tissus en longues bandes entremêlées. Un travail méticuleux qui me fit froid dans le dos. Un message présenté à la manière des mafieux, qui intimident leurs victimes en leur suggérant que le pire pourrait arriver. Il me semblait que cette rage destructrice était plus perfide que ce qu'il m'envoyait directement. Elle menaçait ce que j'avais choisi, ce que je chérissais et qui constituait une part de ma personnalité. Ma révolte avait transformé ses assauts en embargo conjugal. Ce qui coulait de source allait devenir une source de complications humiliantes.

Il poursuivit sa vengeance en me coupant les vivres. Au lieu de me remettre une allocation à même son salaire, il m'obligea à quémander un à un chacun des besoins de notre famille. Il s'arrangea avec l'épicerie pour ouvrir un compte qu'il paierait lui-même en revenant du travail. Il chipotait pour l'achat des vêtements, même ceux de son fils. Il s'absentait plus souvent et rentrait à des heures incongrues. Le reste du temps, il le passait dans son garage. Comme j'avais décidé de rester dans la chambre de ma mère, il s'y introduisait tard le soir et vidait le contenu de tous mes tiroirs, sans doute pour y chercher des preuves à utiliser contre moi. Les premières fois, je m'éveillais en criant et ça le faisait rire. Puis je pris l'habitude de m'enfermer pour dormir. Il s'enrageait et claquait la porte de la maison pour aller boire jusqu'aux petites heures du matin. Il rentrait fripé au milieu de l'avant-midi et se couchait tout habillé. Je devais mentir au *foreman*, qui téléphonait pour s'informer de son absence.

Nous n'étions plus un couple, mais deux boxeurs coincés dans un round qui n'en finissait plus. L'un, assis dans son coin sur son tabouret, attendant le gong final, et l'autre debout, au milieu du ring, provoquant son adversaire de directs, de crochets ou d'uppercuts lancés dans le vide. Le pire est que je me sentis coupable d'avoir provoqué tout ça.

La situation dura jusqu'à la fin de juin. Edmond profita d'une de mes rares visites chez ma sœur Yvonne pour vider la chambre de ma mère. Il mit les meubles dans son camion et les vendit à une famille qui habitait le long de la rivière Bostonnais. Quand je rentrai, en fin d'après-midi, je trouvai mes affaires personnelles dans un tas au milieu de la pièce. Ne restait que la machine à coudre de Marie-Jeanne. Je restai longtemps dans l'embrasure de la porte. Puis, je ramassai le tout et le rangeai dans notre chambre. Je lavai le plancher de la pièce vide en pleurant. Ma mère venait de mourir une deuxième fois.

Résidence Clair de lune, Trois-Rivières, printemps 2002

Huguette s'arrête, car Héléna vient de vomir une bile jaune sur le devant de sa jaquette. De vilains filaments rouges sont visibles et l'un d'eux est encore accroché à ses lèvres. Huguette s'empresse d'aller mouiller une débarbouillette et de nettoyer le visage de son amie.

— Veux-tu changer de jaquette ?

— Non, c'est correct. Le mal de cœur m'a pognée… J'ai rien dans l'estomac, pis ça remonte pareil. Donne-moé de l'eau fraîche !

— Avant, je vais t'essuyer ça comme il faut.

Jean est resté immobile, les yeux ronds devant le signe manifeste d'une progression de la maladie.

— Va falloir que tu lises un peu plus vite, Huguette. J'pense que ma chandelle a la flamme courte.

— Veux-tu que j'appelle l'infirmière? demande madame Lafrenière avec douceur.

— Non, c'est pas nécessaire. Ramène-moé à La Tuque… qu'on en finisse!

— Tu devrais te reposer, m'man. On reviendra demain, offre Jean en se levant.

— Rassis-toé. J'le sais que c'est pas une drôle d'histoire, mais c'est la nôtre.

— Il y avait de la chicane entre vous deux, c'est certain. Mais j'me souviens pas de ce que tu racontes à part la fois de la police.

— Ça s'en vient! Ça s'est passé cet été-là.

Huguette reprend sa place sur la chaise droite, à côté du téléviseur muet, où un policier fait feu sur un homme qui est projeté contre le mur, avant de s'écrouler au sol. Elle tousse dans son poing avant de reprendre la lecture.

La Tuque, été 1958

— C'EST LE *FUN* QUE TU AIES PU VENIR! me dit Yvonne rouge de plaisir.

— J'l'ai pas dit à Edmond. De toute façon, il travaille seize heures. J'avais quelques piastres de côté. J'voulais que Jeannot voie ça.

— J'COMPRENDS ! UN CIRQUE EN VILLE, C'EST PAS TOUS LES JOURS !

— Regarde ! Ils ont des manèges.

— Je veux essayer, maman ! Je veux essayer ! demanda mon fils ébloui par les couleurs et la musique de fête foraine qui accompagnait un carrousel avec des chevaux de bois.

— Oui, pis j'vais t'acheter une barbe à papa. Juste pour toé !

— REGARDE, JEANNOT ! Y ONT DES PETITS PONEYS ! Des vrais. MA TANTE VA TE PAYER UNE *RIDE* !

Mon fils était heureux de tourner en rond assis sur la selle d'un poney brun et blanc. Yvonne le suivait en riant. En ce début de juillet, le soleil de fin d'après-midi allumait la toiture des tentes, bariolées d'orange, de rouge et de jaune, installées à la grandeur du terrain de baseball, au pied de la montagne. Une forte odeur de maïs soufflé, de frites et de hot-dogs flottait entre les stands. J'observais la foule joyeuse s'exclamant lorsque le meneur de jeu brandissait une peluche à bout de bras ou hurlant dans les tasses virevoltantes d'un manège. Je refusai les invites d'une cartomancienne tout droit sortie d'un album de Tintin et celles d'un homme fort en maillot rayé, qui me défiait de deviner, à l'abri des regards, le poids maximal qu'il pouvait soulever. Je préférais observer ce monde bigarré qui me tirait de la grisaille de mon quotidien. Perdue dans tout ce brouhaha, je me sentais bien dans ma robe neuve, que j'avais confectionnée à partir d'un patron et d'un reste de tissu donné par ma tante Géraldine. Tant pis si je croisais, de temps à autre, un visage connu qui risquait de rapporter à Edmond de quoi fabuler. J'avais l'intention de profiter de ce moment avec ma sœur et mon fils.

On s'installa à une table de pique-nique pour déguster nos friandises. La crème glacée était fraîche et coulait sur mes doigts. Mon fils avait le visage rosi par le sucre de sa barbe à papa. Yvonne enfila deux cornets coup sur coup.

J'allais me lever quand quelqu'un me salua de la main. Sur le coup, je ne le reconnus pas. Sans son uniforme, le sergent François Trépanier était un autre homme. Il avait fière allure et était accompagné d'un homme plus vieux. Je rougis comme une dinde et je lui répondis d'un signe de tête. Il se retourna deux fois en s'éloignant. Yvonne n'avait rien vu, trop occupée à nettoyer la bouche de Jean.

Elle l'accompagna dans la locomotive du P'tit Train du Nord. Je me demandais comment elle avait réussi à entrer son gabarit dans un espace aussi restreint. Jean ne semblait pas très à l'aise, la tête appuyée contre le buste de ma sœur. Puis, le carrousel succéda à la grande roue et au tir à la carabine. Je voyais fondre mes quelques dollars plus vite que la crème glacée au soleil. Jean insistait pour avoir une peluche. Le baratineur brandissait ses plus belles pour le faire craquer.

Je tentais de lui faire entendre raison quand une voix familière nous interpella :

— Vous permettez que j'essaie ?

Je m'étais préparée à tout, sauf à ça. La surprise me scia les jambes. Matthew était devant moi. Ma sœur s'empressa de le saluer. Il me tendit la main et j'hésitai avant de la saisir. Je me sentais rouge de confusion. Jeannot me tirait la manche sans démordre de son idée. J'étais sans voix. Ma sœur prit le relais.

— BEN CERTAIN QUE VOUS POUVEZ ESSAYER !

Il s'agissait d'atteindre la cible située à une bonne quinzaine de pieds. Elle était constituée d'un empilage de grosses boîtes de conserve qu'on avait peintes à l'image d'un clown. Seule la tête devait tomber pour que la récompense soit une peluche en forme d'éléphant presque aussi grosse que mon fils. Le tir devait être précis, car la tête était la plus petite des boîtes.

— J'étais bon au baseball dans le temps. On va voir si j'en ai reperdu, dit Matthew en souriant.

Tout se déroulait comme si nous n'avions pas été éloignés l'un de l'autre. C'était surréaliste. L'homme que j'avais banni de mes rêves m'apparaissait comme par enchantement. Je le voyais se pencher sur mon fils sans rien comprendre de ce qu'il lui disait. Un blocage dans ma tête empêchait ma raison de mettre un terme à la séquence d'évènements qui allaient suivre.

Matthew paya l'homme du stand et reçut trois balles de baseball, qu'il soupesa dans ses mains. Jean se hissa sur la pointe des pieds pour ne rien rater des tirs. La spirale infernale allait se mettre en marche. La première balle s'écrasa avec un bruit mou sur la toile derrière le clown. La deuxième balle atteignit son but. Jean leva ses deux bras en criant. L'éléphant me semblait encore plus gros qu'en réalité. Impossible qu'Edmond le rate. Je m'étais préparée à argumenter à propos de notre sortie surprise, mais pas pour expliquer cette énorme peluche. Jean était aux anges. Il me faudrait le convaincre de mentir. Si Edmond apprenait ce que Matthew avait fait, j'en baverais pendant des semaines.

— J'VOUS DIS QUE VOUS ÊTES BON AU TIR ! Même pas besoin des TROIS BALLES !

— Ça m'a fait plaisir. Le p'tit a l'air content. Toi, ça va, Héléna ?

— APPORTE TON éléphant, mon ti-Jean. On va aller VOIR LES MIROIRS DÉFORMANTS. TU NOUS REJOINDRAS LÀ-BAS, HÉLÉNA !

J'approuvai de la tête. Je me mordais le dedans de la bouche pour retrouver ma salive. Je finis par articuler en évitant de m'attarder sur son regard. Chaque contact avec la pupille de ses yeux ravivait les cendres d'un désir que je croyais éteint.

— C'était ben fin de ta part, mais t'aurais pas dû. Comment je vais faire pour expliquer ça à mon mari ?

— J'vois que ça a pas changé. Je sais pas comment tu fais pour endurer ça. T'auras juste à dire que c'est toi qui l'as gagné.

— C'est pas si simple. Il sait que je suis pourrie pour lancer une balle.

— La chance, ça existe.

— J'aimerais ça y croire.

— Héléna…

Il n'eut pas le temps de compléter sa phrase qu'une jeune femme à la chevelure dorée l'interrompit. Elle portait une superbe robe dont le col brodé soulignait le galbe de sa poitrine pigeonnante. Son sourire respirait le bonheur.

— Ah ! Matthew. *I got Coke and chips for you.* Il y avait *so many people*, longue file.

— Merci. Héléna, je te présente Dorothy. C'est une amie de la famille. On est au lac pour quelques jours. Je lui fais visiter la ville.

— Enchantée, salua-t-elle avec son accent américain.

Elle était superbe. À côté d'elle, j'avais l'air d'être enveloppée dans un rideau de cuisine. Je fis un sourire forcé en me demandant pourquoi une de mes rares journées de sortie tournait au cauchemar.

— Faut que j'y aille, ma sœur m'attend. Ça m'a fait plaisir, dis-je sans conviction.

— Tu sais, t'es toujours mon amie. Tu peux m'écrire pour me donner des nouvelles quand tu veux, me dit Matthew en serrant ma main avec chaleur.

— C'est peut-être pas une bonne idée.

Je préférais ne pas voir le contrecoup de ma réplique sur son visage. Je tournai les talons pendant que la blonde Américaine y allait de ses *nice* insistances pour repartir avec une peluche. N'eût été la peine causée à mon fils, je lui aurais rentré l'éléphant dans la gorge sans aucun remords.

Je trouvai Yvonne devant un miroir qui lui donnait la taille d'une guêpe et une tête démesurée. Jean riait de bon cœur en grossissant son éléphant dans une glace à côté d'elle.

— PIS, TON ANCIEN, COMMENT ÇA S'EST PASSÉ ?

— Baisse le ton ! Jean est là, dis-je en aparté. Faudrait penser à y aller.

— On reste encore, maman. C'est trop le *fun* !

Jean avait l'oreille fine. Avait-il compris le sens de ce qui venait de se dérouler ? Il avait huit ans, mais j'avais l'impression de ne pas bien le connaître, de ne pas savoir ce qu'il pensait. Il pouvait être joyeux et entrer soudainement dans une bulle où je ne pouvais le rejoindre. Comprenait-il que son éléphant risquait de m'écraser du poids de son origine ? Qu'à la moindre évocation de l'homme qui l'avait gagné, sa mère souffrirait de représailles ?

— Ben, oui. ON MANGERA DEUX HOT-DOGS ICITTE AVANT DE PARTIR, rugit ma sœur.

— Y me reste pus gros d'argent, Yvonne. Ça coûte cher, ces bébelles-là.

— Inquiète-toé PAS. C'EST MOÉ QUI INVITE !

— J'le sais pas trop si ça me tente de rester.

— Oh ! Dis oui, maman !

— Va voir le carrousel, mon Jeannot. Pis reste là. On va aller te rejoindre.

— C'est-tu À CAUSE DE MATTHEW? demanda Yvonne, quand Jean fut à bonne distance.

— Crie-le donc plus fort. C'est ben plus à cause d'Edmond. Tu sais comment il est.

— Y A-TU ENCORE QUELQUE CHOSE ENTRE VOUS DEUX? questionna ma sœur, toujours à l'affût d'un potin.

— Baisse le ton! Pis si t'es pour me faire passer un interrogatoire, j'm'en vais drette là!

— FÂCHE-TOÉ PAS, JE DEMANDAIS ÇA de même. BON, ON VA-TU MANGER? demanda Yvonne en voyant Jean revenir à la course.

— Oui, ma tante! Un « not-dog »!

J'avais oublié l'émerveillement qui animait mon fils. L'atmosphère bruyante m'agaçait et m'empêchait de réfléchir aux mots que je devrais trouver pour convaincre Jean de mentir à son père. Ça allait à l'encontre de l'éducation que je voulais lui inculquer. Par contre, je me trouvais faible de l'entraîner sur le terrain de nos querelles parentales. Mais je devais choisir une forme de survie. Cacher aux autres ma détresse. Faire semblant que tout va bien. Éviter les conversations trop intimes. Asseoir mon faux bonheur sur un mensonge continuel.

Jean n'avait que huit ans. Je ne pouvais pas lui en vouloir d'être hésitant devant son père. Il mentit très mal et Edmond eut la décence de ne pas insister.

De toute façon, il doutait de toute vérité quand sa femme était concernée. Le lendemain, il fit une blague sur l'éléphant et me questionna sur l'argent que j'avais dépensé. De son point de vue, j'aurais dû le lui quémander. Il en conclut que si je lui faisais des cachettes sur ce plan, je lui en faisais sur d'autres. Peu importe mes actions, j'étais toujours piégée. Mais à ma grande surprise, l'esclandre fut bref. Je croyais même m'en être tirée avec les honneurs. Il s'écoula une semaine avant que la punition nous frappe.

Jean traînait son éléphant avec lui dans tous ses jeux. Il lui donnait le rôle d'observateur et d'ami. La peluche l'accompagnait dans la cour, au garage, sur la galerie et dans sa chambre. Le pachyderme dormait avec lui et déjeunait à ses côtés. Il lui murmurait des secrets en soulevant les grandes oreilles. Edmond semblait l'ignorer, mais il promenait son air ténébreux qui semait le malaise autour de lui. J'étais sur mes gardes, car j'anticipais une salve de reproches à mon égard. Il ne porta qu'un seul coup, bien placé, et j'en perdis le souffle.

Comme tous les dimanches où il était en congé, il lisait *La Patrie* et *La Presse*, assis à la table de la cuisine. Il feuilletait et consultait les grands titres, cigarette au bec. Contrairement à moi, il n'était pas très habile à la lecture. Lorsqu'un long article l'intéressait, il me demandait souvent de lui en lire des passages, prétextant que les caractères étaient trop petits. Je devais alors interrompre ma vaisselle ou mon ménage pour répondre à sa demande. Je lui lisais un texte dans lequel le gouvernement de Duplessis vantait l'avenir florissant de l'industrie des pâtes et papiers, quand Jean entra en trombe dans la maison en pleurant.

— Maman ! Mon éléphant ! J'le trouve pus !

— Voyons, Jeannot. As-tu regardé partout ? Va voir en dessous du lit. Un éléphant, c'est pas facile à perdre.

— J'ai regardé partout. J'l'ai perdu ! dit-il en pleurant à chaudes larmes.

— L'as-tu apporté dehors ?

Mon fils souleva les épaules comme si le poids du monde entier y était appuyé.

— Viens, j'vais t'aider à le retrouver.

Ensemble, nous fîmes le tour de la cour et inspectâmes le garage. Aucune trace de la peluche. Pourtant, elle n'était pas facile à rater. Après avoir cherché dans la maison sans plus de résultat, Jean s'enferma dans sa chambre pour pleurer.

— Tu l'as pas vu toé, Edmond ?

— Il le laisse traîner partout. C'est pas surprenant qu'il l'ait perdu.

— C'est difficile à perdre à la grosseur que ça a !

— Ben, il se l'est fait voler d'abord ! T'auras juste à demander au gars qu'y t'en gagne un autre ! J'peux-tu lire mon journal en paix ?

Jean n'avait pu garder le secret. Je ne pouvais l'en blâmer. De toute évidence, Edmond l'avait questionné dans mon dos. J'avais le cœur brisé pour mon fils.

Je retournai chercher dehors, en agrandissant le cercle de mes investigations. J'allai dans la ruelle où il jouait souvent. J'examinai les espaces entre les bâtiments de fond de cour. Je marchais avec l'appréhension au cœur. Je n'aurais pas dû laisser Matthew lancer les balles. Jean aurait chialé un peu et on serait passés à autre chose. Au lieu de ça, j'avais figé devant cet homme que mon âme désirait malgré la raison.

En revenant à la maison, je savais qu'Edmond était responsable de la disparition du toutou. Ce ne pouvait qu'être lui. Il était trop détendu derrière son journal. Quand il passait en mode affable, c'est qu'il avait atteint son but. J'essayai de consoler mon fils, mais il me repoussa et s'enfuit à l'extérieur. Je m'assis à la table de la cuisine en face de mon mari.

— Edmond, tu peux t'en prendre à moé, si tu veux. Mais laisse Jean en dehors de ça.

— De quoi tu parles ?

— De son éléphant.

— C'est ça qui arrive quand on va dépenser son argent au cirque en cachette, pis qu'on flirte avec le premier qui passe.

— C'était pour faire plaisir à Jean !

— On voit ce que ça donne.

— Des fois, tu m'écœures !

La porte s'ouvrit d'un coup et Jean entra avec les restes de son éléphant, qu'il serrait contre lui comme un ballon dégonflé. La peluche avait été lacérée et déchiquetée avec tant de soin que la bourrure en était presque absente.

— Faut que tu le répares, maman! dit Jean en cherchant son souffle.

— Tu l'as trouvé où?

— Dans la poubelle, à côté du garage.

Je lui pris les restes de l'animal pour constater qu'il était irrécupérable. J'avais envie de frapper Edmond. Qui d'autre avait pu faire ça? J'entendais les pages de *La Presse* se froisser dans mon dos, comme si toute la tristesse de mon fils n'avait aucune importance. J'étais dans un état second. Je finis par gérer la crise et m'assoupir tellement j'étais épuisée. Quand j'ouvris les yeux, je vis que ce qui m'entourait n'avait plus la même consistance. Le contour des meubles, le liséré des rideaux et le motif du prélart se découpaient avec une netteté surréaliste. Tout semblait mis en relief, de l'usure d'une poignée de porte jusqu'aux fils qui retroussaient à la branche de rameaux séchée au-dessus de la porte d'entrée. Cela dura plusieurs jours, pendant lesquels je fonctionnai à l'automatisme. Je crois que je tentais de me protéger en m'accrochant à la réalité matérielle qui l'entourait, tandis que l'autre forçait la porte qui ouvrait sur une solution définitive. Puis l'été vint me réchauffer comme un baume, avec le retour des pique-niques, des fraises, des bleuets et du jardin à entretenir. Edmond avait offert un chien à Jean, sans doute affligé par la culpabilité. Il lui apporta même un cadeau qui transporta mon fils au septième ciel: un autographe de Maurice Richard. La signature avait été apposée au crayon à la mine sur un feuillet publicitaire. Le Rocket était de passage à La Tuque pour participer à une partie de balle au profit des familles dans le besoin. Jean n'arrêta pas d'en parler pendant des jours. Notre vie tournait à nouveau, comme dans un set carré quand le « calleux » crie : « Changez de côté, vous vous êtes trompés ! »

Résidence Clair de lune, Trois-Rivières, printemps 2002

— Je m'en souviens de cet éléphant-là. Je l'ai pas eu longtemps. J'ai toujours pensé que c'était le p'tit Rioux, notre troisième voisin, qui l'avait mis en morceaux. Il était jaloux de moi à l'école. La maîtresse m'aimait plus que lui. J'ai jamais pensé que c'était mon père qui avait fait ça. J'ai de la misère à le croire. Il avait ses défauts, mais y m'a jamais frappé.

— C'était pas toé qu'il visait. C'était ta mère ! dit Héléna d'une voix faible.

— Il m'avait donné un chien noir et blanc. Milou ! L'autographe de Maurice Richard, je l'ai encore. Ça doit avoir pris de la valeur avec le temps.

— Aïe ! Aide-moé à me replacer… ma maudite plaie dans le dos me fait mal.

Huguette et Jean manipulent le corps de plus en plus gracile d'Héléna. Les muscles ont fondu et sont flasques sur les os. La peau est presque transparente par endroits. Le souffle a une odeur forte et siffle dans les bronches. Les yeux ont perdu de leur éclat, on les dirait râpés par une pierre d'émeri. Huguette connaît bien les signes annonciateurs d'une fin prochaine pour les avoir honnis auprès de Béatrice. Elle sait que vient un moment où la glissade s'accélère. Pas d'accalmie, aucune embellie, juste une descente trop longue, sans rien pour se raccrocher. Pourquoi s'est-elle éprise de cette femme ? Avait-elle tant besoin de souffrir à nouveau ? Ou n'était-ce que l'attrait du secret ? De celui qu'on traîne toute une vie, à la fois précieux et destructeur. Personne ne connaît son attirance pour les femmes. Comme Héléna a été une meurtrière anonyme, elle-même a été une amoureuse dans l'ombre. Elle a traversé sa vie dans une autre peau, en valsant avec le mensonge, les fausses apparences et les non-dits. Même aux portes de la mort, elle ne fut que la « chère amie de Béatrice » aux yeux de tous, alors que l'amante souffrait, blottie au fond d'elle-même.

L'attirance de sa première rencontre avec Héléna a été la reconnaissance que chacune en cachait une autre. Le manuscrit est le bélier qui enfonce la porte et dévoile une vérité qui a été lourde à dissimuler. Elle l'admire pour ce courage qu'elle-même n'a pas eu. Elle l'aime pour la confiance qu'elle lui accorde.

— Tu devrais te reposer un peu, suggère le fils à sa mère.

— J'aurai ben le temps de me reposer de l'autre bord. Huguette, donne-moé ma codéine… pis un peu de jus. Tu pourras passer le bout… où la police vient chercher mon mari à la maison. Jean en a déjà parlé. C'est dur à oublier. Il est quelle heure ?

— Un peu plus de trois heures, dit Huguette en posant deux comprimés dans la main de son amie.

— Continue jusqu'à quatre heures… Après, j'vais faire un somme avant le souper.

CHAPITRE 23

La Tuque, été 1958

J'avais dit à Matthew que ce n'était pas une bonne idée de lui écrire. Pourtant, dans les deux semaines suivant la fête foraine, je composai une bonne dizaine de lettres que je détruisais sitôt rédigées. L'image de la blonde Dorothy bloquait toute initiative supplémentaire de ma part. Comment compétitionner avec elle ? Nous avions à peu près le même âge, mais elle m'apparaissait plus désirable. Qu'aurait fait Fabi devant une telle femme ? L'aurait-elle traitée de fille légère incapable d'appâter une truite ? Aurait-elle grimacé en imitant son accent anglophone ? Je cherchais dans le souvenir de ma sœur la force de persister dans mon rêve. Je tâtai ce qui me restait d'elle suspendu à mon cou : de petites pierres rondes façonnées par le Wayagamac. J'y trouvai l'inspiration pour une version définitive, que je couchai sur le papier de ma plus belle écriture.

Je fis l'erreur de garder cette dernière lettre, car son contenu me procurait le plus grand bien. J'y déclarais à Matthew un amour indéfectible et j'affirmais avoir l'intention de changer ma vie pour aller le rejoindre où qu'il se trouve. Mes mots étaient enflammés et les phrases porteuses du rêve qui avait pris naissance alors qu'il fréquentait ma sœur Fabi. Le temps passé n'avait plus d'importance. Mon bonheur était encore possible. Je l'avais affirmé noir sur blanc. Je cachai la missive dans une boîte de chaussures, dans le haut de mon garde-robe. Quelques jours passèrent avant qu'Edmond ne me la brandisse sous le nez. J'aurais dû me douter qu'il fouillait dans mes affaires ; après tout, n'étais-je pas, moi-même, une spécialiste à ce chapitre ? Bien qu'avec le recul, je pense que je souhaitais qu'il la découvre. De cette façon, j'alimentais le feu que j'avais allumé en m'introduisant chez madame Durand.

Il brûla la lettre dans l'évier le soir où la police l'arrêta. Sa fureur était décuplée par l'alcool. Il perdit complètement la tête. Nous nous battîmes. Il criait qu'il allait me tuer. Les voisins appelèrent les policiers. En les voyant, il se calma et on l'embarqua.

Il revint le lendemain soir en taxi. J'avais refusé de porter plainte. Il se contenta de reprendre sa routine comme si de rien n'était. Il était toujours surprenant de constater jusqu'à quel point il passait l'éponge sur ses excès. Il cessait de boire durant quelques jours, puis il recommençait un cycle. Mais cette fois, sa femme n'était plus la même.

Deux semaines de relative tranquillité s'écoulèrent avant qu'il ne retombe dans ses travers. La journée était nuageuse et lourde d'humidité. Jean était parti jouer chez un ami. La radio jouait les Platters en sourdine. *Only You* me plongeait dans un état de mélancolie à coup sûr. Assise à la table de la cuisine, je grattais et coupais des cornichons en les superposant avec du gros sel dans un pot de verre. La tâche répétitive et le rythme de la mélodie me faisaient du bien.

À deux reprises, dans l'heure précédente, Edmond m'avait demandé de venir au garage pour l'aider à réparer les freins du camion. C'était une opération qu'il ne pouvait exécuter seul, car il fallait appuyer sur la pédale dans la cabine pendant qu'il ajustait la pression d'huile sous le véhicule. J'obéissais en faisant abstraction de ses remarques désobligeantes.

Il s'amena une troisième fois en bougonnant :

— Lâche tes concombres, pis viens m'aider! Grouille-toé, tabarnak, je travaille à quatre heures!

Sans dire un mot, je le suivis au garage. Le camion était surélevé à l'aide d'un treuil à chaînes. Edmond descendit dans la fosse qu'il avait aménagée sous le véhicule. Il pouvait y tenir debout comme dans un vrai garage. Une ampoule de deux cents watts était accrochée à l'essieu. Parmi les outils étalés, une grosse bouteille de bière était à moitié entamée. Comme d'habitude, l'endroit puait l'huile, l'essence et le houblon.

— Tu pèseras sur la pédale de *break* quand j'vais t'le dire! me cria-t-il.

Je m'installai derrière le volant et attendis son ordre. J'étais quasi somnolente. La chanson *Only You* continuait de tourner dans ma tête, comme un carrousel sans fin. J'avais beau suivre ses instructions, il râlait chaque fois: trop vite, pas assez fort, trop mou, trop lent. J'étais la cause de son insuccès. Il me hurla d'arrêter et je l'entendis sacrer et frapper le métal. Sans me presser, je sortis de la cabine et jetai un coup d'œil sous le camion. Edmond s'activait sous la roue démontée avec une minuscule clef. Son corps, hissé sur un bloc de bois, était à demi couché sur la travée, car il lui fallait atteindre une partie à l'extérieur de la roue. La fumée de son mégot de cigarette l'obligeait à plisser les yeux. Ses mains étaient crasseuses et ce détail m'irrita. Je m'appuyai sur l'aile du camion et celui-ci bougea légèrement. Il était suspendu dans le vide au bout d'une grosse chaîne qui s'enfonçait dans les entrailles du capot relevé. Le treuil était accroché à une énorme poutre qui faisait la largeur du garage. Pour une raison que j'ignorais, il n'avait pas posé de cales sous les essieux.

— Donne-moé une clef trois quarts!

Je cherchai dans le coffre à outils, pendant qu'il s'impatientait dans mon dos. Je n'avais aucune idée de ce que je cherchais.

— Grouille-toé, tabarnak, j'vais être en retard! cria-t-il excédé.

La chanson à succès des Platters continuait de résonner dans ma tête, à la différence que j'entendais «T'es qui toé?» en remplacement du *Only You*. Mes mains tâtaient dans le coffre sans rien trouver.

J'entendis une auto freiner à l'arrêt, puis repartir. Je levai la tête et il m'apparut que quelque chose avait bougé dans mon champ de vision. Pourtant, la galerie chez ma voisine Louise et le trottoir étaient déserts. Sans doute un oiseau, ou un chat. Le calme venait de s'installer au-dedans de moi. Une petite brise m'apporta l'odeur de la terre humide qui montait du jardin. Cela me fit penser que je devrais déplacer l'arrosoir. Je me sentais apaisée par ce geste simple qu'il me faudrait accomplir. J'existais à nouveau, mais différemment, alors qu'en moi, une vieille détermination était de retour. Elle avait englouti la femme obéissante. L'autre avait brisé la digue qui la retenait dans le droit chemin. Elle souriait en quittant le garage. Satisfaite, elle se remplit les poumons d'air frais.

Une pluie insistante et chaude se mit à tomber. Les gouttelettes roulaient dans mon cou. Je parcourus des yeux mon jardin, où le vert du feuillage luisait d'un éclat singulier. Il me semblait entendre le bruit des vagues et le grincement que font les rames en roulant dans leurs erseaux. Puis je voyais la chaloupe, ventre en haut, semblable à un cercueil. Je regardais l'heure à ma montre. Une odeur de créosote montait à mes narines. J'avais l'oreille collée sur le rail qui emportait Francis. Avec mon pouce, j'effaçai les gouttes de pluie sur la vitre craquelée. Il était 8 h 16 et je marchais entre les rangs d'oignons comme si je regagnais la maison du lac. Mon frère avait raison : le temps peut être volé. J'en avais la preuve alors que je refermais le gros pot de cornichons. Quand Edmond m'avait appelée, il était rempli au quart. À moins que ce ne fût le précédent ou celui d'avant? Il y en avait maintenant cinq devant moi. Je levai la tête vers le cadran mural: il était presque quatre heures. Avais-je préparé la boîte à lunch de mon mari? Je me levai de table pour constater qu'elle était bien là, sur le comptoir. Quelque chose n'allait pas. Edmond aurait dû être parti pour l'usine.

Je sortis et marchai jusqu'à la porte du garage. Je vis, au passage, que la pluie avait laissé des rigoles dans mon jardin. Je n'entendais rien d'autre que les gouttes chutant du toit. J'hésitais à tirer sur la poignée. Quand je m'y décidai, je vis d'abord que le camion n'était plus soulevé dans les airs. Une de ses roues dénudées baignait dans une flaque sombre entourant quelques outils chromés. Je crus bêtement que c'était de l'huile. Je m'avançai d'un autre pas. Je reconnus un bout de la chemise d'Edmond. Son corps inerte pendait sur le rebord de la fosse. Son cou faisait un angle droit avec ses épaules et sa mâchoire était enfoncée dans son visage. Une scène horrible. Je ressortis aussitôt en m'appuyant contre la porte que je venais de refermer. Je n'avais ni larmes ni cris à offrir. Mon corps était parcouru de grands frissons qui s'élançaient d'un bout à l'autre de moi-même par vagues successives. Sans l'autre pour tenir les commandes, je me serais effondrée. Elle était tout près dans ma tête et me répétait que nous étions libres à nouveau.

J'entrai et me lavai les mains pendant plusieurs minutes. J'essayais de remonter le fil des évènements depuis l'instant où Edmond m'avait demandé de l'aide. Je ne voyais rien d'autre qu'une femme coupant des cornichons et les recouvrant de sel dans un pot. Puis, je cherchai dans l'annuaire le numéro de l'urgence. J'expliquai l'accident à une téléphoniste, qui m'envoya sur-le-champ les ambulanciers. Ensuite, j'appelai Louise pour lui demander si elle pouvait aller chercher Jean chez son ami, qui habitait un peu plus haut sur la rue Roy. Je répétai mon mensonge en économisant les mots. Sa voix me parut bizarre, mais elle accepta sans poser plus de questions. Je tremblais comme une feuille sur le point de se décrocher de sa branche. J'eus le temps de vomir dans le bol de toilette avant l'arrivée de l'ambulance.

Résidence Clair de lune, Trois-Rivières, printemps 2002

Un silence pesant se referme sur les derniers mots d'Huguette. Dehors, le ciel est nuageux et la chambre est plongée dans la pénombre. Un chariot passe en brinquebalant dans le corridor et une préposée rit de la remarque d'une résidente. Héléna a les yeux fermés et les respirations sont synchrones.

Jean se lève de son fauteuil et s'approche de la fenêtre. Il appuie ses mains sur le rebord. De sa position, Huguette voit le reflet de l'homme qui regarde le fils. Le double est face à sa duplicité. Il croyait connaître sa vie et il s'aperçoit que ce n'était qu'un point de vue. Le sien. L'histoire de l'accident qui a entraîné la mort de son père n'a plus la même résonance à son esprit.

— Dis-moé que t'as inventé tout ça.

— Penses-tu que je perdrais le temps qu'il me reste… à raconter des menteries ? dit Héléna faiblement.

— Réalises-tu que t'es en train de nous faire accroire que t'es une sorte de tueuse en série ? T'es ma mère, calvaire ! J'avais ben assez de la voisine sur la conscience !

— J'veux juste que tu comprennes que le mal, c'était une autre qui le faisait… J'ai essayé de m'en débarrasser, mais elle s'accrochait.

— On appelle ça de la folie. T'as jamais pensé à te faire soigner ? reproche-t-il en haussant le ton.

— Crie pas. J'suis fatiguée.

— Moé aussi ! rétorque Jean en quittant la chambre.

Huguette s'approche du lit. Elle prend la main d'Héléna et la caresse avec douceur. Elle peut sentir le pouls qui s'agite sous la peau parcheminée.

— Tu sais, Huguette, t'es pas… obligée de continuer.

— Fatigue-toé pas pour rien. J'ai pris la *job* de lectrice, j'vais la finir.

— C'est vrai… qu'y en reste pas beaucoup. Mais Jean…

— J'vais m'en occuper. J'vais y parler.

— Tu diras à la préposée qu'elle laisse faire la collation... J'pense que j'peux pus rien avaler. J'vais dormir... j'suis fatiguée.

— OK. Repose-toé.

Huguette tire les rideaux et sort sur la pointe des pieds. Béatrice avait parlé ainsi avant de mourir. Elle était lasse de ne pouvoir en finir. Elle réclamait du repos. Son frère et sa sœur avaient insisté pour qu'Huguette en fasse autant. Elle aurait dû comprendre que son amoureuse ne voulait plus se réveiller. Ils étaient restés près d'elle. Ils ne l'ont appelée que le lendemain matin pour lui dire qu'elle était morte durant la nuit. Ils avaient toujours repoussé l'idée qu'elles étaient des amantes. Son amour était morte incognito, en son absence. Elle regrette aujourd'hui d'avoir gardé le profil bas. C'est le courage de la vérité qu'elle admire chez Héléna. Béatrice était morte sans avoir assumé ce qu'elle était. Elle ne peut lui en vouloir, car elle souffrait. C'était à elle, Huguette Lafrenière, que revenait le devoir d'affirmer leur amour jusqu'à la fin. Cette fois, elle n'allait pas rater l'occasion de se tenir debout.

CHAPITRE 24

Résidence Clair de lune, Trois-Rivières, printemps 2002

— Attendez ! Partez pas ! crie Huguette à bout de souffle.

— J'ai besoin de prendre de l'air, réplique Jean Fournier, la main sur la poignée de la porte d'entrée.

Huguette tend une liasse de feuilles devant elle. Il la considère un instant.

— C'est quoi ?

— C'est ce que vous avez pas lu.

— J'suis pas sûr que j'ai envie.

— Votre mère s'est donné beaucoup de mal pour écrire ça.

Jean pousse la porte pour permettre à une jeune femme et à une fillette d'entrer. L'une porte un cadeau emballé et l'autre, un bouquet de fleurs où se distinguent le rose et le blanc. Le fils d'Héléna en profite pour mettre un pied à l'extérieur.

— J'vais manger au Saint-Hubert à côté.

— J'avais justement envie de poulet, énonce Huguette avec un sans-gêne nouveau pour elle.

— Vous voulez venir avec moé? demande-t-il à contrecœur.

— Ben, oui… Donnez-moé le temps de remonter pour prendre un manteau.

Huguette rebrousse chemin, mais la réceptionniste l'intercepte et lui tend un paquet. Un colis rectangulaire enveloppé de papier brun.

— C'est pour madame Martel. Ça vient des Cantons-de-l'Est. Voulez-vous le lui remettre? demande-t-elle de son plus beau sourire.

— Oui, j'vais le lui apporter tantôt. Là, faut que je sorte.

— OK, vous aurez juste à le prendre quand vous repasserez.

L'autre retourne à ses affaires, enchantée de s'être débarrassée de cette corvée. Huguette revient quelques minutes plus tard à bout de souffle avec le manuscrit dans un sac réutilisable. Elle a pris son manteau en vitesse et finit de le boutonner tout en enfilant ses gants. Jean patiente, à l'extérieur, devant la porte d'entrée.

Heureusement que le restaurant n'est qu'à deux coins de rue. Les grandes enjambées de l'ébéniste sont difficiles à suivre. Ils s'installent à une table près d'une fenêtre. La serveuse dépose les menus et les verres d'eau. Jean commande une bière, Huguette, un verre de vin blanc. Elle examine son vis-à-vis à la dérobée. Le récit de sa mère a fini par le troubler. Des rides sont apparues sur son front. Ses yeux foncés parcourent le menu sans manifester d'intérêt. De temps à autre, il chiffonne les poils de sa barbe entre son pouce et son index.

— Je sais pas pourquoi je regarde ça, j'prends toujours la même chose : un quart poitrine avec des côtes levées, dit-il en avalant une bonne lampée de bière.

— Moé, ce sera la cuisse. Faut que j'sois capable de lire tantôt.

— Vous prenez votre rôle à cœur.

— J'pense que c'est important pour elle.

— Vous la croyez, vous ?

Huguette se sent toute petite sur sa chaise. Le barbu est costaud. Avec ses coudes appuyés sur la table, il a l'air d'un géant. La serveuse vient prendre les commandes et s'adresse à elle d'une voix aux accents enfantins, comme si une personne de son âge ne pouvait pas comprendre normalement. Huguette est de plus en plus sensible à ce genre d'attentions excessives depuis la lecture du manuscrit. Les mots d'Héléna réveillent en elle le désir d'être à nouveau la femme qui a aimé et vécu. Une femme porteuse d'une mission qu'elle accomplira jusqu'au bout.

— J'pense que la façon dont on veut mourir, ça appartient à chacun. Y en a qui se font des fêtes avec de la boisson, pis plein de monde autour d'eux. En tout cas, c'est ce qu'on dit. D'autres préfèrent l'intimité. À la résidence, y a une femme qui voulait avoir son chat près d'elle et une autre qui voulait des fleurs plein la chambre. Alors pourquoi pas une lecture de sa vie ?

— Vous avez pas répondu à ma question. Pensez-vous que c'est vrai ? insiste Jean.

— Pour moé, ça a plus ou moins d'importance. C'est une question pour vous.

Il vérifie que personne n'est intéressé par leur conversation avant de poursuivre à mi-voix.

— Même si c'est vrai pour madame Durand pis mon père, ça change rien pour moé.

— Mais pour elle ?

— Elle va mourir. Ça sert à rien de brasser tout ça !

— Vous devriez lire ce qu'il y a dans mon sac. Pour comprendre où ça a commencé.

— Parce que vous croyez ce qu'elle dit ?

— Et si c'était vrai ?

— Vous pensez pas qu'elle serait en prison, dans ce cas-là ?

— Y a des crimes qui sont jamais résolus. Pensez aux tueurs en série. Y en a qui tuent pendant des années, quatre ou cinq personnes, des fois plus, avant de se faire pogner. C'est juste parce qu'ils peuvent pas s'arrêter. Votre mère a essayé de combattre son mal.

— On dirait que vous la cautionnez !

— Pantoute ! C'est pas correct ce qu'elle a fait. Mais j'suis pas là pour juger. Je l'aide à se libérer avant qu'elle meure.

— *Anyway* ! C'est des mensonges, tout ça. Le soir de l'incendie, quand j'y ai demandé si elle était venue chez Louise, dans la journée, elle a nié. Quand je l'ai questionnée pour sa montre, elle m'a dit qu'elle avait fait son deuil de son frère, pis qu'elle l'avait rangée au fond d'un tiroir. Pourtant, quand j'ai sauvé Louise du feu, la montre était dans son poing fermé. Ma mère s'en séparait jamais. Pour moé, c'était une preuve qu'elle était dans la place, ce jour-là.

Huguette sent qu'elle frôle la vérité. L'arrivée des assiettes fumantes interrompt leur conversation. Tout en dévorant ses côtes levées, Jean reprend le contrôle et la questionne à propos de la résidence Clair de lune. Il parle d'un vaisselier à finir qui lui donne du fil à retordre et saute du coq à l'âne en maudissant le gouvernement qui ne fait pas de cadeaux à des artisans comme lui. Huguette chipote dans son poulet avec le bout de sa fourchette, plus ou moins intéressée à encourager le fils d'Héléna à poursuivre sur ces voies détournées. Elle profite d'un silence prolongé pour revenir à la charge.

— Allez-vous rester jusqu'à la fin ?

— Mon atelier est à Berthierville. J'ai du travail à faire. J'pourrais monter en fin de journée.

— Vous faites ce métier-là depuis que vous êtes parti de La Tuque ?

— Non. J'avais vingt ans quand j'ai quitté la ville. J'ai eu une dizaine d'emplois avant de rencontrer un artisan qui m'a appris à travailler le bois. Je me suis aperçu que j'étais doué pour ça. J'ai monté mon propre atelier il y a bientôt quinze ans. J'avais pas beaucoup d'argent de côté, mais j'ai reçu un héritage mystérieux. J'suppose que c'était quelqu'un de la famille éloignée qui voulait pas en faire un plat. *Anyway*, j'ai jamais su de qui ça venait.

— Vous avez pas fait de recherches ?

— Pour quoi faire ? Le notaire m'a convoqué à son étude. Il m'a remis un chèque signé par son cabinet, pis il m'a assuré que ça m'était ben destiné. Qu'est-ce que vous vouliez que je fasse de plus ! J'suis pas un détective ! J'ai utilisé l'argent pour m'acheter des outils pis de la machinerie.

— Vous avez pus jamais été pompier ? risque Huguette avec une nonchalance affectée.

— Je vous vois venir, madame Lafrenière. Vous êtes toute petite, mais vous avez des gros sabots. Ben non, mon rêve d'éteindre les feux, ça s'est arrêté quand j'ai jeté la montre à moitié brûlée, sur la table, devant ma mère. Elle est restée sans voix, pis j'ai sacré mon camp. Un de mes amis m'a hébergé durant un mois. Après ça, j'ai pris l'autobus pour Shawinigan. J'avais entendu dire qu'on engageait dans une cour à bois. C'est là que ma mère a essayé de reprendre contact avec moé.

— Vous auriez pu l'écouter.

— Avec ce qu'elle raconte dans son livre, pensez-vous que c'était une bonne idée ? Y avait ben assez que je me sentais responsable de la mort de Louise.

— C'était pas de votre faute si le feu a pogné.

— C'est facile à dire aujourd'hui, mais à cette époque-là, j'avais l'impression que j'avais mis moé-même le chaudron d'huile sur le feu.

Huguette cesse de mâchouiller pendant un instant, dans l'attente d'une explication qui ne viendra pas. Jean vide son verre de bière et examine les restes de son poulet comme s'il allait exploser. Huguette pointe le sac, sur la banquette, à ses côtés.

— Je vous ai apporté tout ce qu'on a lu avant que vous arriviez. Tant qu'à savoir, aussi ben tout savoir.

— J'suis pas convaincu de ça! Mais je vais y jeter un coup d'œil, si j'ai le temps.

La Tuque, été 1958

Le même policier qui m'avait interrogée au sujet de la mort de madame Durand me posa les questions d'usage. Comme prévu, Louise avait cueilli Jean et l'avait emmené au 5-10-15. Je lui avais donné des sous pour qu'elle lui offre un jouet. Je préférais qu'il ne voie pas qu'on transportait le corps de son père, ni l'auto de police stationnée devant chez moi.

— Si je comprends ben, madame Martel. Vous avez entendu un gros bruit et vous êtes sortie voir ce qui se passait au garage. C'est là que vous avez trouvé votre mari écrasé sous le poids du camion.

— C'est ça, oui.

— Après, vous avez refermé la porte qui donne sur la cour et vous nous avez téléphoné.

— Pas à vous. Aux ambulanciers.

— Vous pensiez que votre mari était encore en vie à ce moment-là ? demanda le sergent Trépanier, incrédule.

— Oui… Non… J'savais pus quoi faire.

— Mais vous avez quand même pris le temps de refermer la porte du garage.

— Ben oui. J'ai pas réfléchi.

— Ça arrivait souvent que votre mari fasse lui-même ses réparations ?

— Il passait pas mal de temps dans son garage.

— Il y a pas tellement longtemps, on l'a embarqué parce qu'il avait été violent avec vous. C'est un des agents, qui est sur les lieux, qui m'a raconté ça. Comment ça allait de ce côté-là ?

Je trouvais qu'il ratissait large. J'étais encore sous le choc de ce qui venait de se passer. Je réintégrais lentement mon corps et mes émotions alternaient entre la satisfaction et le regret.

— C'est pas moé qui avais appelé la police. C'est ma voisine. Il avait trop bu, c'est tout.

— Vous parlez de madame Saint-Onge ?

— Oui, Louise, c'est mon amie.

— On l'a interrogée. Elle a dormi presque tout l'après-midi. Elle a pas entendu le bruit dont vous parlez.

— Louise prend des médicaments. Elle dort peut-être dur.

— Votre mari, ça lui arrivait souvent d'être violent ?

— Pourquoi vous me posez toutes ces questions-là ? demandai-je sur la défensive.

— Ben, c'est normal dans les circonstances. On veut s'assurer que c'était ben un accident. On a examiné le treuil et il est pas défectueux.

— J'imagine qu'il l'aura mal installé.

— C'est vrai qu'il y avait pas de clapet de sécurité. Votre mari a dû acheter ça dans une cour à *scrap* et il l'aura remis en fonction. Mais c'était pas la première fois qu'il s'en servait. Hein ?

— Les accidents d'auto, ça arrive, même quand c'est pas la première fois qu'on conduit.

Le policier resta un instant sans parler. C'était la deuxième fois qu'il m'interrogeait sur une mort accidentelle. Je le sentais hésiter en consultant son carnet. Cependant, il ne ménageait pas ses regards affables. Il n'y avait rien de menaçant dans son attitude. S'il voyait la même chose que moi, il n'en laissait rien paraître. Autant dans la mort de madame Durand que dans celle d'Edmond, un petit détail accrochait. Le bol de verre brisé près du bain et la porte du garage refermée. Des grenailles que j'avais laissées derrière moi, comme le chapeau de mon père oublié près de la rivière Saint-Maurice après la noyade de Josette. Remonterait-il dans les dossiers jusque-là ? Jusqu'au

Wayagamac et à la mort subite de Jeffrey, où j'étais présente comme aide-cuisinière? Il referma son carnet et me fit un sourire.

— On peut dire que le malheur rôde dans le voisinage. Après la mort de votre voisine, électrocutée dans son bain, c'est votre mari qui meurt écrasé par son camion. Vous pensez pas que ça vaut la peine de poser des questions?

— C'est votre travail.

— Vous savez, j'ai pas vu tant de cadavres que ça depuis que je travaille dans la police. J'ai été impressionné par ce que j'ai vu dans le garage. C'était pas beau à voir. N'importe qui se serait enfui en criant. Vous, vous avez pris le temps de refermer la porte. J'ai parlé à la téléphoniste qui a pris votre appel pour l'ambulance. Elle m'a dit que vous aviez une voix assez calme. Ça vous a pas troublée de voir votre mari dans cet état-là?

— C'est sûr… J'étais sous le choc. Ça m'a comme donné un coup de masse dans le front. On aurait dit que j'étais paralysée. Je me souviens pas de tout. J'le sais pas comment je vais dire ça à mon garçon.

— Ouais, j'vous comprends, dit-il en posant sa main sur la mienne. Je vais faire mettre des scellés sur les portes du garage. Il nous reste quelques affaires à examiner. On va revenir demain matin. Inquiétez-vous pas, je vais vous tenir au courant.

— C'est ben correct.

Après son départ, la maison me sembla d'un calme apaisant. Je rangeai la boîte à lunch dans le haut d'une armoire. Je jetai le tabac et le papier à cigarette avec le moule. J'allai dans la chambre et fis disparaître toute trace de la présence d'Edmond. J'attendrais un peu pour le contenu des tiroirs. Je changeai les draps et les taies d'oreillers. J'enlevai mes vêtements et me lavai. Je me sentais d'une légèreté troublante. Mes efforts pour me distancer de mon double étaient inutiles. Francis avait raison d'avoir peur, l'imaginaire peut être plus lourd que la réalité. Je me fis une tasse de thé et le téléphone commença à sonner.

CHAPITRE 25

La Tuque, été 1958

Le lendemain, je restai au lit jusqu'à neuf heures. Louise passa chercher le gant de baseball de Jeannot et l'emmena au terrain de balle. Son match durait habituellement deux bonnes heures. Je n'avais pas encore eu le courage de lui dire la vérité. La soirée m'avait épuisée. J'avais dû expliquer le drame à tout un chacun en les implorant de retarder leurs visites. La nouvelle s'était répandue comme un feu de paille. Je finis par décrocher le téléphone pour tenter de mettre de l'ordre dans mes sentiments. Je me sentais libérée et troublée, à la fois. J'avais envie de rire et de pleurer en même temps. J'essayai, jusque tard dans la nuit, de remplir le trou de ma mémoire. Je n'arrivais pas à me voir tendre la main vers le treuil. Je me voyais fouillant dans le coffre à outils, puis j'étais au jardin. Il pleuvait. Je croyais avoir rangé l'arrosoir. Je m'étais assise à la table pour saler mes cornichons. J'avais beau me repasser le fil des évènements, l'autre Héléna restait invisible.

Quand je me fis un café, je vis que l'auto de police était devant le garage. Le temps était doux. J'aurais pu aller rejoindre les agents. Je préférai me gaver du silence de ma nouvelle vie.

François Trépanier cogna à la porte un peu avant dix heures.

— Est-ce que je peux vous déranger quelques minutes? demanda-t-il en soulevant son carnet de notes.

— Ben sûr, entrez.

— Voilà, on a terminé notre travail. On a pris des photos et examiné le camion. Ça va nous permettre de finaliser le dossier.

— Oui.

Je soupirai intérieurement au mot «finaliser». J'avais hâte de passer à autre chose. Je ne me rendais pas compte, à ce moment-là, de qui prenait la parole. J'étais l'Héléna qui flottait sur son nuage et, en même temps, l'autre qui craignait pour son avenir. Je ressentais de la satisfaction et de la tristesse. J'avais perdu Edmond et j'étais remplie de bonheur et de doute. La part de moi-même qui l'avait aimé n'avait plus de place pour s'exprimer et celle qui le haïssait n'avait plus de raisons d'exister. Le policier continuait ses explications et je faisais un effort suprême pour le comprendre.

— ...j'ai aussi demandé à un mécanicien d'examiner ce que faisait votre mari. Il m'a dit qu'il changeait les plaquettes de freins. Du côté où c'est arrivé, le travail était pas fini. C'est sûr, parce qu'autrement, il aurait peut-être pas été écrasé.

— Vous savez, je connais rien à la mécanique.

— Il m'a expliqué que ça prend un *helper* pour ajuster la pression d'huile dans les freins. D'habitude, il y a quelqu'un qui est dans la cabine et qui appuie sur la pédale de frein pendant que celui qui est en dessous vérifie que les plaquettes de freins jouent leur rôle. Est-ce qu'il a reçu de l'aide pendant la journée ?

— Il m'a demandé à deux reprises de l'aider. J'pensais vous l'avoir dit.

— Non, mais je vous avais pas posé la question.

— Je me souviens pus exactement à quelle heure je l'ai aidé. Ça devait être avant trois heures, parce que j'avais son lunch à faire pour son *shift* de quatre heures.

— Vous m'avez juste dit que vous étiez dans la maison quand le camion est tombé.

— C'est ça. Quand il avait besoin, il venait me chercher. Je restais pas dans le garage, j'aime pas ça l'odeur de l'huile.

— J'vous comprends. J'y ai demandé de regarder le treuil tant qu'à y être. Il a confirmé qu'il était pas défectueux, mais pas sécuritaire. Peut-être que votre mari l'avait mal installé.

— Ça doit être ça.

— J'ai pas demandé qu'on prenne les empreintes. J'imagine qu'on trouverait celles de votre mari pis les vôtres un peu partout. De toute façon, on est pas ferrés avec ces nouvelles méthodes-là.

— Si vous le dites.

— Les chaînes du treuil sont trop graisseuses, on trouverait rien de ben clair.

— Coudonc, vous pensez toujours ben pas que c'est de ma faute!

— J'ai pas dit ça, madame.

— Non, mais vous posez beaucoup de questions.

— C'est normal, pour l'enquête. On fait toujours ça. Savez-vous s'il avait l'habitude de mettre des cales sous l'auto après l'avoir soulevée?

— Je vous l'ai dit, je connais rien à ces affaires-là. Mais je sais qu'il avait hâte de finir, il devait rentrer au moulin pour quatre heures.

— Quand on est pressé, tout le monde sait qu'on peut faire des erreurs.

J'acquiesçai en prenant une gorgée de mon café refroidi. Qu'il s'en aille compléter son dossier. J'avais un enterrement à préparer. Il resta devant moi à se dandiner d'une jambe à l'autre.

— Je souhaite que ça aille ben pour vous, Héléna. J'espère que votre mari avait une assurance. En tout cas, si vous avez… besoin, appelez-moé. Je vous laisse mon numéro.

Ce n'était pas une question, mais je n'avais aucune idée pour les assurances. Edmond me versait une allocation pour payer nos dettes et le quotidien. Je ne savais rien de nos finances en dehors de ça. Quant à son aide, je me demandais bien en quoi monsieur Trépanier pouvait m'être utile. J'avais cependant noté qu'il m'avait appelée par mon prénom.

— Je réussirai ben à me débrouiller.

Sur la carte qu'il m'avait remise, il y avait un numéro griffonné à la main en dessous de celui du poste de police.

Résidence Clair de lune, Trois-Rivières, printemps 2002

— J'ai mal dans le dos. Faudrait replacer mes oreillers.

Malgré une voix qui a repris un peu de tonus, Héléna grimace en agrippant le haut de sa jambe amputée. Huguette s'empresse de répondre à sa demande. Elle fait un signe de tête au fils qui, depuis le début de la séance de lecture, semble perdu dans ses pensées. Il s'approche et soutient le dos de sa mère pendant qu'Huguette tapote les oreillers en les repositionnant.

— Merci. C'est mieux de même. T'as ben l'air songeur, toé, à matin, dit Héléna à l'intention de son garçon.

Sans rien dire, Jean retourne dans son fauteuil.

— Avant de continuer, ouvre donc mon paquet, Huguette.

Son amie pose la boîte enveloppée de papier brun devant elle. Elle déchire l'emballage et, avec précaution, en retire le contenu.

— C'est ben ce que j'y avais demandé, ajoute Héléna avec un sourire triste.

L'urne funéraire a la forme d'une amphore ancienne sans les anses coutumières. On y voit le dessin d'un arbre penché sur un rocher plat, où une jeune femme à la chevelure longue est assise. Devant elle, quelques vagues moutonneuses ont été stylisées. L'ensemble rappelle vaguement une œuvre chinoise. L'artiste a soigné les détails. Il a choisi une couleur taupe pour l'ensemble, qu'il a agrémenté de fines applications de noir, de rose, de jaune et de brun. Héléna touche du doigt le rocher et caresse la chevelure dorée. La glaçure est uniforme et le couvercle s'emboîte à la perfection.

— Dire que je vais toute rentrer là-dedans !

— Elle est vraiment belle, admire Huguette en posant la boîte et l'emballage près de la poubelle.

— Qu'est-ce que t'en penses, Jeannot ?

C'est la première fois qu'Héléna utilise le diminutif. Le fils semble contrarié. Elle l'a fait sans y penser. Son instinct de mère a refait surface. Les années d'éloignement n'ont rien changé. Le temps qui reste est presque quantifiable. Pourquoi le gaspiller en vaines retenues ? Elle a choisi le sentier de la vérité pour exorciser le pire, mais aussi pour retrouver le meilleur.

— Je suis pus un enfant, se contente-t-il de répondre.

— Tu pourras dire ça quand je serai morte. Quand vous aurez disposé de mes cendres, tu pourras dire que t'es pus un enfant, tu seras devenu un orphelin.

— Tu penses pas que je l'ai toujours été un peu, orphelin ?

— Pourquoi tu dis ça?

— Parce que je commence à comprendre pourquoi c'était ma grand-mère qui prenait soin de moé, pis qu'après elle, ça a été la voisine. Tu pensais juste à toé!

— Tu mélanges tout… Fallait ben que je travaille après la mort de ton père.

— Penses-tu que t'as le monopole de la vérité?

— J'veux juste être pardonnée.

— Faudrait s'entendre sur quoi.

Madame Lafrenière croit bon d'intervenir. Elle se sent responsable d'avoir livré le manuscrit au fils. La lecture du meurtre de Josette a dû le troubler. La sincérité de l'écrit également.

— On pourrait faire une pause-café, suggère-t-elle. Je vais placer ton urne sur la table près de la télé.

— C'est correct. Tu me rapporteras un thé. Essaye de me trouver un biscuit pas trop sucré.

— Venez, monsieur Fournier.

Le grand barbu se lève et, au lieu de suivre Huguette, se dirige vers la table. Il soulève l'urne et l'examine longuement.

— C'est du beau travail. C'est toé, la femme assise?

— Oui et non. C'est ma sœur Fabi. Je voulais être comme elle. J'ai pas réussi.

— C'était si beau que ça, au lac Wayagamac?

— C'était pas une vie facile. Mais j'étais heureuse avec ma sœur. On était des vraies complices. Jusqu'à ce que mon père fasse une folie, on vivait avec la nature. On était comme dans une boule à neige. T'avais beau la brasser, ça prenait pas de temps que la petite maison reprenait son train-train. En faisant sauter l'aqueduc, Aristide a brisé le verre qui nous protégeait. Mais avec le recul, j'pense qu'elle aurait pas résisté, de toute façon.

— J'ai toujours cru que la mort de papa était un accident. C'était classé dans mes souvenirs. Pourquoi tu veux changer ça ?

— À trop vivre dans le mensonge, on meurt dans l'amertume.

— Comme j'ai vécu dans l'amertume, j'me serais ben accommodé de mourir dans le mensonge !

∾

Dans la petite cuisinette, l'infirmière prend la pression de monsieur Lacoste. Le vieillard est assis, le visage aussi pâle que le dessus de la table. Le bras, cerclé du brassard, tremble légèrement. Ses lèvres articulent des mots inaudibles. Il cligne des paupières comme s'il essayait de chasser la brume devant ses yeux. Huguette s'approche avec inquiétude.

— Qu'est-ce qui se passe ?

— L'ambulance s'en vient. J'pense qu'il a fait un AVC, dit l'infirmière-chef en retirant le brassard.

— C'est grave ?

— C'est dur à dire. Il a pas perdu connaissance. M'entendez-vous, monsieur Lacoste ?

Le vieil homme fait des efforts pour rester présent. Il cherche sur le visage d'Huguette un signe pour se raccrocher. Son regard roule d'un côté à l'autre, sa main demande le réconfort. Sa tête oscille sans pouvoir se fixer.

— Restez avec nous autres, monsieur Lacoste ! L'ambulance s'en vient. Je vous ai donné un médicament, ça va aller ! ordonne l'infirmière-chef.

Huguette voit bien qu'il n'est pas rassuré. Sa peur est réelle. Elle s'abreuve au non-retour, au spectre du monstre hospitalier, toujours prêt à avaler le vieux devenu trop faible. Elle s'alimente de l'instant où la maladie viendra dicter la suite.

Huguette reste auprès de lui jusqu'à ce que les ambulanciers l'emmènent. Elle promet d'autres parties de 500 et rappelle qu'à l'été, il fera bon de marcher au soleil en sa compagnie. Elle ment et il le sait. Ce qui n'est pas un mensonge est la tristesse qu'elle éprouve.

~

— Pourquoi restez-vous ici, madame Lafrenière ? demande Jean en saupoudrant le second sachet de sucre dans son café.

— Parce que j'vis ici !

— Mais vous êtes autonome. Vous avez l'air en bonne santé. Vous pourriez avoir un petit appartement en ville.

— Toute seule ?

— Ce serait mieux que d'être entourée de gens malades ou sur le point de mourir. C'est un peu déprimant, non ?

— J'me dis qu'ils ont besoin de nous autres pour pas mourir tout seuls… abandonnés de leurs proches.

Il détourne le regard devant l'allusion non équivoque. Huguette prépare le thé et met un biscuit sec près de la tasse.

— Votre mère était pas quelqu'un d'ordinaire.

— Vous l'avez déjà dit et je trouve que c'est une façon ben triviale de voir les choses. À écouter son récit, on a l'impression qu'elle veut compétitionner avec Hannibal Lecter ou Jack l'Éventreur !

— C'est pas ça qu'elle recherche. Elle veut se libérer du mal qu'elle a porté toute sa vie.

— J'trouve quand même que c'est un peu tard pour ça !

— Il est jamais trop tard. Prenez, moé, j'suis lesbienne.

— Ooo…K ! Mais c'est quoi le rapport ? demande Jean en levant ses gros sourcils broussailleux.

— Vous êtes la première personne à qui je le dis, à part ma conjointe décédée. Je l'ai même pas dit à votre mère, c'est elle qui l'a deviné ou je devrais peut-être dire ressenti.

— Est-ce qu'il faut que je comprenne que vous et ma mère… ?

— On s'aime, oui. Mais pas comme vous pensez !

Le fils ne peut s'empêcher d'échapper un rire nerveux.

— Excusez-moé. C'est que j'ai l'impression que quelqu'un va surgir et me taper sur l'épaule en me pointant la caméra cachée.

— Ça arrivera pas, croyez-moé!

— N'empêche! Avouez que j'ai le droit d'être secoué.

— Oui, mais j'ai l'impression que vous avez quelque chose à cacher, vous aussi.

— C'est ça! Je suis en réalité un nain, agent secret, hypocondriaque et multimillionnaire!

— Apportez le thé à votre mère. Vous pourrez ajouter maître d'hôtel à votre liste!

CHAPITRE 26

La Tuque, automne 1958

Antoine fit sa crise cardiaque à la mi-septembre, tout juste un mois et demi après l'enterrement d'Edmond. J'étais encore dans un état léthargique et je n'arrivais toujours pas à reconstituer le fil des évènements qui avaient mené à la mort de mon mari. Le trou noir persistait. Cependant, grâce à sa prévoyance, je devenais propriétaire de la maison libérée de toute hypothèque et j'encaissais une assurance-vie de cinq mille dollars. Preuve que, malgré son penchant pour l'alcool, Edmond avait le sens des priorités.

Je gardai donc mon air atterré pour un deuxième round de salon mortuaire. Ma sœur démontrait plus de conviction que moi concernant la perte d'un mari. Je crus qu'elle perdrait cinquante livres en larmoiements intarissables. Elle était inconsolable. Elle se sentait coupable. Elle m'avoua dans l'intimité que son Antoine était mort après qu'elle lui eut préparé un copieux repas d'amoureux et qu'ils s'apprêtaient à passer à l'acte. J'avais beau minimiser la faute en accentuant le côté romanesque de l'intention, rien n'y fit, la culpabilité la pressait comme un citron. Une fois de plus, la vie lui crevait son rêve.

Je crois que notre veuvage commun nous sauva la mise. Nous nous rapprochâmes l'une de l'autre, Yvonne pour panser ses blessures, moi pour fuir vers le bonheur dont j'attendais avec impatience la missive.

Elle ne vint jamais. La lettre enflammée que j'avais écrite à Matthew, sous le coup de l'émotion, dans le mois qui avait suivi la mort d'Edmond, s'enfouit dans le désert du silence. Je compensais ma déception en acceptant les invitations inopinées de ma sœur. Je pouvais compter sur Louise pour garder mon Jeannot. Les soirées de danse à l'hôtel Windsor meublèrent mes vendredis et mes samedis soir. Les soupers au restaurant Pignon Rouge se multiplièrent ainsi que les après-midi de magasinage en ville. Yvonne passait de la mélancolie à l'excitation sans aucune modulation. Je l'accompagnais par mimétisme. Je vivais convenablement de la maigre pension versée par la compagnie et je grugeais lentement l'argent de l'assurance tout en occupant un emploi à temps partiel au magasin 5-10-15.

À peine trois semaines après les funérailles d'Antoine, Yvonne décida qu'il était temps d'utiliser la Buick qui dormait dans son garage. Elle savait à peine conduire, tout comme moi, et ni l'une ni l'autre n'avions de permis. Nous décidâmes d'un commun accord de dompter la bête.

Par une nuit fraîche de la mi-octobre, Yvonne ouvrit grand les portes du garage qui donnaient sur la ruelle à l'arrière de sa maison.

— As-tu pris les clefs ? demandai-je avec nervosité.

— BEN OUI !

— Parle moins fort. Il est presque minuit. Tout le monde dort.

— J'le sais. C'EST LE MEILLEUR TEMPS POUR PRATIQUER, ajouta-t-elle sans tenir compte de ma remarque.

— J'espère que tu sais comment ça marche. Moé, j'ai juste vu comment Edmond chauffait, mais la moitié du temps, il avait pas toute sa tête !

Yvonne s'immobilisa dans la pénombre. Elle me regarda avant de pouffer sans pouvoir s'arrêter.

— Qu'est-ce que t'as ?

— SA TÊTE… ! IL L'AVAIT PAS TOUTE !

— J't'ai dit de baisser le ton ! répétai-je tout en réalisant l'inconvenance de ma tournure de phrase.

— ME SEMBLE DE LE VOIR ! Excuse-moé, HÉLÉNA, dit-elle avant de se remettre à rire. C'EST LA NERVOSITÉ !

Puis, sans transition, elle se mit à sangloter. Depuis la mort d'Antoine, ses émotions étaient des vases communicants. Trop de rires engendraient des pleurs et vice versa. Je lui touchai le bras.

— C'est pas grave, ça va aller. Va t'asseoir en arrière du volant, sinon on va être encore icitte demain matin.

Je me sentais toute petite sur la banquette avant. L'intérieur sentait le cuir et la fumée. Une odeur d'homme. Yvonne s'installa et inséra la clef dans la serrure sur le côté de la colonne de direction. Puis elle la tourna et le moteur se mit en marche en produisant un long grincement.

— BON YEU ! s'exclama-t-elle en relâchant la pression sur la clef.

La mécanique désengagée du démarreur se mit à ronronner avec régularité. Yvonne soupira et me fit signe d'ouvrir le coffre à gants.

— Antoine gardait TOUJOURS UNE BOUTEILLE DE WHISKY.

— C'est pas une bonne idée de boire en conduisant.

— LAISSE FAIRE ! Ça va ME CALMER ! REGARDE COMME IL FAUT, il y a DEUX P'TITS VERRES.

Je nous versai une mesure de boisson. L'alcool me tomba dans l'estomac comme un tison brûlant. Ma sœur s'ébroua comme un cheval.

— C'est fort ! dis-je en grimaçant.

— MAIS ÇA DONNE DU COURAGE ! Garde-la PAS LOIN. Ça me rappelle QUAND ON SNIFFAIT DE L'ESSENCE ! TU TE SOUVIENS ? Avec Fabi, DANS LE GROS BARIL, DERRIÈRE LE HANGAR DU PÈRE. On virait FOLLES COMME DE LA MARDE !

— Ouais, on marchait tout croche, pis une fois, j'ai vomi dans le baril. Aristide avait été obligé de filtrer son essence. Je me souviens que Fabi avait pris le blâme pour pas que papa me chicane. Je pense qu'il a épuisé sa réserve de blasphèmes, cette fois-là!

— C'EST VRAI! Mais ELLE AVAIT PAS PEUR DE LUI.

— Ce serait le temps que tu recules, ça commence à sentir mauvais.

— Faut que JE ME RAPPELLE COMMENT ON FAIT. R, pour « reculons », D, ÇA DOIT ÊTRE POUR « DEVANT », y a DES CHIFFRES AUSSI!

— Commence par le R pour qu'on prenne l'air!

— Si tu me LE DEMANDES EN « POUÉSIE »! dit-elle en essayant de bouger le bras de vitesse. ÇA MARCHE PAS!

— J'pense qu'il faut que tu pèses sur une pédale.

Yvonne enfonça l'accélérateur et le moteur s'emballa en vrombissant.

— Pas celle-là, c'est le gaz! Tu vas nous faire mourir étouffées, si ça continue!

Elle appuya sur le frein et passa en mode « reculons ». L'auto restait immobile.

— ELLE VEUT PAS AVANCER!

— Lâche la pédale de *break*!

L'auto se mit à reculer et Yvonne poussa un petit cri en étreignant le volant des deux mains. Le véhicule traversa la ruelle d'une traite, pour s'engager dans la cour de la famille Bérubé.

— Ben arrête! lui criai-je pour la sortir de sa stupeur.

D'un coup, elle enfonça la pédale de frein et une giclée de whisky sortit du goulot et mouilla le bas de ma robe.

— DONNE-MOÉ UN AUTRE PETIT COUP. J'm'en RAPPELLE, LÀ, COMMENT FAIRE.

Elle cala une mesure de whisky et, avec d'énormes précautions, elle fit avancer la Buick à coup de frein. Elle frôla la clôture du voisin et renversa une poubelle. Je pouffai en m'appuyant au tableau de bord d'une main. Nous avancions par bonds dans le noir avec la pleine lune pour seul éclairage.

— Arrête de jouer avec la pédale! J'vais pogner un mal de cou.

— ON AVANCE! J'SUIS BONNE, HÉLÉNA!

— Ben ouvre donc les lumières, d'abord. On voit rien!

— Ça, J'LE SAIS. C'EST LE BOUTON ICITTE.

Ma sœur conduisait. Avec lenteur et hésitation, mais elle conduisait. Nous ressentions toutes les deux le souffle de la liberté. J'ouvris grand la fenêtre et l'air frais augmenta notre euphorie. Nous n'avions pas besoin d'un homme pour nous conduire. Je montai le son de la radio qui jouait *I Want You, I Need You, I Love You*, d'Elvis Presley. Nous étions aux anges.

— Dire qu'ils l'ont ENVOYÉ EN ALLEMAGNE FAIRE SON SERVICE MILITAIRE!

— T'sais ben qu'ils vont le traiter aux petits oignons. Me semble de le voir se déhancher en uniforme.

— IL BOUGE TELLEMENT BEN ! IL EST SEXY !

— Coudonc, où est-ce qu'on va comme ça ?

— J'le sais pas, MAIS LÀ, JE VIENS DE TOURNER SUR SAINT-JOSEPH, PIS EN AVANT, C'EST LA MONTAGNE.

— Tu prendras la rue Bostonnais. Fais attention, y a un char qui s'en vient !

— J'SUIS PAS AVEUGLE !

— Mais tu roules pas vite, pis au milieu du chemin ! Essaye le gaz de temps en temps.

Yvonne conduisait la poitrine collée sur le volant. Dans cette position, elle n'avait aucune idée du mouvement de ses pieds. Elle appuya fermement sur le frein et je percutai le tableau de bord. En protégeant la bouteille de whisky de mes deux mains, je n'avais plus rien pour m'agripper. Je me retrouvai assise dans le fond de l'auto, ma robe relevée jusqu'à la taille. Ma sœur riait aux éclats et je ne fus pas longue à l'imiter. Elle essaya de me tendre la main, mais un de ses seins refusait obstinément de lâcher le volant. Nous étions comme deux adolescentes en fugue. Nos vies rangées étaient derrière nous et l'aventure droit devant. Un camion nous dépassa en klaxonnant. Yvonne sortit le bras et brandit le poing dans les airs. La Buick se remit en marche en valsant et je dus redresser le volant d'une main. Nos fous rires reprirent de plus belle. Je tendis la bouteille de whisky et ma sœur but à même le goulot. J'en fis autant en m'étouffant parce que nous venions de rater un arrêt. Qu'importe, la rue était déserte et nous prenions de la vitesse.

— C'est PAS SI DUR QUE ÇA ! REGARDE, ON ROULE À QUARANTE MILLES À L'HEURE !

— Tourne à droite ! lui criai-je sous le coup d'une soudaine inspiration.

Yvonne obéit par réflexe et engagea la grosse Buick sur un chemin de terre après avoir frôlé le fossé. Le chemin était rempli de bosses et de trous. Je rebondissais sur la banquette en protégeant la bouteille.

— On VA OÙ PAR LÀ ?

— Saluer notre mère. Ralentis !

L'auto s'arrêta brusquement à moins d'un mètre d'une barrière. Le moteur cala et les phares éclairèrent la première rangée de stèles. Le nuage de poussière, soulevé dans notre sillage, retomba devant nous. Pendant un moment, l'atmosphère devint troublante.

— Tu le sais que J'AIME PAS ÇA LES CIMETIÈRES, HÉLÉNA. SURTOUT LE SOIR !

— Tiens. Bois un coup, ça va te donner du courage. Baisse la radio, pis laisse les lumières allumées.

— Mon Antoine, y'é là…

Sa voix n'avait plus de volume. Elle prit trois gorgées à même la bouteille et j'en fis autant. L'alcool me rendait fantasque. J'ouvris la porte et la fraîcheur me fit du bien. Je contournai la barrière et m'avançai sur le chemin. J'entendis la portière claquer et ma sœur me rejoignit en trébuchant à deux reprises.

Quelques-unes de mes victimes étaient enterrées ici, avec les gens que j'avais aimés. Une part de moi-même était triste et l'autre éprouvait une sorte de fierté. Laquelle avait incité ma sœur à obéir à mon ordre ? Je n'en avais pas la moindre idée. Peut-être était-ce le whisky ? J'avais la vision trouble et mes jambes chancelaient. Je respirai un grand coup et je m'enfonçai dans les rangées de stèles.

— ATTENDS-MOÉ, Héléna. J'AIME PAS ÇA !

Je regardais les monuments funéraires au passage. Dans la plupart des cas, je ne pouvais distinguer les inscriptions, malgré un ciel éclairé par la pleine lune. Les nuages se succédaient et créaient des zones d'ombres en mouvement. On avait l'impression que le cimetière s'animait, que les pierres tombales jouaient à cache-cache entre les arbres.

Les histoires de ma mère revenaient me hanter. Mes victimes allaient-elles sortir de terre pour se venger ? Je leur en concédais le droit. Je n'étais pas une bonne personne. Je m'étais laissé envahir par le mal. Je n'avais pas sauvé mon père alors que j'aurais pu le faire. J'avais empoisonné un homme et provoqué l'électrocution d'une femme. Piégé le chef de police sur la falaise. Deux autres personnes étaient mortes noyées par ma faute. Mon mari pourrissait dans son cercueil la tête aplatie. Y avait-il un pardon possible pour mes crimes ?

Je vis le bouquet d'œillets et de glaïeuls que j'avais repéré à l'enterrement d'Antoine. Qui venait fleurir après tant d'années la tombe de Josette Gagné ? Son vieux père infirme ? Un membre de la famille ? Une amie ? Cette dernière possibilité me semblait improbable. Peu importe, j'y voyais une blessure ouverte qui refusait de se refermer. Je n'en éprouvais pas vraiment du remords. Plutôt un curieux sentiment de déception.

Je m'approchai et je tombai à genoux devant les fleurs.

— C'EST PAS LÀ, Héléna. TU TE TROMPES. MAMAN, C'EST PLUS LOIN… après celle d'Antoine.

— Je pouvais pas faire autrement… dis-je à mi-voix.

Je m'entendais parler et j'avais envie de piétiner le bouquet. Le whisky me rendait asynchrone. Je n'étais ni l'une ni l'autre, mais un amalgame des deux Héléna qui cherchait à retrouver un équilibre. Je ne pouvais détacher mes yeux de l'inscription gravée dans la pierre : « *Ci-gît, Josette Gagné, elle fut mon seul enfant, paix à son âme.* » Je courbai le dos et me mis à pleurer en serrant les poings. Yvonne paniquait dans mon dos.

— HÉLÉNA ? Viens-t'en ! J'ENTENDS PUS LA RADIO, pis les LUMIÈRES DU CHAR SONT ÉTEINTES. JE RESTE PAS ICITTE, MOÉ ! Y A DU BRUIT !

La soudaine montée de sa voix me tira de mon inertie. Ma sœur se mit à courir entre les tombes, en titubant. Une dernière fois, je demandai pardon à Josette pour le mal que je lui avais fait. Puis, je me relevai en m'essuyant les yeux. Je vins pour m'élancer à ses trousses, mais une lumière vive m'éclaira en plein visage.

— Qu'est-ce que tu fais ici ? demanda une voix qui ne m'était pas inconnue.

— Rien. On est venues prier.

— En pleine nuit ?

— Vous pourriez pas baisser votre lampe de poche ?

— Je rentrais chez nous quand j'ai vu la voiture avec les lumières allumées. Des plans pour mettre la batterie à terre. Pourquoi t'as crié, Héléna ?

— Vous savez mon nom. Vous êtes qui, vous ?

— Tu me connais. François Trépanier. On s'est déjà rencontrés pour l'accident de ton mari, pis pour celui de ta voisine.

— Oui, ça me revient, dis-je en retenant un haut-le-cœur.

— Il y avait quelqu'un avec toé ?

— C'est ma sœur, elle est partie par là.

J'essayais de ne pas bafouiller, mais le whisky avait déjà fait son œuvre. Le policier balaya les alentours avec sa lampe de poche.

— Ben, je la vois pas. Vous venez boire au cimetière ?

Difficile de dire le contraire, alors qu'il se penchait pour examiner la bouteille de whisky presque vide.

— Vous savez, on a perdu nos maris…

— C'est pas la tombe de ton mari.

— On était en train de la chercher. Celle de notre mère aussi.

— Viens avec moé, on va trouver ta sœur. Elle s'appelle comment?

— Yvonne.

Il me prit la main, puis la taille. Je réagis à peine quand il me frôla le postérieur. L'alcool m'avait ramolli les réflexes. Il marcha devant moi en éclairant avec sa lampe de poche. Je le laissai crier, car j'avais la tête qui résonnait comme un gong. Nous marchâmes au travers des stèles. Ma sœur semblait s'être évaporée. Je n'y comprenais rien. Elle ne répondait pas. Après avoir parcouru plusieurs dizaines de mètres, le sergent Trépanier se pencha et me montra un des souliers que portait ma sœur. Il pointa, un peu plus loin, une couronne de fleurs qui gisait entre deux tombes. On entendit de faibles gémissements.

— Par là! dit-il en s'élançant.

Je me cognai le genou contre une pierre tombale et la douleur intense eut raison de mon estomac. Je vomis derrière une stèle. Le policier sacra, puis courut jusqu'à un monticule de terre. J'essuyai ma bouche avec le bas de ma robe. À mesure que je m'approchais, j'entendais des geignements et la voix de Trépanier qui donnait des indications. Je vis sa tête émerger d'un trou. Il souleva Yvonne par la taille et il lui poussa sur les fesses pour l'aider à sortir.

— Viens m'aider ! Ta sœur est tombée dans une fosse.

Il me tutoyait comme si nous avions gardé les cochons ensemble. Je n'avais pas la force de m'y opposer. J'avais le fou rire devant Yvonne rampant sur le sol, salie, le visage aussi noir qu'un mineur. Cela sortait de mes entrailles sans aucune entrave. C'était un flot libérateur. Une coulée de plaisir. Je me tenais le ventre pour ne pas uriner. Je n'avais pas ri de cette façon depuis des années. Ma sœur ressuscitait !

— J'pense que vous êtes pas en état de prendre le volant, ni l'une ni l'autre. J'vais aller vous reconduire.

Dans sa course, Yvonne n'avait pas remarqué qu'on avait préparé une fosse pour un prochain enterrement. En panique, elle s'y était effondrée, et elle y était restée, paralysée par la peur et l'esprit alourdi par l'alcool. Le sergent se contenta de nous sermonner sans conviction. Il me raccompagna jusqu'à la porte et il me frotta doucement le visage avec son mouchoir. Il m'expliqua qu'il n'y aurait pas de conséquences, puisqu'il n'était pas en service. Puis il m'embrassa sur la bouche et me toucha la poitrine.

— T'es une belle femme, Héléna. Tu me plais.

Sa voix était chaude et douce. Je reculai en pouffant et je rentrai me coucher.

Ce fut le mari de Géraldine qui vint récupérer l'auto le lendemain. Au réveil, j'avais un épouvantable mal de bloc. Louise me ramena Jean, à qui j'ordonnai de jouer dans sa chambre. Au début de l'après-midi, je compris que mon escapade ne serait pas sans conséquence.

Résidence Clair de lune, Trois-Rivières, printemps 2002

— Tu parles quasiment jamais de moé dans ton livre.

La voix de Jean interrompt celle de madame Lafrenière. Son énoncé est lourd de reproches. Son regard lit une tout autre histoire.

— Où j'étais pendant que tu te soûlais avec ta sœur dans le cimetière?

— C'est Louise qui te gardait, dit Huguette faiblement.

— C'est vrai qu'après la mort de p'pa, je passais plus de temps chez elle qu'à la maison.

— T'exagères. J'avais pas le choix... Fallait ben que je travaille. J'étais employée au 5-10-15. J'pouvais pas toujours être à la maison quand tu rentrais de l'école.

— Tu pouvais pas non plus être là le samedi quand tu sortais avec ta sœur.

— T'as jamais manqué de rien!

— T'as peut-être commis un meurtre dont tu t'es pas rendu compte! dit-il en quittant la chambre.

CHAPITRE 27

Résidence Clair de lune, Trois-Rivières, printemps 2002

Héléna émerge du velours de la morphine. Sa nuit a été douce. La tentation est forte d'en redemander, car les griffes de la douleur s'enfoncent à nouveau dans sa peau. Il n'y aura plus de répit. La mort approche. Bientôt, il lui faudra abdiquer. Il reste encore à lire quelques chapitres d'une vie parsemée de morts et de faux espoirs. Un parcours qui lui a enlevé son unique enfant. Elle croyait l'avoir perdu à la mort de Louise, le soir de l'incendie. Mais elle n'en est plus aussi certaine. Il semble que la coupure ait été antérieure. Pourtant, il ne savait rien de ses secrets. Il en prend connaissance aujourd'hui parce qu'elle les a écrits, parce qu'elle veut bien libérer son âme.

De quoi voulait-il parler avec ce meurtre qui lui aurait échappé ?

— …échapper votre débarbouillette, madame Martel.

— Quoi ? Qui êtes-vous ?

— Moi, c'est Gabrielle. Je remplace Jacinthe.

La voix est musicale. Elle chantonne en s'étirant en fin de phrase.

— Elle est malade ? demande Héléna.

— Non. Elle travaille pus ici. Elle est retournée aux études.

— Elle a ben fait ! Donnez-moé une autre débarbouillette mouillée. J'ai les lèvres sèches.

— Tout de suite, ma petite madame.

Après quelques instants, la femme d'âge mûr revient près du lit. Elle tend la débarbouillette, comme s'il s'agissait du Saint-Suaire. Ses cheveux grisonnants sont trop longs pour son âge. Son sourire est accroché à son visage comme une pub insistante.

— Vous vous appelez Gabrielle, comme l'ange.

— Sauf que lui, c'était un homme !

— On va pas discuter du sexe des anges. De toute façon, j'pense pas que je vais aller au ciel.

— Dites pas des affaires de même. Vous trouvez pas que vous souffrez assez comme ça ? J'suis sûre qu'il y a une place pour vous en haut.

— J'suis pas convaincue, mais vous êtes fine pareil !

ᘓᘐ

La télé muette montre des femmes qui discutent autour d'une table. Parfois, elles éclatent de rire. D'autres fois, elles ont l'air sérieuses comme si elles siégeaient à une commission parlementaire. Héléna aime croire qu'elles échangent sur sa propre vie. La jolie blonde est d'avis qu'il faut en faire un film. La petite noire boulotte pense que la justice doit d'abord juger cette Héléna qui a commis tant de crimes. L'échevelée martèle qu'il faut chercher dans son enfance un coupable à sa déviance. L'animatrice tempère le jeu en brandissant l'échéance dictée par le cancer. Elles ne semblent pas comprendre qu'il faut inviter le fils à cette discussion. C'est pour lui que le livre a été écrit. Il a le droit de savoir.

Huguette interrompt la séance de transposition. Elle est essoufflée.

— J'ai pas pu venir avant. Il y avait une réunion dans la grande salle avec deux inspecteurs du gouvernement. Tu regardes quoi ?

— Mon procès.

— Hein ? De quoi tu parles ?

— J'ai pensé, une fois, aller me livrer à la police. Après que j'ai écrit tout ça. J'me relisais, pis j'me disais que j'étais pas quelqu'un de normal. Y fallait que je sois dérangée pour avoir fait ça.

— Es-tu allée ?

— J'serais pas icitte si j'avais eu ce courage-là. J'ai serré mon livre, pis j'ai attendu que l'autre revienne. J'pouvais pas livrer la victime, il fallait que ce soit l'autre : la vraie coupable. Sauf qu'elle voulait pas, ça fait qu'elle m'a refilé un cancer pour pas que je parle. C'est là que c'est devenu pressant de me libérer.

Huguette croit qu'Héléna est en train de délirer. Que penserait l'enquêteuse Fortier d'une telle dérive de la pensée ? Coupable et victime ne font qu'un.

Dédoublement de la personnalité. Projection du mal à l'extérieur de soi-même. Elle trouverait des précédents. Huguette préfère retrouver la réalité.

— Ton gars est pas là ?

— À la grandeur qu'il a, y me semble qu'on le verrait.

— Tant mieux, parce qu'on va devoir retarder la lecture. Ça a l'air à brasser dans la cabane. La directrice était rouge comme une tomate. Je pense qu'il y a des affaires qui tournent pas rond par rapport aux services qu'on devrait recevoir. Elle nous a dit que des inspecteurs vont faire leur enquête auprès des résidents. Y en a un qui s'en vient sur l'étage. Il devrait être ici dans la minute.

— Hein ? Icitte ? Tu veux dire dans ma chambre ?

— Ben oui. Ils veulent l'avis de pas mal tout le monde.

— J'ai rien à leur dire, moé ! se plaint Héléna.

Des coups sont frappés à la porte avec autorité. Héléna remonte la couverture pour masquer sa jaquette. Huguette accueille un homme d'âge moyen habillé comme un avocat. Il tient une tablette et un stylo à la main. Il s'approche du lit en cueillant une chaise droite au passage. Il s'y installe en croisant les jambes.

— Bonjour, madame... Martel, c'est ben ça ?

— On peut rien vous cacher !

— Moi, c'est Claude Dufour. Je suis inspecteur pour le ministère de la Santé et des Affaires sociales. On fait une vaste enquête…

— Laissez faire les détails, j'veux pas gaspiller le temps qu'y me reste.

— Oui. Bon. En bref, il y a eu dans les derniers mois quelques accidents et deux décès qui ont nécessité une enquête. Le ministère a décidé de procéder à une étude plus large. J'suis là pour ça. Vous demeurez ici depuis combien de temps?

— Trop longtemps! Mais j'vais partir bientôt.

— Ah! Vous avez demandé un changement d'hébergement?

— Direct de l'autre bord.

— L'autre bord de… C'est à Trois-Rivières?

— Non, à La Tuque.

— Et le nom du centre? demande l'inspecteur en tripotant ses papiers.

— Le Wayagamac.

— Wayagamac? J'ai pas ça dans mes listes. C'est un établissement privé?

— J'le sais pas, pis je m'en sacre.

Madame Lafrenière croit bon d'intervenir.

— Ce que mon amie veut vous dire, c'est qu'elle a un cancer et qu'elle va nous quitter bientôt. Elle est très malade.

— Ah! Je suis désolé. Mais le Wayagamac?

— C'est un lac.

— Je vous suis pus très bien, là.

L'inspecteur est décontenancé. Ses yeux voient la jambe manquante et ses doigts chiffonnent les feuilles de sa tablette. Héléna tourne la tête vers la fenêtre.

— Vous pouvez pas suivre, mon cher monsieur. Pour ça, il vous faudrait écouter la belle voix de mon amie de cœur. Là, vous auriez les vraies questions à poser. Vous comprendriez peut-être le lac. Là où tout a commencé. Là où tout doit finir, pour fermer la boucle de ma vie. Mais ce serait pas assez. Il vous faudrait le voir aussi, sentir sa caresse sur votre visage, être ébloui par ses matins de brume, charmé par le chant des huards. Il faudrait que vous marchiez sur la grève à la recherche de ses perles de lac, que vous trempiez vos pieds dans l'eau froide et que vous pêchiez ses truites aux couleurs de l'arc-en-ciel. Alors, vous seriez pus le même homme.

Héléna a pris quelques couleurs à l'évocation des souvenirs. Claude Dufour est bouche bée. Il cherche de l'aide sur le visage de madame Lafrenière. Elle se contente de pincer les lèvres et d'amorcer un sourire dépité. Il tente une approche plus directe.

— Est-ce que vous êtes bien, ici, madame?

— J'suis là vraie comme vous me voyez. Quant à être ben… C'est plus compliqué. J'ai mal au corps, pis j'en ai gros sur le cœur. Çà fait lourd à porter. Emmanchée comme j'le suis, j'peux pas m'enfuir. J'peux juste repenser à ma vie, en attendant qu'elle finisse, pour qu'enfin l'autre femme me quitte.

— L'autre femme… ?

Le stylo de l'homme hésite. Il ne sait pas consigner de telles informations. L'inspecteur abdique, se lève et range la chaise contre le mur.

— Je pense que je pourrais revenir plus tard… peut-être. Je vais vous laisser vous reposer. Merci, mesdames. Passez une bonne journée.

— Vous mettrez dans votre rapport qu'elle déteste la nourriture et pis qu'y a pas mal de changements de personnel, lui murmure madame Lafrenière en le raccompagnant à la porte.

Il acquiesce et s'empresse de poursuivre sa tournée.

— Huguette?

— Oui, j'suis là.

— J'le sais ben que t'es là! Je veux que tu contactes mon gars qu'on se dépêche à finir de lire. Je suis épuisée. Les médicaments font moins d'effet. J'ai mal partout.

— J'vais aller voir s'il serait pas dans la cuisinette.

La Tuque, automne 1958

Il s'écoula une journée avant que François Trépanier ne revienne à la maison. Il n'était pas en uniforme. Ses cheveux étaient frais coupés et il était rasé de près. Il se tenait dans l'embrasure de la porte, une main accrochée à sa ceinture et l'autre appuyée sur le cadre. Il me rappelait le chef de police Picard qui nous avait interpellées, Fabi et moi, sur les lieux de l'éboulement, au ruisseau du Wayagamac. J'y retrouvais le même désir au fond du regard, mais il y manquait l'arrogance.

— Je voulais juste m'assurer que vous aviez récupéré l'auto, dit-il en préambule.

— C'était celle de ma sœur. Il y a quelqu'un qui est allé la chercher.

— Tant mieux. Je suis retourné sur place le même soir pour la barrer. On sait jamais avec les jeunes qui vont jouer là. Mais après, j'me suis rendu compte que vous aviez peut-être pas pris les clefs. J'voulais juste être sûr que j'avais pas causé plus de problèmes que nécessaire.

— Tout est correct. Ma sœur les avait.

— J'ai aussi ramassé la bouteille vide. Elle était près de la tombe où je t'ai trouvée accroupie. Un cimetière, c'est pas un dépotoir. Y a ben assez des jeunes qui…

— Vous l'avez déjà dit, merci.

— J'peux-tu te parler deux minutes ?

— J'fais mon lavage. C'est à l'envers.

— C'est pas grave. J'serai pas long.

— Entrez.

Quand je refermai la porte, j'eus l'impression d'être en cage. Pas tellement à cause des murs qui m'entouraient. Cela provenait plutôt de cet homme et du malaise inscrit sur chacun des traits de son visage. Sa façon de me tutoyer n'annonçait rien de bon.

— Il y a une affaire qui me tracasse : pourquoi t'étais à genoux devant la tombe de Josette Gagné ?

La question me prit au dépourvu. J'eus de la difficulté à cacher mon trouble. Je ne m'attendais pas à cette question.

— Pour rien. J'étais soûle. Vous auriez pu me trouver ailleurs. C'est un adon.

— Tu la connaissais.

Ce n'était pas une question. Il savait. Il avait dû chercher dans les enquêtes de ses prédécesseurs. Il avait peut-être l'air d'un jeunot, mais il était plus zélé que je le croyais. Il avait pourtant des yeux doux, d'un vert apaisant. Son baiser volé, le soir du cimetière, me revint en mémoire. Il avait un goût de désir et de sincérité.

— Oui. On a travaillé dans le même département au moulin. Ça fait quelques années de ça.

— Elle est morte noyée dans la rivière, en arrière de l'usine. J'ai lu qu'on t'avait interrogée là-dessus. C'était pas ton amie. Je pense qu'elle t'aimait pas beaucoup. Je me suis demandé si t'avais le même genre de relation avec madame Durand, ta voisine.

Il continuait d'insinuer et son tutoiement m'incommodait de plus en plus. Il avait l'air d'un serpent tournant autour d'un bocal fermé, à l'intérieur duquel il apercevait la petite souris tremblante.

— J'comprends pas où vous voulez en venir, dis-je en arrêtant le ronronnement de la laveuse. Si vous me disiez ce que vous voulez.

— T'es une jolie femme, Héléna. On pourrait devenir des amis… et même un peu plus. Maintenant que ton mari est pus là. C'était pas le bonheur entre vous deux. Y a un rapport de police qui dit qu'on est venus l'embarquer pour violence conjugale. C'est une sorte de chance pour toé qu'il ait eu un accident. Tu vas être tranquille asteure.

— Je sais pas de quoi vous parlez, ni pourquoi vous me tutoyez. On est pas des amis.

— Mais on va le devenir, parce que j'ai compris des affaires sur ton compte quand je t'ai vue pleurer sur la tombe de Josette Gagné. Je t'ai entendue dire que tu regrettais qu'elle soit tombée dans l'eau. Ça m'a intrigué. Je suis retourné voir dans les dossiers classés. Mon prédécesseur t'avait questionnée là-dessus. Mais inquiète-toé pas. Je vais pas déterrer les morts. J'veux juste qu'on s'entende ben, tous les deux. T'es une belle femme…

On y était. Il n'attendit pas mon approbation. Son visage était rempli de plaques de rougeur. Il s'approcha de moi. Je ne savais pas comment réagir. Il m'avait devinée. Pouvait-il seulement présenter la moindre preuve ? Allait-il me harceler, jour après jour, pour que j'avoue ? Il ne m'apparaissait pas menaçant de cette façon.

Sa main se tendit vers ma joue, qu'il caressa du revers de la main, avec une tendresse non affectée. Puis il défit les boutons de ma robe un à un. Il s'exécutait avec une lenteur calculée. J'étais paralysée. Il fallait bien que ça arrive un jour. « Le mal attire le mal », comme disait ma mère.

C'est à peine si je sentis sa main sur mon corps. Sa bouche était dans mon cou. Ses mains me palpaient et soulevaient le désir. Ses gestes n'avaient rien de bestial. Tout se passait en douceur. Je l'acceptais comme une contrariété nécessaire. Je repris mes esprits quand il me murmura à l'oreille que je n'avais rien à craindre. Il saurait tenir sa langue, si j'étais gentille avec lui. À part Edmond et Matthew, au Wayagamac, aucun homme ne m'avait touchée. François Trépanier était une nouvelle expérience. Mon corps s'en accommodait et se surprit même à éprouver un certain plaisir. Avec lui, ce ne serait que chair et rien d'autre, hormis l'obligation de récidiver. Pas de jalousie, pas de tribut à payer, pas de promesses non tenues, pas d'amour véritable. Je devenais, dans ses bras, une triste fille de joie.

Je me lavai soigneusement avant de retourner à mes tâches. Il n'avait rien d'autre que des soupçons contre moi. Il les mettait à bénéfice pour soulager ses instincts. Mon inertie l'avait sans doute conforté dans son idée. Pour la première fois, j'étais piégée. Ce policier à l'allure de gamin avait levé une partie du voile qui me recouvrait. Je me sentais comme une petite fille prise avec la main dans la sacoche de sa mère. Si j'étais gentille, on me laisserait la retirer sans conséquence. Autrement, je devrais m'expliquer à l'autorité. J'avais choisi la gentillesse en sachant très bien qu'elle pavait la voie à la soumission.

Résidence Clair de lune, Trois-Rivières, printemps 2002

Héléna marmonne en branlant la tête de gauche à droite. Huguette pose le manuscrit. Il est deux heures de l'après-midi. La lumière du dehors entre à profusion dans la chambre. Le fils a les bras croisés et le menton appuyé sur la poitrine. Il a l'air d'être perdu dans ses pensées.

— J'me souviens pas d'avoir écrit ça. J'me rappelle le cimetière, mais pas le policier dans ma cuisine. J'en perds des bouts.

— C'est pas grave, Héléna. On achève. J'vais continuer. Ça va te revenir.

— Comment ça se fait que j'sois pas capable de le voir dans ma tête ?

CHAPITRE 28

Wayagamac, printemps 1959

François Trépanier s'amenait durant mes jours de congé, à l'improviste, quand mon fils était à l'école. Il m'utilisait comme un objet. Sans violence, mais en me rappelant chaque fois combien j'étais chanceuse qu'il me protège. Il ne m'accusait pas. Il me prenait sans que j'oppose la moindre résistance. Mon indifférence était pour lui un aveu. Elle était pour moi une façon d'expier. Je faisais le vide dans ma tête jusqu'à ce qu'il se retire. Avant de me quitter, il m'embrassait froidement. J'étais devenue sa chose, il me possédait. J'étais parfois surprise d'en retirer un certain plaisir. Depuis la mort d'Edmond, je m'étais dissociée de mon moi intérieur. Je ne le reconnaissais plus. J'étais un bateau sans voilure soumis aux caprices des vents et des marées.

Entre ces visites, je retrouvais mon quotidien, où l'ombre de Matthew était toujours présente. Elle flottait au-dessus de moi comme un spectre, de plus en plus ténue à mesure que le temps passait. Je m'y raccrochais, même s'il avait ignoré ma lettre.

Je continuais de sortir avec ma sœur tous les samedis soir. Elle obtint son permis de conduire et nous partions quelquefois à l'aventure jusqu'à Rivière-aux-Rats. Jean adorait voir les ours en cage que le propriétaire du motel-restaurant gardait pour attirer la clientèle. Je lui racontais alors la fois où j'avais croisé un ours blessé, qu'une amie indienne avait terrassé d'une seule flèche. Il me questionnait sur la grosseur de l'ours, la longueur de ses dents et la largeur de ses pattes. Le mien était monstrueux, bien sûr. Jean frissonnait de plaisir. Yvonne grognait de sa voix de stentor et les ours en cage devenaient fous. Depuis le départ de Romain Durand, mon fils réussissait mieux à l'école, mais il passait par des phases mélancoliques où rien ne semblait l'intéresser. Pouvais-je l'en blâmer, alors que moi-même je voguais sur des montagnes russes ?

Yvonne ne savait rien de l'emprise qu'avait le policier sur moi. Elle ne l'avait pas revu depuis le soir du cimetière. Cependant, elle s'interrogeait sur mes absences lors de nos conversations. « SORS DE LA LUNE ! », me criait-elle brusquement. En public, la formule avait l'heur de réveiller quiconque n'était pas au garde-à-vous. Elle s'en moquait. Elle prétendait qu'on ne peut aller contre nature. Je ne pouvais pas vraiment la contredire, sur ce point. Yvonne me semblait avoir un trop-plein d'énergie. Elle s'épuisait sur les pistes de danse, après avoir passé la semaine à travailler à la compagnie de téléphone. Je ne pouvais dire si ma sœur se remettait de la mort d'Antoine. Elle évitait le sujet et flirtait sans espérances.

Au début du mois de juin, une occasion inespérée se présenta. Un de nos partenaires de danse du samedi soir était un pêcheur émérite, dont le beau-père était membre du club Wayagamac. Il n'avait pas la langue dans sa poche. C'est lui qui m'apprit que l'ancien gérant de l'usine, Matthew Brown, serait au lac pour quelques jours. Je réussis à convaincre Yvonne de m'y emmener.

Ce fut un peu plus difficile de persuader le gardien de la barrière de nous laisser passer. Il se laissa finalement séduire par le charme de ma sœur et la promesse d'un rendez-vous pour le samedi suivant.

— C'est pas LE PLUS SEXY DU MONDE, me dit-elle dans l'auto qui avançait. QU'EST-CE QUE je ferais PAS POUR MA P'TITE SŒUR?

— Je te revaudrai ça. Pis attends de le voir sur son trente-six avant de juger.

— C'EST PAS DU BEAU LINGE QUI VA Y ARRANGER LA FACE!

Nos rires résonnèrent dans la Buick. La journée s'annonçait radieuse. Avec notre panier de pique-nique dans la valise et nos chapeaux de paille sur la banquette arrière, nous étions prêtes à profiter de notre escapade. Il n'y avait qu'une ombre à mon tableau: la tristesse de Jeannot quand je lui avais dit qu'il ne pouvait pas venir avec moi. Il avait fallu l'aide de Louise pour le convaincre. Elle lui promit de l'emmener au 5-10-15 et d'aller à la salle de quilles. Je fournis l'argent et je l'embrassai en lui promettant de ne pas revenir tard. Je savais que j'accomplissais mon rôle de mère sur le pilote automatique.

Comme chaque fois que je venais au lac Wayagamac, je ressentais une boule d'émotion qui durcissait dans mon estomac. Le temps n'y changeait rien. Je reconnaissais les odeurs de sapin, de feuilles mortes et les roucoulements du ruisseau. Je revoyais ma famille intacte s'activant autour de la maison. Le tas de bois et les coups de hache d'Aristide. La chaloupe qui attendait Fabi pour la conduire jusqu'à son rocher. Mon cheval paressant au soleil et le chapeau de ma mère zigzaguant dans le jardin. C'était plus fort que moi. C'était gravé sur ma peau.

— À quoi TU PENSES, LA SŒUR ?

— À rien pis à tout ! J'aurais peut-être dû emmener Jeannot. Il aurait aimé ça, voir le lac.

— BEN NON ! ARRÊTE de t'en faire, T'ES LÀ POUR TON BEAU MATTHEW. Je suis SÛRE QUE TON GARS A DÉJÀ OUBLIÉ ÇA.

— T'as peut-être raison. Mais ça m'énerve d'être ici. J'sais pas ce que j'vais lui dire quand j'vais le voir.

— ÇA VA VENIR tout seul ! INQUIÈTE-TOÉ PAS AVEC ÇA.

— Mais s'il a pas répondu à ma lettre, c'est parce qu'il veut pus me voir. J'vais avoir l'air de quoi, moé ? On devrait s'en retourner !

— EILLE! TU VAS PAS TE DÉGONFLER! On arrive DANS CINQ MINUTES. J'ai pas pris un RENDEZ-VOUS AVEC LE GARS DE LA BARRIÈRE POUR RIEN.

— T'arrêteras avant d'arriver au pavillon.

— T'ES-TU FOLLE? Le chemin EST PAS ASSEZ LARGE POUR ÇA. PIS tu sais ben QU'Y TE FERA PAS MAL. Avec ce QUE TU M'AS CONTÉ, CE SERAIT PLUS LE CONTRAIRE!

— Je t'ai pas tout conté, dis-je d'un sourire malicieux.

À peine avais-je terminé ma phrase qu'un camion surgit d'une courbe et freina brusquement devant nous. Un homme, habillé comme un chasseur de brousse, sauta sur le sol et nous fit signe de nous arrêter. Un geste inutile, puisqu'Yvonne avait déjà immobilisé la Buick en bloquant les freins. Par la portière entrouverte, il cueillit son chapeau et une carabine, qu'il mit en bandoulière. Nous n'étions pas rassurées par son air belliqueux. Il s'avança en nous examinant et se pencha de mon côté.

— Mon nom, c'est Hermidas Beaudry. J'suis le gardien du club. J'peux-tu voir votre carte de membre? demanda-t-il en me projetant au visage une haleine rance.

— On EST VENUES VOIR QUELQU'UN! dit Yvonne.

— J'vous ai jamais vues au club. C'est privé icitte, mes petites « madames ». Va falloir que vous retourniez de bord.

— J'ai déjà habité à la maison de la *dam*, intervins-je pour le tempérer.

— Si vous êtes pas membres du club, vous virez de bord !

— Y A PAS DE PLACE POUR VIRER ! PIS MOÉ, JE CHAUFFE PAS À RECULONS !

L'homme prit note de la corpulence de ma sœur, qu'il estima en lorgnant son corsage. L'examen sembla concluant. Avec un tel promontoire, la conduite arrière n'était pas évidente.

— Suivez-moé ! On est presque au lac. Là-bas, il y a de la place en masse pour tourner.

Malgré l'étroitesse du chemin, le camion manœuvra pour se remettre de l'avant. Il écrasa au passage plusieurs arbustes et cracha une volée de cailloux dans notre direction. Insultée, ma sœur fit de même en appuyant sur l'accélérateur à fond. La Buick rebondit sur les roches et frôla les branchages, qui grincèrent sur la tôle. Il fallut moins de deux minutes pour aboutir devant la plage où j'avais accompagné Fabi dans la chaloupe trop chargée. Yvonne freina et nous engloutit dans un nuage de poussière. L'auto se mit au point mort.

— Pendant QUE JE VAIS L'OCCUPER, toé, tu T'EN VAS FOUINER, me dit-elle en prenant des airs de conspiratrice.

Elle souriait en crispant les mâchoires. Son pied droit actionnait frénétiquement la pédale de l'accélérateur. Une odeur d'essence envahit l'habitacle.

— Tu fais quoi ? demandai-je, inquiète de voir l'homme s'approcher à nouveau.

— Tu vas voir QU'YVONNE SE LAISSERA PAS IMPRESSIONNER PAR UN AIR BÊTE COMME ÇA.

— Vous pouvez y aller ! nous cria l'homme en pointant le chemin.

— VOUS VOYEZ BEN QUE J'ESSAYE. ELLE PART PAS ! cria-t-elle en tournant la clef et en pompant l'accélérateur.

— Arrêtez ! Vous êtes en train de noyer le moteur !

L'homme s'approcha de son côté en gesticulant. Je l'entendais aligner des jurons, dont plusieurs m'étaient inconnus.

— C'est le temps d'y aller, Héléna. J'm'en occupe. C'EST PAS DE MA FAUTE ! VOUS AURIEZ PU ROULER MOINS VITE !

— Ça sait pas chauffer en plus ! Laissez le moteur se reposer.

Pendant que ma sœur discutait et plaidait l'ignorance devant le fonctionnement du moteur à essence, je sortis de l'auto et marchai droit vers le chalet. J'entendis qu'on ouvrait le capot de la Buick et qu'Yvonne y allait de son numéro de charme.

Il était onze heures du matin, la plage et le quai étaient déserts. De la cuisine, où j'avais déjà travaillé pendant une semaine, montait un air de rock and roll sur fond de bruits de vaisselle. Je m'empressai d'aller frapper à la porte-moustiquaire. Une odeur d'ail, d'épices et de friture flottait dans la cuisine. Je plissai les yeux et posai le front contre le fin treillis métallique pour mieux voir à l'intérieur. Je reculai quand le visage du cuisinier apparut à quelques centimètres du mien.

— Qu'est-ce que je peux faire pour vous ?

Je reconnus immédiatement la voix. Tom le cuisinier était toujours au poste. Plus gros et plus vieux que dans mon souvenir, il s'essuyait les mains avec un chiffon graisseux. De grosses gouttes de sueur perlaient sur son visage. Ses cheveux poivre et sel s'aggloméraient en petites couettes graisseuses. Il grimaçait un sourire incertain en m'examinant.

— Vous me reconnaissez pas ? Héléna. J'ai travaillé pour vous il y a plusieurs années de ça.

Il poussa la porte sans cesser de tripoter son chiffon. Je voyais à ses sourcils qu'il faisait un effort pour se souvenir. Il jeta un regard intrigué à la Buick au capot relevé. Je m'empressai de le ramener à ma réalité.

— C'est toujours aussi chaud dans la cuisine.

— Ouais, j'ai un rôti de chevreuil au four. Vous êtes la p'tite Martel. J'vous replace. Vous étiez travaillante. C'était la fois où le gars de l'Outaouais a fait une crise de cœur.

— C'est ça. J'aurais aimé dire bonjour à monsieur Brown.

— Matthew? Il est parti défaire un barrage de castor. L'eau est montée sur le chemin. Si vous voulez marcher un peu, prenez le portage en arrière. C'est pas ben loin, même pas dix minutes de marche. Faites attention, ça s'peut qu'y dynamite le barrage.

— Merci, monsieur Tom. J'suis contente de vous avoir revu.

— C'est votre char?

— C'est à ma sœur. Il y a un p'tit problème, mais le monsieur va l'aider. Merci à vous!

Je me dépêchai de trouver le sentier avant que le moteur ne se remette en marche. La piste était bien tracée et j'y retrouvai le plaisir de gambader dans la forêt. Après quelques minutes de marche, je longeai un ruisseau large de quelques mètres, mais dont le faible débit avait révélé une multitude de roches sur lesquelles je pouvais traverser facilement. Le barrage de castor se trouvait sans doute un peu plus haut.

Mon cœur battait à tout rompre. L'homme de ma vie n'était plus très loin. J'entendais une hache frapper avec régularité. Par réflexe, je replaçai ma coiffure et défit le premier bouton de ma chemise. J'espérais qu'il fût seul.

L'étang était immense. L'œuvre des castors, construite en demi-cercle, retenait l'eau dans une cuvette, qui avait débordé et inondé le sous-bois. Matthew était debout au milieu de l'enchevêtrement de branchages. Il s'escrimait sur un gros billot, qu'il tentait de dégager. Il me tournait le dos et ne me vit pas grimper sur le barrage. Je m'assis au sec pour le regarder. Après de nombreux efforts et de grands coups de hache, il souleva le billot, qui retomba dans l'eau en éclaboussant. Puis il agrandit l'ouverture en enlevant les branches plus petites. J'entendis l'eau ruisseler en s'engouffrant dans la brèche. Matthew s'essuya le front et replaça son chapeau. Il estima son travail et parcourut le plan d'eau d'un regard pensif. Puis, il se tourna dans ma direction. Il resta tout d'abord immobile. Il laissa retomber son bras et la hache le long de son corps. Une volée de papillons s'agitait dans mon ventre. Se pouvait-il qu'enfin je puisse rêver à une vie meilleure ?

Il s'approcha en marchant avec précaution sur les branches entrelacées. Il s'accroupit en face de moi. Il était encore plus beau que dans mon souvenir. Son visage s'était affermi. J'y décelais une sorte de tristesse qui m'avait échappé lors de notre rencontre à la kermesse, l'automne précédent, mais qui était si apparente dans le calme de ce décor champêtre.

— Héléna ? Qu'est-ce que tu fais ici ?

— Il fallait que je te voie.

Ma voix était éraillée. Ma bouche était pleine de cailloux et mes papillons affolés. Un flop sonore retentit sur l'étang. Nous vîmes un castor le traverser en glissant sur l'eau, charriant une branche de belle dimension dans son sillage.

— Voilà le coupable. Il mettra pas long à tout réparer, dit Matthew en soulevant le rebord de son large chapeau. Il va m'obliger à dynamiter. T'es venue comment ?

— Avec ma sœur. Elle conduit maintenant.

— C'est une surprise de te voir ici. Comment t'as fait pour la barrière ?

— Yvonne est convaincante. Je… je t'ai écrit l'automne dernier.

— Ah ? J'ai rien reçu.

— Je l'ai envoyée au début de septembre, pas longtemps après la mort de mon mari.

Il sembla troublé par la nouvelle. Son regard se reporta sur le castor, qui grimpait sur la rive opposée. J'admirais son profil. Il avait gagné en maturité. Il en émanait une force de caractère. Il était si près que j'avais envie de le toucher. Glisser ma main dans son cou et appuyer ma joue sur la sienne. Sentir à nouveau la douceur de ses lèvres.

— Il est mort comment ? demanda-t-il.

— Dans son garage. Un bête accident. Son camion est tombé sur lui pendant qu'il travaillait en dessous.

— Désolé. C'est une mort affreuse.

— Oui. Mais c'est en arrière, maintenant. La vie continue.

— Ouais, et elle passe vite aussi. Pourquoi t'es venue, Héléna ?

Ça ne se déroulait pas comme je le souhaitais. Les papillons se posaient un à un dans mon ventre. Les mains de Matthew semblaient soudées au manche de sa hache. Ses yeux évitaient les miens.

— Parce que… j'avais besoin de te voir. J'arrête pas de penser à toé.

Il détourna la tête encore une fois. J'avais envie d'en rajouter, mais je n'y arrivais pas. Les mots trébuchaient dans ma tête. Ils étaient comme une bande de chiots que je n'avais pas eu le temps de regrouper. Matthew se chargea de les éloigner.

— Nous deux, on a été pareils comme ce barrage. Toujours à refermer la brèche. Alors qu'on croyait que le courant passait, les circonstances venaient tout colmater. J'imagine que c'est la vie qui voulait ça. Moi aussi, j'ai pensé à toi souvent. J'aurais aimé ça qu'on reste des amis, après ton mariage. Je t'ai envoyé plusieurs lettres, j'en ai pas reçu beaucoup. Mais j'comprenais pourquoi. Ça aurait pu marcher entre nous deux. Quand je reviens ici, je peux pas m'empêcher de penser aux deux sœurs Martel. Vous étiez comme les doigts de la main. Savais-tu que les invités au club nous questionnaient souvent sur les deux belles filles du bout du lac ? Vous étiez quasiment un attrait touristique.

— Tu me gênes, là. C'est Fabi qui impressionnait.

— C'est vrai qu'elle était exceptionnelle.

Dans un geste spontané, je cueillis le sac de pierres rondes à mon cou.

— Tiens. J'pense qu'elles te reviennent.

— Qu'est-ce que c'est ?

— Des perles du Wayagamac.

— Quoi? dit-il en déversant la dizaine de minuscules pierres rondes au creux de sa main.

— Fabi disait que le lac était un écrin et que, dans son lit, il façonnait des perles, qu'il déposait sur la grève. Elle passait de longues minutes accroupie près de l'eau pour dénicher les plus beaux cailloux, les plus ronds, les plus fins, les plus blancs qu'elle pouvait trouver.

Matthew les remit dans le sac et plaça celui-ci dans la poche de sa veste. Il semblait ému par la naïveté de ce cadeau.

— C'est vous deux qui étiez les perles du lac.

— Je sais que j'suis pas comme ma sœur. J'étais pas aussi forte qu'elle. Y a rien qui lui faisait peur. Je l'admirais. J'ai appris à t'aimer par ses yeux. Si je suis là, aujourd'hui, c'est parce qu'elle voulait que je sois heureuse. Pis j'ai besoin de toé pour l'être.

— On peut pas empêcher le temps de s'écouler.

— Comme on peut pas empêcher l'amour de parler…

— J'suis fiancée, Héléna. Avec Dorothy. Tu l'as rencontrée à la foire l'année passée. On a continué de se fréquenter. On s'entend ben tous les deux. On se marie au début de l'automne. On savait pas trop, au début. On était des amis. Avec le temps, ça s'est placé. On s'est fait des projets ensemble: des voyages, une maison au bord de la mer… On a vendu une autre usine, je vais être moins pris. J'aimerais tellement ça faire quelque chose pour toi, Héléna.

Un coup de hache sur le crâne ne m'aurait pas fait plus mal. Je m'étais préparée à tout, même à ça. Mais, devant le fait accompli, je n'y croyais pas. Je ne savais pas comment réagir. Je sentais monter dans ma gorge un immense éclat de rire. Un geyser de dérision et de dépit. Car il fallait être bête pour croire qu'il m'attendrait si longtemps. J'étais sotte de penser que je pouvais rivaliser avec cette Dorothy que ma jalousie embellissait, alors que je ne l'avais qu'entrevue. Mes yeux se voilèrent.

— Je t'en prie, pleure pas, Héléna, me dit-il sans même tendre la main.

— J'aurais pas dû venir. C'était pas une bonne idée. J'm'en retourne!

— Attends! Va-t'en pas. Reste encore.

— À quoi ça sert? Le train est passé, dis-je en serrant la montre de Francis à mon poignet.

— Je suis désolé, Héléna. Je t'ai espérée longtemps. T'étais mariée. T'as un enfant. Un beau petit garçon, à part de ça. Quand je l'ai vu au cirque, j'ai compris qu'y était trop tard. Tu vas toujours rester dans mon cœur. J'te l'ai dit, tu resteras une amie, pour toujours. J'suis vraiment désolé…

— Arrête de dire ça! Toé, tu vas te marier avec une belle femme, moé, je me retrouve le bec à l'eau. C'est pour elle le bonheur!

— Voyons, il y a plein d'hommes qui…

— Y a juste toé dans mon cœur. T'étais là quand je vivais ici. Je t'ai aimé dans l'ombre de Fabi. Je t'ai désiré sans faire d'effort. T'es ce qui m'est arrivé de plus beau. J'suis pas tout à fait la femme que tu penses, mais avec toé, j'aurais pu m'en sortir. Faut croire que c'était pas mon destin.

— Parle pas de même, tu me fais de la peine.

— C'est icitte au lac que j'ai été la plus heureuse. Pourtant, j'y ai vu mourir mon père et ma sœur, pis après, ma mère s'est étiolée comme une plante qu'on déracine. Il me restait toé, pis tu m'annonces que t'es mort à ton tour. J'commence à croire que des deux Héléna, c'est moé l'importune.

— De quoi tu parles? demande-t-il intrigué.

— D'affaires que j'devrais pas. Si nous deux, on était comme le barrage, va falloir que tu travailles fort pour le détruire. Les castors, c'est comme l'amour, c'est dur à décourager!

Je n'étais plus certaine d'être moi-même. Mes dernières paroles sonnaient faux. Comme si on me les avait soufflées à l'oreille. Je voyais l'eau noire de l'étang et Matthew qui regardait la forêt pensivement. Dorothy me remplissait la tête. Je l'imaginais couler au fond, battant l'eau inutilement de ses bras à la peau claire. Ses cris n'étaient que des bulles vides qui crevaient la surface sans espoir d'être entendus. Elle disparaissait, en tournant sur elle-même, comme une ballerine de porcelaine rentre dans sa boîte musicale, après qu'on eut refermé le couvercle et jeté la clef du mécanisme. Je sortis de ma rêverie sans comprendre ce que Matthew disait.

— Je rentre! Yvonne va s'impatienter, dis-je en comprenant que je perdais la maîtrise de moi-même.

— Attends, je vais te raccompagner. J'ai mis de la dynamite. Y me reste à dérouler la mèche. Puisque t'es là, veux-tu m'aider?

Sans attendre ma réponse, il me tendit la hache et prit une bobine sur laquelle la mèche était enroulée. Je le suivis jusqu'au milieu du barrage. Je vis qu'il avait placé une charge explosive profondément ancrée entre les branches entortillées. Il se pencha pour vérifier si le tout était bien fixé. J'entendais l'eau ruisseler sous mes pieds. Un bruit semblable à celui de la fosse au-dessus de laquelle Aristide s'était pendu. Je me retrouvais aujourd'hui, plus haut sur le lac, sur une autre *dam*, comme si j'avais tourné en rond pendant toutes ces années. J'entendais le guérisseur dire à Marie-Jeanne que quelqu'un portait le mal dans son entourage. Je revoyais le doute fugace, dans les yeux d'Yvonne, quand elle me questionnait pour le vicaire. Je traversais à nouveau la salle de Saint-Michel-Archange, poursuivie par le « T'es qui toé? T'es qui? » d'un fou trop lucide. Je n'étais pas Fabi. Je ne la méritais pas. Je n'étais pas en droit de vivre l'amour qui lui avait appartenu. Je n'étais même pas moi-même! Je n'étais plus Héléna!

J'assurai mes mains sur la hache, qui me semblait peser une tonne. Mes yeux…

Résidence Clair de lune, Trois-Rivières, printemps 2002

La porte de la chambre s'entrebâille. Des coups sont frappés mollement. La tête de madame Gervais apparaît dans l'embrasure, suivie de son corps, qui progresse à pas de félin. Héléna est bouche bée. Bientôt, la chambre est envahie par un petit groupe de personnes, parmi lesquelles elle reconnaît madame Tremblay, deux préposées, dont Gaétane, sa préférée, et une partenaire de cartes occasionnelle venue en robe de chambre rose et « gougounes » vertes.

Huguette a envie de se récrier devant cet envahissement inopiné.

— On s'excuse, Héléna, d'interrompre votre séance de lecture, dit madame Gervais, qui semble à la tête de ce commando hétéroclite.

— Ouais, t'as de la lumière pareil, même si t'es du côté des arbres, ajoute madame Tremblay, comme à son habitude, hors propos.

— On voulait te faire une p'tite visite d'amitié, dit celle de rose vêtue. J'les ai croisées en sortant de ma séance de massage. J'ai pas eu le temps de m'habiller.

— On vous aime ben, madame Martel, s'empresse d'affirmer Gaétane, la préposée.

Héléna lui sourit et accepte le contact de sa main sur la sienne. Huguette et le fils sont exclus du groupe qui entoure le lit.

— On vous a apporté un p'tit quelque chose.

Madame Gervais tend un chapelet vert bouteille.

— Il est fluo, précise-t-elle. Dans le noir, tu vas pouvoir le trouver facilement.

Devant l'absence de réaction d'Héléna, la cheftaine donne du coude à madame Tremblay. Celle-ci soulève un sac coloré et le tend devant elle, hors de portée d'Héléna. Gaétane intervient et en sort une plante fleurie de jaune.

— Il faut pas trop l'arroser, si tu veux la garder longtemps, dit madame Tremblay.

Devant l'incongruité d'une telle remarque adressée à une mourante, Gaétane reprend le flambeau.

— C'est pour que vous ayez un peu de soleil dans votre chambre. On a pensé qu'une fleur, ce serait la meilleure façon de vous dire qu'on vous apprécie.

Héléna est émue. Les pétales ont l'air d'avoir été taillés dans le satin. Le jaune est celui de la vie. Un jaune de lumière, de grands vents et d'espace. Une idée du bonheur qui, soudain, éclaire la pénombre de son crépuscule. Sa tête ne cesse de produire les images du passé. Fabi cueillant les boutons d'or qui poussaient bien au chaud contre le mur grisonnant de l'écurie. Elle en faisait des bouquets, qu'elle offrait à sa jeune sœur. Toutes deux soupiraient comme des princesses oubliées. Elles incarnaient, à tour de rôle, le prétendant à venir, sans savoir qu'elles seraient deux à l'aimer. Le bouquet passait de mains en mains et le ciel était d'un bleu intense. Le lac, parsemé de coton blanc, roulait ses vagues sur le rivage. Le vent froissait la cime des arbres. Combien de jours semblables lui avaient été donnés dans sa vie ? Combien lui avaient été volés par l'autre femme en elle ?

— Héléna ? Héléna ? demande Gaétane d'une voix douce.

— J'jonglais. Pis monsieur Lacoste, lui ?

Un flottement parcourt le groupe. L'absence du vieil homme leur saute soudain aux yeux. Elles se sentent un brin coupables de ne pas en avoir parlé les premières. Pourtant, le vieil homme s'était souvent informé d'Héléna, qu'il semblait porter aux nues à cause de son livre.

— Les nouvelles sont pas bonnes. Y a fait un autre AVC. D'après l'infirmière, ça regarde pas ben, dit madame Gervais.

— Ah ! J'y dirai salut de l'aut'bord.

Des sourires gênés accompagnent ce constat. Madame Tremblay ne peut retenir quelques larmes. De tout le temps qu'a duré leur présence, Huguette et Jean sont restés immobiles, aux côtés d'Héléna, sur la *dam* de castor. Ils attendent du présent qu'il se retire pour que vive le passé. Héléna demande à son fils de mettre la plante près de la fenêtre. La chambre est à nouveau prête. Le silence est en bruit de fond. Huguette peut continuer.

Wayagamac, printemps 1959

Mes yeux étaient obscurcis. Ils refusaient, cette fois, de regarder la mort en face. Il ne s'agissait plus d'anéantir un danger ou de laver une agression, mais d'empêcher le bonheur de m'échapper. De refuser qu'une autre l'emporte au loin et qu'il disparaisse à jamais. Ni moi ni Fabi n'avions réussi notre fuite. Elle nous ramenait sans cesse à un barrage qui nous retenait prisonnières d'un lac, loin duquel nous ne savions pas être heureuses.

Matthew se retourna et me fit un sourire triste.

— Passe-moi la hache.

Devant mon absence de réaction, il insista :

— Héléna ! Ça va ? J'ai besoin de la hache pour couper la mèche.

Mes doigts étaient crispés. Le seul véritable amour de ma vie allait s'échapper à jamais. Une voix intérieure me criait de l'en empêcher. Je sentis sa main sur la mienne. Le souvenir de nos étreintes reflua comme un coup de sang. Devant mon émoi, il se leva et m'enlaça comme je l'avais rêvé tant de fois. Je pleurai contre lui. Ses lèvres caressèrent ma tempe d'une tendresse apaisante.

— Je suis vraiment désolé, Héléna.

— Je t'aime, Matthew.

J'avais l'impression de le lui dire pour la première fois. Les mots sortaient de mon âme et chutaient un à un dans les entrailles de la *dam*. J'avais perdu le sens de la mesure. Je me déversais comme une rivière en crue. J'alignais une à une les années d'espoir. Je décrivais les jours trop longs et les nuits sans chaleur. C'était peine perdue. Il résistait en m'ouvrant les bras, pareil à un frère. Solide comme le roc, sa décision était prise. Je m'arrachai à ses bras et me mis à courir sur la *dam*. Je trébuchai plusieurs fois sur le tapis de branches. J'entendis Matthew crier mon nom et la porte au fond de moi se referma d'un coup, me laissant seule avec ma fuite.

Je marchais sans voir. Mes jambes n'avaient pas perdu l'habitude des sentiers. Elles se posaient d'elles-mêmes entre les obstacles. Mais mon pas était pesant, car il portait un fardeau. Celui de mon rêve perdu. Peu m'importaient les branches qui griffaient ma chemise et fouettaient mon visage, j'avançais hors de moi. J'aboutis dans la clairière derrière le pavillon et je vis que Dorothy discutait avec Yvonne et le gardien. Ma sœur leva la main dans ma direction.

Je m'arrêtai. La déflagration résonna sur le lac. Je me retournai en espérant voir Matthew sortir du sous-bois, tenant sa hache d'une main et de l'autre un sac de toile. Essoufflé, il me sourirait tendrement, comme il l'avait fait au creux de son lit, alors que le Wayagamac reflétait une aube prometteuse et que les chevaux attendaient de nous ramener à La Tuque. Mais il n'y eut que le silence, qui retomba comme une couette sur la forêt. Le froid m'envahit, pareil à celui qui avait hérissé ma peau, alors que j'étais dos à mon arbre sur la falaise, que l'ours grognait à quelques pas et que Fabi tentait de nous sauver. Comme cette fois-là, une fumée blanche s'éleva au-dessus des arbres. Elle m'annonçait la même fatalité : quelqu'un s'enfuyait et jamais je ne pourrais le rattraper. Hormis Yvonne, personne ne sursauta. Dorothy s'éloigna vers le pavillon en me saluant de la main. Yvonne vida son verre de whisky, dont elle partageait une flasque avec le gardien. Je marchai vers la Buick avec un calme étonnant.

— On peut y aller ! dis-je en ouvrant la portière de mon côté.

Yvonne arracha le verre des mains du gardien en jetant le reste de la boisson sur le sol. Elle me confia la flasque et je bus une bonne lampée à même le goulot. Elle fit un petit geste de la main pour saluer le chasseur de brousse, qui avait l'air de celui qui vient d'échapper sa première lionne.

— VEUX-TU BEN ME DIRE CE QUI SE PASSE ?

— Y a rien à dire. On retourne à la maison !

CHAPITRE 29

Résidence Clair de lune, Trois-Rivières, printemps 2002

La lectrice a la bouche sèche. Jean est prostré dans son fauteuil et fixe les tuiles du plancher. Héléna a l'air de sommeiller, mais entre ses paupières mi-closes, ses yeux s'agitent par moments. Ce sera bientôt l'heure de la bassine, l'odeur ne ment pas.

— Veux-tu qu'on arrête un peu? demande Huguette après avoir pris une gorgée de son verre d'eau.

— Ta Béatrice? Est-ce qu'elle avait peur de mourir?

La peur appartient à ceux qui ont un lendemain. Son amoureuse n'avait plus rien à espérer. Son bonheur était derrière elle. Il n'y avait dans ses yeux qu'une infinie tristesse.

— Non. Je crois qu'elle était plus soucieuse de me laisser toute seule.

— Mon crabe est rendu gros. Y me fait souffrir. Mais pas autant que cette journée-là. J'ai pleuré dans l'auto en revenant du Wayagamac avec ma sœur. Il y avait rien qui me consolait. Ça avait été dur de convaincre Yvonne de me laisser à la maison. Elle voulait pas que je reste toute seule. Je lui ai fait une crise, puis je l'ai mise à la porte. Un peu plus tard, Louise a téléphoné, pis j'y ai demandé de garder Jean jusqu'au lendemain. Je voulais pas qu'y me voie dans cet état-là. Après, j'suis tombée comme une épave dans mon lit.

— Repose-toé un peu. Je vais demander la préposée. Elle va te rafraîchir avant qu'on continue.

Jean semble mal à l'aise dans son fauteuil. Le grand barbu est un volcan au cratère obstrué. Le manuscrit est une lave brûlante qui cherche à se libérer. Huguette craint l'explosion quand le fils se lève et s'approche du lit.

— C'était lui, l'héritage!

— De quoi tu parles? demande sa mère.

— Y a de ça une quinzaine d'années, j'ai reçu de l'argent d'un donateur qui voulait rester anonyme. Le notaire m'a dit que c'était un legs d'héritage, y avait pas le droit de m'en dire plus, pour respecter les dernières volontés du défunt. J'm'en suis servi pour monter mon atelier.

— Tu penses que c'était Matthew? murmure Héléna.

— Avec ce que tu racontes, ça fait du sens.

— Ça voudrait dire qu'il m'avait pas oubliée...

Le visage d'Héléna s'éclaire d'une joie en demi-teinte. Son fils lui apporte une bouteille jetée à la mer. Il contient le dernier message d'amour. Il lui sera parvenu juste à temps. Huguette fait antichambre devant le recueillement de son amie. Elle attendra un signe de sa part avant de s'introduire à nouveau dans le récit de sa vie.

La Tuque, été 1961

Deux ans s'étaient écoulés depuis la perte de Matthew. J'émergeais d'une dépression profonde qui m'avait anéantie. J'avais dormi, vaqué à mes occupations par automatisme et pris des médicaments. À part Yvonne, la famille m'avait évitée comme l'eau est repoussée par une tache d'huile. Même le policier s'était volatilisé. J'appris qu'on l'avait congédié et qu'il avait quitté la ville. Il semblait que je n'étais pas son seul méfait. Régulièrement, il fermait les yeux sur les infractions et acceptait des pots-de-vin.

Heureusement que Louise m'avait apporté tout son soutien, durant cette période. Sans elle, je n'aurais pu m'occuper de mon fils ni de moi-même. Elle m'apportait de petits plats et m'aidait pour le ménage. Elle était une amie attentionnée et s'occupait de Jeannot comme s'il était son fils. Je lui devais beaucoup. Grâce à elle, j'avais pu récupérer.

Quand je repris mes esprits, je vis que le monde était sur une lancée qui allait marquer la fin du vingtième siècle. La musique explosait dans les radios et à la télé. Le rythme réveillait les ardeurs et les espoirs d'un monde meilleur. Après la mort de Duplessis, en 1959, le Québec réélisait Jean Lesage et son slogan: « *C'est le temps que ça change.* » Sa Révolution tranquille nous apportait l'assurance maladie et bientôt la nationalisation de l'électricité. La jeunesse bouillonnait et se libérait du carcan religieux pour voguer sur des vents de liberté. Je me sentais attirée par ce tourbillon de couleurs, de jupes courtes et de non-conformisme.

Je repris les sorties avec Yvonne. Elle me redonna goût à la vie. J'appris à danser le rock and roll, à boire modérément et à finir les soirées en jouant aux cartes en compagnie des amies de ma sœur. Leur papotage me faisait du bien. Je riais à l'unisson et m'intéressais à leurs moindres ragots. Je croyais avoir laissé derrière moi les années noires, jusqu'à ce que François Trépanier croise à nouveau mon chemin, au mois de juillet de cette année-là.

La soirée était chaude et collante. J'avais abandonné Yvonne en sueurs sur la piste de danse. Alors que je sortais de l'hôtel Windsor, pour prendre un peu d'air, Trépanier m'agrippa le bras avec force. Son haleine empestait.

— C'est ben toé! T'es donc ben rendue *cute*! On dirait que t'as ressuscité. J't'ai vue t'exciter en dedans.

— Qu'est-ce que tu fais icitte? Lâche-moé!

— Énerve-toé pas. On se connaît ben tous les deux. On a été intimes après tout.

— Oublie ça, c'est fini!

— Pis les affaires que je sais, qu'est-ce que t'en fais?

— T'es pus dans la police. J'le sais qu'ils t'ont sacré dehors. La ville est petite.

— Ça m'a pas empêché d'aller faire de l'argent à Montréal. Je reviens par icitte de temps en temps. Savais-tu que j'ai pas besoin d'uniforme pour aller raconter des affaires ?

Je compris que je n'allais pas m'en débarrasser facilement. Il revenait comme un mauvais rêve. Mon problème était que j'avais distancé Héléna la méchante quelque part dans le labyrinthe de ma dépression. Je ne la sentais pas en moi. La porte était refermée.

— Qu'est-ce que tu veux ? demandai-je comme si je ne le savais pas.

— On pourrait faire un p'tit tour de char. J'ai de la bière dans le coffre. La nuit est belle.

— J'suis avec ma sœur, elle est en dedans. Elle m'attend !

— J'peux aller lui parler, si tu veux. Y a ben des affaires que je pourrais lui raconter.

— Laisse-moé tranquille ! dis-je en reculant. Ma sœur va s'inquiéter.

— T'as juste à aller lui dire que tu t'es trouvé un *lift*. Tu vas voir, je connais un p'tit coin tranquille, ajouta-t-il en m'agrippant par le bras.

J'avais peur de le suivre, mais encore plus qu'il parle à Yvonne. Je me dégageai d'un coup sec. Il me rattrapa et me prit par les épaules.

— Va-tu falloir qu'on parle de la noyée pour te rendre raisonnable ?

— Lâche-la!

La voix provenait d'un Indien baraqué comme un lutteur. Trépanier se retourna et lui fit face.

— On se mêle de quoi, le Sauvage?

Il n'eut pas l'heur de poser d'autres questions. La main dudit Sauvage le prit par la gorge et le souleva contre le mur de briques. L'ancien policier se mit à baragouiner une suite de borborygmes sans signification. Il se tut quand le poing de l'autre lui enfonça l'abdomen. Trépanier se retrouva debout, plié en deux. Le gros homme le releva d'un coup de genou au visage. Mon agresseur se retrouva gémissant sur le sol.

— Ça, c'était pour la fois où tu m'as soupçonné d'un vol que j'avais pas commis. Pis je te conseille de pus jamais approcher de madame!

J'étais sidérée par cette intervention fortuite. Qui était ce sauveur inespéré?

— Jamais deux sans trois! dit une femme en s'approchant.

— Mikona!

— J'te présente mon *chum*: Jacob. Il en devait une à ce monsieur. Ça va?

— Moé oui. Lui est un peu éméché.

— Un ours, la femme devant la cordonnerie, pis là, un malotru. J'vais commencer à croire que t'as besoin d'un garde du corps!

— Ben non, c'est juste un adon. Merci pareil.

— J'l'ai entendu parler d'une noyée.

— Y parlait de Fabi, dis-je un peu trop rapidement.

— Il l'a connue? demanda-t-elle, intriguée.

— Y'é soûl, y disait n'importe quoi.

— Ça va faire plaisir à Jacob de le reconduire à son char.

— Ça, tu peux en être sûre, ma petite plume, confirma son compagnon après avoir salué Héléna de la tête.

Il empoigna Trépanier par l'épaule et l'entraîna vers l'arrière de l'hôtel.

— Fie-toé pas aux apparences. Mon *chum* est le plus doux des hommes, précisa Mikona.

— Ça te va ben « petite plume ».

— Il aime ben m'appeler comme ça. Comment va ton p'tit gars? Il a pas pris ça trop dur la mort de son père?

— Ça va. C'est pas toujours facile, mais on s'en sort.

— C'était quand même terrible cet accident-là.

Je n'avais aucune envie d'en reparler. Pourtant, il revenait me surprendre au moment où je m'y attendais le moins. Il ébranlait ma fragilité. Poursuivre cette conversation me replongerait dans des émotions négatives, aussi je préférai couper court, malgré toute la reconnaissance portée à la métisse.

— Oui, mais c'est en arrière, tout ça. La vie continue. Faut que j'aille rejoindre ma sœur. Elle doit se demander ce que je fais. Merci, Mikona, t'es comme un ange pour moé, dis-je en la serrant dans mes bras.

— Je suis toujours à Sanmaur, mais je viens à La Tuque assez souvent. On pourrait essayer de se voir, sans que t'aies un ours à tes trousses ! Comme ça, on aurait plus de temps pour se parler.

— Promis !

Je ne devais jamais la revoir. Sans doute que ses manitous en avaient décidé ainsi. Ils m'avaient accordé trois chances, comme Aladin avait pu faire trois vœux en frottant sa lampe. J'aime à penser qu'elle a vécu heureuse. À vrai dire, j'en suis convaincue.

෴

Peu après cet évènement, je trouvai un emploi de vendeuse, au rayon des vêtements pour dames, au magasin Spain. Un certain équilibre revint dans ma vie. Cela dura près de sept ans. Mon fils en arrachait à l'école. On le disait rêveur. Il fit quand même tout son secondaire sans redoubler. Il avait pourtant de bonnes notes durant ses premières années d'école. J'attribuais ses difficultés à une conséquence de la mort de son père et à ma dépression. L'histoire se répétait. N'avais-je pas été marquée par le suicide d'Aristide ? N'était-ce pas autour de lui que tout avait basculé ? La mort tragique d'Edmond avait frappé son imaginaire d'enfant, j'étais en mesure de le comprendre. Je me consolais en me disant qu'il saurait oublier, avec le temps…

Résidence Clair de lune, Trois-Rivières, printemps 2002

— Comment tu peux dire ça?

Jean vient d'interrompre la lecture d'une voix tranchante. Sa colère ne semble pas vouloir s'apaiser. Sorti en coup de vent, une demi-heure plus tôt, il avait réintégré la chambre un café à la main. Depuis, il marche de la porte à son fauteuil en poussant des soupirs d'impatience. Sa barbe est devenue un champ d'orties, qu'il tripote de sa main libre pour en apaiser la brûlure. Héléna tourne lentement la tête vers lui.

— Tu pourrais pas t'asseoir? Tu me fatigues.

— C'est de la bouillie pour les chats, ton livre! Ça te sert à quoi de raconter tout ça? Qu'est-ce que tu veux que j'en fasse?

— Je voulais que tu me comprennes.

— Pis toé? M'as-tu déjà compris? As-tu déjà essayé seulement? T'étais ben trop occupée avec ta petite personne. Vas-tu finir par le dire quelque part que tu m'as abandonné?

Huguette essaye de se faire toute petite sur sa chaise. La tourmente, qu'elle pressentait en égrenant les mots du manuscrit, vient d'éclater. L'averse est drue. Les nuages sont lourds. Elle craint pour son amie.

— De quoi tu parles? C'est toé qui es parti, pis t'avais vingt ans.

— J'suis parti parce que t'étais ma mère. Je pouvais quand même pas te livrer à la police!

— T'aurais pu le faire pour tout ce que j'avais commis avant. Mais pas pour Louise.

— T'étais avec elle, ce jour-là. Elle avait ta montre dans sa main!

— C'est vrai que j'étais là. Elle m'avait demandé de l'aider pour ses beignes. Tu te souviens qu'elle était malade depuis quelques années. Elle avait un cancer. Les docteurs lui donnaient pas six mois à vivre. Pendant que je l'aidais, elle s'est mise à me parler d'un secret qui me ferait du mal, si ça venait à se savoir. Elle disait que, parfois, on peut pas s'empêcher de traverser la ligne qui nous sépare de la noirceur. Quand on le fait, on peut pus revenir en arrière… Elle avait pas besoin d'un grand discours pour me convaincre de ça! Elle était bizarre, ce soir-là. Son propos était pas toujours clair… Elle parlait d'Edmond, de son Denis, de toé… Huguette, donne-moé de l'eau. J'ai la bouche sèche.

Huguette s'exécute, suspendue à la voix chétive de son amie.

— J'ai pensé que c'était l'effet de ses médicaments. Elle devait en avoir trop pris. Je voyais ben qu'elle était pas en état de cuire ses beignes. Ses mains tremblaient, elle somnolait, pis elle arrêtait pas de répéter qu'on est pas toujours maîtres de nous-mêmes. On peut faire du mal sans le vouloir vraiment. J'y ai dit de pas s'en faire, que je m'arrangerais avec mes problèmes. J'ai compris qu'elle savait pour le meurtre de ton père. Elle avait dû me voir par la petite porte du garage. La fenêtre de sa cuisine donnait sur ma cour. J'ai voulu la convaincre de laisser faire les beignes pis de se reposer. Elle s'est mise à pleurer. J'ai fermé le rond du poêle, pis je lui ai dit d'aller se coucher, que j'allais revenir le lendemain matin… J'voulais m'en aller avant que l'autre se montre la face. J'voulais pas faire de mal à Louise. Elle a dû s'entêter, pis rouvrir le feu. Un peu plus tard, j'ai senti la fumée. J'suis sortie, mais il était trop tard. J't'ai vu arriver à la course. J'voulais que tu la sauves… Si j'avais pas oublié ma montre sur le coin de la table, on en serait pas là aujourd'hui.

— Mais t'as pas compris ce qu'elle voulait te dire ! Elle parlait pas de mon père. C'est de moé qu'elle parlait. C'est de notre secret ! Depuis que j'étais tout petit qu'elle me disait que je devais me taire, parce que si je parlais, elle en mourrait, pis toé aussi. J'ai eu ça pogné dans la gorge pendant des années. Après que j'ai eu perdu mon père, ça a été pire. J'ai jamais parlé, pis elle est morte pareil. Le pire, c'est que si j'avais parlé après sa mort, j'aurais pu te tuer, en t'envoyant en prison. J'ai toujours pensé que t'étais responsable d'avoir mis le feu. Parce que t'avais fini par comprendre ce qu'elle m'avait fait ! Aujourd'hui, j'me rends compte que j'étais pas dans ton équation. D'ailleurs, j'y ai jamais été !

Héléna se redresse avec peine dans son lit. L'effort lui arrache des grimaces. Sa maigreur est cadavérique.

La jaquette glisse et reste béante sur son épaule. Ses yeux brillent d'un feu que son fils a ravivé. En position assise, son corps oscille d'avant en arrière, comme si le poids de sa tête était trop lourd. Huguette aimerait l'aider, mais elle est clouée sur place par le choc des secrets.

— De quoi tu parles, Jeannot?

La voix est celle d'une mère qui s'adresse à son petit garçon.

— J'te parle du meurtre de ton enfant!

CHAPITRE 30

Résidence Clair de lune, Trois-Rivières, printemps 2002

Héléna est troublée. Sa vérité est emmêlée dans une autre. Là où elle croyait dénouer l'écheveau, la confusion s'installe. Quel est cet enfant mort qui a échappé à son récit ? Elle fouille dans son cerveau fatigué à la recherche d'un sentier sur lequel elle se serait égarée. Son fils y est déjà. Il raconte, à son tour, d'une voix éteinte.

« Version de Jean », La Tuque, été 1956

« Grand-maman était malade. Elle était souvent couchée. Je voyais ben qu'elle te demandait beaucoup. C'est là que t'as commencé à m'envoyer chez Louise plus souvent. Quand mon père dormait parce qu'il travaillait de nuit et que tu devais t'occuper de grand-maman.

J'aimais ça, au début. Elle prenait du temps pour jouer avec moé. Elle me parlait souvent de Denis. Elle avait encore sa chambre avec toutes les affaires de son garçon. Je me souviens qu'il y avait plusieurs photos au mur. Elle les passait en revue, une après l'autre. Chacune avait son histoire. Elle me les racontait les larmes aux yeux. Puis j'avais le droit de jouer avec ses jouets. J'avais de l'attention. Elle passait tout son temps à quatre pattes avec moé. J'avais tout juste six ans, dans ce temps-là. Je la trouvais fine. Elle avait toujours des bons desserts, qu'on mangeait tous les deux assis par terre dans la chambre de Denis. J'étais trop jeune pour comprendre qu'elle était malade dans sa tête.

J'me suis pas aperçu quand ça a commencé. Elle m'entraînait dans toutes sortes de jeux. On se déguisait. Elle mettait un veston d'homme, un foulard, un chapeau. Elle changeait sa voix. Moé, elle me faisait porter des vêtements de Denis. Des tuques, des mitaines, des souliers, un manteau. On jouait à n'importe quoi, au *Chat botté* ou à *Jack et la fève magique*. Elle avait le tour de rendre ça amusant. Elle disait qu'on faisait du théâtre. Elle arrêtait pas de rire, puis ça finissait qu'elle me donnait un bain. Elle me lavait pareil comme on lave un bébé. Des fois, elle embarquait dans l'eau avec moé.

Cet été-là, j'y suis allé très souvent parce que grand-maman allait mourir. De fois en fois, mon malaise a grandi. Elle me faisait promettre le silence sur nos p'tits jeux. Elle insistait tellement sur la peine qu'elle avait d'avoir perdu son fils. Ça me troublait de la voir malheureuse. Je la laissais me prendre dans ses bras.

Elle me serrait fort en m'embrassant dans les cheveux. J'me souviens très bien de son odeur. Elle sentait comme les roses de notre jardin. J'avais l'impression de la consoler.

Après la mort de grand-maman, comme j'avais de la peine moé aussi, je trouvais réconfortant de me retrouver avec elle. J'avais juste six ans, câlisse! Elle était comme une deuxième mère pour moé. Elle avait gagné ma confiance. J'étais en pleurs. C'est là qu'elle m'a embrassé pour la première fois, sur la bouche. Ma peine était trop grande, j'avais pas la force de résister. J'avais le sentiment que quelque chose de terrible venait de se produire. J'étais assis sur ses genoux et elle me berçait. Jamais personne m'avait embrassé de cette façon-là. Elle s'est mise à me caresser entre les jambes. J'me sentais pris au piège d'aimer ça. Quand je suis revenu à la maison, j'avais l'impression qu'il y avait une marque sur mon visage et que vous me questionneriez. J'ai eu droit à votre chicane habituelle, pis tu m'as envoyé jouer dans ma chambre. »

Résidence Clair de lune, Trois-Rivières, printemps 2002

Héléna est prostrée devant les mots qui tombent un à un comme la lame d'un hachoir. Son corps est courbé vers l'avant et son bras droit serre la ridelle de métal. Le choc est intense. Sa respiration est ténue, perceptible au sifflement de ses bronches. Ses yeux cherchent dans les souvenirs une explication à ce qu'elle entend. Ils valsent d'un côté à l'autre, perdus dans sa propre histoire.

Huguette n'a plus de salive. Devenue auditrice, elle a perdu son pouvoir d'attraction. Le fils a désamorcé le manuscrit. Il reste ouvert sur ses genoux pareil à un oiseau mort. Ses entrailles mises à jour ont révélé une pourriture inattendue. Le fils la montre du doigt comme s'il se libérait d'une souffrance trop longtemps portée.

«Version de Jean», La Tuque, 1958

«De la mort de mon père, j'ai pas beaucoup de souvenirs. Un cercueil fermé, des gens qui me mettaient la main sur l'épaule en s'apitoyant et le trou au cimetière autour duquel la famille était réunie. Cet été-là, y m'avait promis de me laisser tirer un lièvre au fusil, quand on irait chasser à l'automne. J'avais redressé les épaules, tout fier. À huit ans, il me traitait comme un homme. Si y avait su que la voisine m'avait offert le privilège avant lui, y aurait déchanté.

J'étais devenu le fantasme de Louise. Seul avec elle, je perdais tous mes moyens. Je passais sans transition de la joie au plaisir et à la honte qui m'empêchait de parler, puis à la peur de la faire mourir. Elle insistait pour que je reste à coucher sans que tu y voies rien de mal. Elle m'obligeait à dormir avec elle. Elle me parlait continuellement de son Denis tout en me tripotant. J'en faisais des cauchemars.

Je pouvais ben être dans la lune quand j'étais à l'école. J'pensais juste à ça. Louise avait pas toute sa tête. Il y en avait une partie qui était restée dans la tombe de son fils. Des fois, elle m'appelait Denis avec tendresse et me serrait contre elle en pleurant. Ça a duré des années. Sans que personne s'en aperçoive ! Tu te rends compte ? J'étais prisonnier de cette femme-là.

J'comprends aujourd'hui pourquoi tu voyais rien. Tout ce qui t'intéressait, c'était de te débarrasser de mon père pour refaire ta vie avec l'autre, le gars du Wayagamac. C'est ça que j'comprends de ton hostie de livre ! Moé, j'étais le fils encombrant, que tu poussais dans les bras de ma grand-mère ou dans ceux de la voisine. À t'écouter raconter ton histoire, y a juste une étoile dans le ciel : la tienne !

J'ai toujours pensé que t'étais responsable de la mort de Louise parce que tu savais pour elle pis moé. Je pensais que tu t'étais vengée. Mais non, c'était pour protéger TON secret ! Peux-tu t'imaginer comment j'me sentais coupable ? Je croyais que ma mère avait tué quelqu'un par ma faute. Parce que j'avais jamais eu le courage de réagir avant !

— Mais pourquoi t'as risqué ta vie pour elle, d'abord ? demande Héléna dans un souffle.

Quand j'ai voulu la sauver du feu, j'ai d'abord agi par réflexe. Mais j'avais aussi dans l'idée que j'pouvais pas la laisser brûler, parce que si elle mourait, ce serait de ma faute. Elle me l'avait assez dit. J'avais rien que ça dans la tête en entrant dans la maison. J'le savais pas qu'elle avait un cancer, mais j'voyais ben qu'elle était malade parce qu'elle prenait beaucoup de médicaments. Je suppose que je la haïssais pas assez pour la voir mourir comme ça. J'ai lu qu'une victime peut développer une espèce de lien avec son bourreau. J'sais pas si c'est vrai, ces affaires-là, mais quand je la tirais vers la porte, je voulais pas qu'elle meure. Je m'étais éloigné d'elle à mes dix-sept ans. Un peu après qu'elle a commencé à être malade.

Elle s'était jamais remise de la mort de Denis. Ça l'avait rendue folle.

Je pense que c'est ça qu'elle voulait te dire. Tu trouves pas ça ironique? Elle avait le même but que toé en écrivant ton livre: se libérer d'un gros poids. J'me rends compte qu'elle était comme moé, elle était pas capable d'en parler! J'ai essayé de suivre des thérapies. Y a rien qui a marché. J'ai traîné ce maudit boulet-là toute ma vie!»

෴

Héléna croyait ne plus avoir de larmes. Sa peau est sèche, sa gorge rugueuse. Pourtant, au creux de sa main ouverte posée sur le drap, elles tombent une à une. Inutiles, futiles, maintenant que tout est consommé. Le bras qui la soutient à la ridelle tremble.

Huguette s'approche et l'aide à se recoucher. Elle éponge les joues de son amie à l'aide d'un papier-mouchoir.

— Veux-tu que je fasse quelque chose? lui demande-t-elle à l'oreille.

— Reste là...

— Je vais aller me chercher un café, dit Jean en s'éloignant.

Héléna cherche à se rappeler pourquoi elle n'a rien vu. Louise était si gentille. Toujours prête à lui donner un coup de main. C'est vrai qu'elle était nostalgique par moments. Dépressive, par bouts. Qui ne le serait pas après avoir perdu un enfant? C'est aussi vrai qu'elle insistait pour garder Jean à coucher. Héléna pensait que ça lui faisait du bien d'avoir un enfant à la maison. Elle lui offrait des cadeaux parfois, même si elle n'était pas très riche. Elle lui faisait des compliments, le serrait, l'embrassait sur les joues. Elle en avait été témoin. C'était une femme. Il n'y avait rien de mal dans tout ça.

— Comment j'ai fait... pour pas voir, Huguette?

— De la même façon que les autres ont jamais vu qui t'étais vraiment.

— Ma vie me fait mal, Huguette! C'est le temps que je meure.

CHAPITRE 31

Résidence Clair de lune, Trois-Rivières, printemps 2002

Dans le coin de la chambre, Marie-Jeanne est debout. La main dans son tablier brodé, elle a l'air déçue. « Je te l'ai dit ben des fois que ton gars était trop renfermé. Tu m'écoutais jamais ! » Héléna proteste : « Comment j'pouvais savoir ? Il disait rien. » « Une mère, c'est censé comprendre ses enfants », réplique Marie-Jeanne en levant son index devant elle. « Vous pouvez ben parler, vous avez jamais rien vu de ce qui me concernait ! »

Yvonne est près d'elle. Son visage de lune lui sourit. « Ben moé, J'AURAIS PAS PENSÉ ÇA ! De la part d'une femme ! C'EST VRAI QU'ELLE L'AIMAIT PAS MAL, TON GARS. On aurait dit que C'ÉTAIT LE SIEN. PIS A LE GARDAIT PAS MAL SOUVENT ! C'EST BEN SIMPLE, J'EN ÉTAIS QUASIMENT JALOUSE ! Mais ça avait pas l'heur DE TE DÉRANGER, ça fait que J'M'EN MÊLAIS PAS. Tu m'avais pas déjà DIT QU'EDMOND T'AVAIT REPROCHÉ DE TROP LE FAIRE GARDER ? »

« Tu le vois ben, aujourd'hui, que j'étais pas si pire que ça. » Edmond est de l'autre côté du lit. Il est pareil à celui qui la courtisait à la cantine de l'usine : jeune, beau et amoureux.

Héléna ferme les yeux et essaye de ramener le lac. Avant que sa fuite ne tourne au cauchemar. Fabi est dans la chaloupe. Elle a sa plus belle robe fleurie et un ruban dans les cheveux. Elle lève une main vers elle. Un moignon auquel il ne reste que trois doigts. « Ça t'apprendra à me voler mon *chum* ! », dit-elle avec son plus beau sourire.

Derrière elle, un corps flotte à la surface du lac. Josette lève sa tête gonflée par son séjour au fond de l'eau. « Chacun son châtiment. » Plus loin sur le quai, Francis pleure, accroupi dans la neige. De détresse, il l'appelle à son secours. Héléna court vers lui, mais son image s'éloigne de plus en plus.

— Héléna ! Héléna ! J'suis là ! dit Huguette à l'oreille de son amie.

— Ah ! C'est toé, reste là.

— Veux-tu que je fasse quelque chose ? T'as pas l'air ben. T'as les mains toutes froides.

— Va dire à l'infirmière que c'est le temps. J'vois des affaires bizarres.

— Le temps pour quoi ?

— Le temps que je m'efface.

— Tu veux pas que je finisse ton livre ?

— Ça sert pus à rien. Jean a tout dit… J'pensais qu'en lui avouant l'existence de l'autre cachée au fond de moé… ça me libérerait. J'm'aperçois qu'y a des prisons dont on sort jamais !

— T'as fait ce que tu pensais être le mieux, dit Huguette pour la rassurer.

— Non, y a raison… J'ai rien fait… Je l'ai abandonné aux mains d'une folle qui lui a fait du mal pendant des années.

— Héléna, c'est à toé qu'il faut que tu pardonnes en premier.

— Va chercher l'infirmière !

Huguette sait depuis le début que ce moment va arriver. C'est idiot d'aimer une femme qui va mourir. Pourquoi s'intéresser à celle-ci qui, de surcroît, se prétend une criminelle ? Béatrice était aux antipodes d'Héléna. Elle était une femme posée, aimante, équilibrée, qui n'aurait pas fait de mal à une mouche. Elle ne traînait pas de squelettes dans son sillage. Son seul regret était de ne pouvoir vivre son amour au grand jour. Par cet aspect, sa vie croisait celle d'Héléna. Toutes deux vivaient sur un autre versant d'elles-mêmes, qui ne pouvait s'exposer en société. Huguette avait été fascinée par ce manuscrit à la calligraphie appliquée. Il était à la fois le rempart et le pont-levis qui la séparaient d'Héléna. En lui en donnant l'accès, son amie lui ouvrait son cœur dans ce qu'il a de plus secret. L'amour ne peut que s'épanouir d'une telle semence.

— Qu'est-ce que t'attends ? demande Héléna d'une voix tremblante.

— Si j'avais quelque chose à te pardonner, j'le ferais, dit-elle fièrement.

— T'es là… C'est ben assez. Fait que vas-y, pendant que j'suis décidée! Y a pas de soleil dehors. Il pleut.

— Oui. C'est verglaçant. Le printemps est là. J'y vais.

൏

— Comment ça, faut attendre? s'exclame Huguette.

— Je vous l'ai dit, on manque de morphine. Ça adonne qu'on a eu trois décès cette semaine, pis avec les prescriptions régulières, on est juste. Il y a une dame qui refusait de mourir. On lui a fait des injections pendant quatre jours. Notre réserve est trop basse, la pharmacie en a pus. Je pourrais lui donner une dose pour la nuit.

Huguette toise l'infirmière-chef qui se retranche derrière son autorité à mesure que le ton monte. Elle comprend maintenant pourquoi l'établissement est sous le couvert d'une enquête de la part du Ministère. Il est clair que la résidence Clair de Lune a le ciel obscurci. Jean apparaît dans l'embrasure de la porte du bureau, un café à la main.

— Qu'est-ce qu'il y a? demande-t-il poliment.

L'infirmière se lève de son siège devant l'arrivée du renfort. Ses joues se colorent d'un ton. Sa respiration s'accélère.

— J'essaye d'expliquer à madame Lafrenière que nous manquons de morphine. Même si le médecin l'a prescrite au besoin, c'est impossible d'en donner à votre mère.

— J'comprends pas, dit Jean en les regardant tour à tour.

Huguette répète qu'Héléna est prête à mourir et qu'on manque de médicaments. Le fils est ébranlé devant l'inévitable nouvelle. Le moment de l'ultime séparation approche. Malgré son ressentiment, il se sent désemparé. Son imagination s'est alimentée de funérailles et d'enterrements, mais elle ne sait rien du passage de la vie à la mort. Aussi peine-t-il à saisir le différend qui oppose l'infirmière à la lectrice.

— Je vais appeler au centre hospitalier, ils en ont peut-être reçu, propose l'infirmière-chef peu convaincue.

Pendant qu'elle s'exécute, Huguette se tourne vers le fils.

— Votre mère souffre. Elle a demandé qu'on lui donne de la morphine selon la prescription du docteur. L'infirmière a dit que c'était une injection aux demi-heures. Avec ça, elle va pas reprendre connaissance.

— Ouais… Si c'est ce qu'elle veut…

— Sauf qu'il paraît qu'ils en ont pas assez. Ça a-tu de l'allure ? C'est pas comme de manquer de patates dans la cuisine. Héléna peut pas rester comme ça !

— Énervons-nous pas, il doit ben y en avoir quelque part.

L'infirmière raccroche le combiné.

— On me dit qu'on pourrait en avoir plusieurs doses au Pavillon Sainte-Marie. Il s'agit de trouver quelqu'un pour aller les chercher.

— J'vais y aller, moé, propose Jean.

— C'est impossible. Vous êtes pas autorisé à transporter des médicaments, s'empresse d'opposer l'infirmière. Je vais voir avec notre préposé, Michaël. C'est le seul que je peux libérer à cette heure-ci.

Elle se jette à nouveau sur le téléphone et, après une brève conversation, déclare que Michaël a un pépin : il a laissé sa voiture au garage pour une réparation et s'est rendu au travail en autobus. Sans hésiter, Jean propose de l'y emmener.

൭൭

— Dans ce cas-là, ça devrait aller. Inquiétez-vous pas, madame Martel. Ça va ben se passer.

Héléna est agitée. La révélation de son fils a brisé le barrage qui retenait son mal. Elle répond aux questions de l'infirmière et ses yeux passent de l'un à l'autre sans accoster. Le temps est venu de retrouver ses fantômes. Saura-t-elle les convaincre qu'une part d'elle-même n'a rien voulu de tout cela ? Que les circonstances ne lui ont offert qu'une fuite factice qui s'est enlisée dans de sombres secrets ? Elle sera la dernière de sa famille à mourir. Georges est décédé en Abitibi des suites d'une maladie contractée dans une mine. Yvonne a eu un AVC. Elle était assise au soleil, dans sa chaise berçante, sur sa galerie. Elle attendait sa sœur. Sa sacoche était à ses pieds. Sur ses genoux, son album de photos était ouvert sur un cliché, couleur sépia, montrant trois petites filles souriant à pleines dents. Aucune d'elles ne savait ce que leur réservait la vie. Après l'enterrement, Héléna a vendu sa maison et s'est installée à Trois-Rivières. Le reste n'a été qu'une longue attente pour retrouver son fils. Le manuscrit se sera retourné contre elle. Là où elle croyait dévoiler le pire, l'abject est apparu comme une tache d'encre qui ne cesse de s'agrandir en recouvrant tous ses mots d'une chape de noirceur.

— …la dose prescrite est pas mal plus forte que vos pilules. On va vous en donner toutes les trente minutes. Comme on en a pas beaucoup, votre fils va aller en chercher à l'hôpital. Voulez-vous qu'on attende qu'il revienne avant de commencer ?

— Ça va-tu être long ?

— Une petite heure. Je pense pas qu'il y ait trop de trafic.

— OK. J'y vais, dit Jean. Michaël m'attend à l'entrée. Avant, je vais juste prendre du sucre pour mon café à la cuisine.

— Attendez, intervint Huguette, il y en a dans le tiroir de la table de chevet.

Pendant que l'infirmière-chef finit son examen et note les résultats sur sa tablette, Huguette tend les sachets à Jean, qui les dépose sur le couvercle de son gobelet. Héléna semble combattre ses fantômes à nouveau. Elle agite la tête et murmure des mots incompréhensibles.

— C'est bon. J'serai pas long, dit le fils en s'approchant de sa mère.

Soudainement confronté à la mort imminente d'Héléna, il ravale son émotion. Il prend la main amaigrie et le souvenir de sa mère souriante lui revient en mémoire. Le soleil allumait des paillettes d'or dans ses cheveux, alors qu'elle se penchait au jardin pour jouer avec lui. Elle inventait un lac, dans un coin de sable, et les plants de patates devenaient des arbres majestueux. Elle construisait une cabane de sorcière avec une grosse pierre et racontait l'ours qui rôdait tout autour. Sans rien savoir de l'avenir, Jean y allumait un feu imaginaire et l'éteignait avec son camion de pompier. La sorcière disparaissait et sa mère reconstruisait une maison branlante faite de morceaux de bois. Elle tenait debout grâce à leurs efforts conjugués. Il ne reste plus de temps pour construire.

— J'suis là, maman… Tu pouvais pas savoir pour Louise. On a assez payé tous les deux.

Héléna presse la main de son fils et sourit faiblement. Celui-ci se retire en emportant, sur un papier, l'adresse du Pavillon Sainte-Marie.

— Voulez-vous qu'on avertisse quelqu'un d'autre, madame Martel ? demande l'infirmière-chef gentiment.

— Hein ? Quoi ? Non. J'ai retrouvé mon fils, pis j'ai Huguette, mon… amour.

Madame Lafrenière se met à pleurer en silence. L'infirmière sort à son tour.

— Attends que je sois morte pour pleurer. Lis-moé la fin de mon livre. Juste la dernière partie.

CHAPITRE 32

La Tuque, août 1979

Yvonne venait de mourir. Elle avait soixante-six ans. On l'a mise en terre à côté de son Antoine. Un minuscule caillot lui était monté au cerveau. Il était risible de constater qu'une femme de sa stature avait pu être terrassée par une grenaille de sang coagulé. Mais je me consolais en me disant qu'elle n'avait pas souffert. Elle s'était éteinte au soleil avec la photo de ses sœurs sur ses genoux.

— J'pense qu'on a tout mis, madame Martel.

— Je vais jeter un dernier coup d'œil, dis-je en entrant une dernière fois dans ma maison.

Les deux hommes refermèrent la porte arrière du camion dans un bruit de ferraille. Tous mes biens y étaient entassés. Il ne me restait qu'à prendre place à l'avant avec eux et à fuir vers Trois-Rivières. Sans ma sœur et mon fils, la ville ne présentait plus d'intérêt.

Une maison vide est pareille à un livre dont il ne reste que l'enveloppe. En le regardant, on peut s'imaginer toutes les histoires que l'on veut. En y vivant, on y inscrit les siennes. En la quittant, on y laisse nos fantômes. J'y entendais parfaitement les rires de nos réunions de famille, les mots doux et les insultes de mon mari, les prières chuchotées par Marie-Jeanne dans sa berceuse, mes angoisses et ma tristesse d'avoir perdu Matthew et mon fils. Cette petite maison n'était plus qu'une carcasse, que le jeune couple qui l'avait achetée remplirait de ses propres récits.

Je laissai ma clef sur le comptoir, près de l'évier, et ressortis en fermant derrière moi. Le camion ronronnait. Je montai à l'avant avec les deux déménageurs. Je ressentais le même accablement que lorsque j'avais quitté le lac avec ma mère. J'avais la même impression de fuir sans avoir personne d'autre à mes trousses que moi-même. Cette autre Héléna, que je n'arrivais jamais à distancer. Je savais qu'elle venait avec moi. À Trois-Rivières ou ailleurs, elle se tiendrait dans l'ombre jusqu'à ce que l'envie lui reprenne.

En surplomb de la rivière Saint-Maurice, avant la bifurcation pour le lac à Beauce, je demandai au chauffeur de ralentir. Deux chevaux couraient dans un champ vallonné.

— Vous aimez les chevaux? demanda celui qui tenait le volant.

— Oui, j'en avais un quand j'étais petite.

— Vous restiez sur une ferme?

— Non, j'habitais au paradis.

— Au paradis? répéta-t-il, sceptique devant mon allure et l'ameublement qu'il transportait.

— Ça existe. J'y suis retournée une fois, à cheval, avec un prince, ajoutai-je.

— Vous devriez écrire des livres ! se moqua-t-il.
— Peut-être. Je vais y penser.

Résidence Clair de lune, Trois-Rivières, printemps 2002

— C'est tout ? demande Huguette en refermant le manuscrit.

— J'ai pensé que c'était le plus important. Pour le reste, j'ai jamais su la contrôler vraiment. Avec le recul, j'me suis aperçue que mon autre femme était comme une espèce de lune. Elle brillait par cycles d'à peu près quinze ans. Elle se taisait pendant des années parce qu'elle le voulait, pas parce que je le décidais. Regarde-moé. J'veux mourir, mais elle veut pas. Elle me met des bâtons dans les roues.

— Voyons, Héléna. C'est pas de ta faute s'il y a un manque de morphine. J'suis sûre que ton gars va faire vite pour en rapporter.

— C'est parce que tu la connais pas… Mais j'ai pris mes précautions. Regarde dans mon tiroir, pis passe-moé les sachets de sucre.

— Y en a pus. J'les ai donnés à ton gars, tantôt, dit Huguette en refermant le tiroir.

— T'as pas fait ça ! Y en a un qui était rempli avec de la morphine. J'avais écrasé les pilules pour moé. Pour en finir vite !

— Mon Dieu ! Ton gars va mettre de la morphine dans son café ! Il peut avoir un accident. C'est glissant dehors. Faut que j'le rattrape ! s'affola Huguette en se précipitant hors de la chambre.

Elle évalue que le fils a cinq minutes d'avance. À son âge, la course est à déconseiller, aussi marche-t-elle à la limite de ses capacités. L'escalier lui rappelle que sa hanche est arthritique et que les marches sont un obstacle.

Au rez-de-chaussée, les groupes commencent à se former pour le dîner. Madame Gervais émerge de l'un d'eux et l'attrape par un bras.

— Huguette ? Comment va madame Martel ?

— J'ai pas le temps ! dit-elle en essayant de se dégager.

— C'est-tu vrai qu'elle a demandé à mourir ?

— Si vous le savez, pourquoi vous le demandez ?

— Vous êtes ben bête à matin !

— C'est une question de vie ou de mort.

— Comment ça ? A veut-tu mourir, oui ou non ?

— Vous avez pas vu un grand barbu ?

— Oui. Tantôt. Il est allé vers la sortie.

Huguette reprend sa marche précipitée sous les regards curieux de plusieurs résidents. Sans hésiter, elle franchit la porte et le hall d'entrée pour se retrouver à l'extérieur. Du haut des quelques marches, elle inspecte la rue des deux côtés et se rend compte qu'elle ne saurait même pas reconnaître l'auto de Jean. L'air est frais et elle croise les bras. Dépitée, elle réintègre le vestibule pour s'apercevoir que Jean Fournier est appuyé au comptoir de la réception. Il a le dos à demi tourné et il discute avec la réceptionniste. Dans son empressement, elle ne l'a pas vu.

Elle distingue clairement le café posé près de sa main. Il s'apprête à enlever le couvercle du gobelet de styromousse. Huguette tente de composer son code sur le clavier au mur. Ses doigts s'emmêlent dans les chiffres qu'elle se répète à la queue leu leu. La porte refuse de s'ouvrir. Elle cogne sur la vitre et agite les bras. Une résidente, voyant son affolement, vient à sa rescousse et pousse le battant. Sa lenteur est exaspérante. Jean lui fait un signe de tête et verse un sachet dans son verre.

Sitôt entrée, Huguette pousse un cri strident. Les quelques personnes présentes la regardent d'un drôle d'air. Jean se retourne d'un bloc et l'examine. Elle s'avance vers le comptoir en ravalant sa salive.

— J'vous pensais parti, dit-elle en s'adressant à Jean.

— Y a quelque chose qui va pas? Vous êtes toute rouge.

— C'est ma pression. Vous êtes pas allé au Pavillon Sainte-Marie?

— Ben non, quand je suis passé, madame la réceptionniste m'a arrêté. Il paraît qu'une pharmacie de Trois-Rivières-Ouest a finalement trouvé de la morphine. J'attends le livreur, il est en route. Il devrait arriver d'une minute à l'autre.

Huguette pose ses deux mains sur le rebord du comptoir qui lui arrive à la poitrine. Jean vient d'utiliser le bâtonnet de plastique pour remuer son café. Elle n'a plus le choix. Elle se penche vers la réceptionniste pour lui exprimer son soulagement et, d'un geste maladroit, elle renverse le gobelet. La réceptionniste pousse un cri d'effroi en soulevant une pile de dossiers d'une main et de l'autre, le courrier du jour. Jean étire le bras vers une boîte de papiers-mouchoirs et s'empresse d'éponger la flaque qui s'élargit.

— J'suis vraiment désolée, répète Huguette à plusieurs reprises.

— Ça va aller, réplique Jean. J'vais y arriver. Il y a pas trop de dégâts.

— J'suis énervée à cause d'Héléna, pis de la morphine.

— Ben, calmez-vous! dit la réceptionniste. Une chance que ça a pas tombé sur mon ordinateur!

— Je vais aller vous en chercher un autre à la cuisine. Moé aussi, j'en prendrais un. Pis vous? interroge Huguette à l'intention de la jeune femme qui réaménage le dessus de son bureau.

— J'pense que j'ai assez vu de café comme ça!

— Vous aviez mis deux sucres dans votre café, monsieur Fournier? demande Huguette.

— Un et demi.

— J'vous apporte ça! dit Huguette, soulagée d'apprendre que la morphine était dans le café répandu.

Elle s'éloigne pendant que le timbre sonore de la porte d'entrée fait taire les jérémiades de la réceptionniste.

— Tiens, v'là votre morphine, dit la jeune femme. Je m'occupe de la paperasse. Vous pouvez monter ça à l'étage et la remettre à l'infirmière-chef, s'il vous plaît ?

— Je m'en charge, dit Jean.

— C'est aussi ben que ce soit vous ! rétorque la réceptionniste assez fort pour être entendue de madame Lafrenière.

ɷ

Héléna est à moitié soulagée. Cette fois, ce n'est pas l'autre qui décide de qui va mourir. C'est elle. Mais est-ce bien une victoire ? N'aurait-elle pas dû le faire bien avant ? Au moment où Matthew a cessé d'exister pour elle ? Pourquoi n'avait-elle pas eu ce courage ? Cela aurait épargné son fils. Peut-être qu'Yvonne en aurait pris soin et l'aurait rendu heureux. Tout aurait été différent pour lui. Elle aurait dû raconter cette histoire-là. Taire ses crimes et ne parler que de l'amour. Se mentir à elle-même jusqu'à la fin, plutôt que d'en voir l'aboutissement lui échapper. Les mots que l'on choisit ne savent pas tout dire. Ils cachent des silences effrayants qu'il vaut mieux ne pas écouter. Comme en ce moment, où le regard de son fils est ancré dans le sien. Aucune parole ne pourrait effacer leur histoire. Ni excuse ni regret ne sauraient en diminuer l'odieux. Ne reste à échanger que le lien profond qui les a unis, celui d'une mère qui a bercé son enfant. Elle veut retrouver, dans les derniers instants, ce qui a été la quête de sa vie, ce pour quoi elle a consacré des heures à aligner les mots sur le papier. Elle veut ressentir qu'un peu d'amour existe encore sur la passerelle qui la relie à son fils. Elle s'accroche aux yeux de Jean pour emporter ce qui reste d'attachement. Pour que les bribes de souvenirs heureux soient les dernières images qui l'accompagnent.

Huguette ne peut retenir ses larmes. La lectrice n'est plus qu'une observatrice. L'aboutissement n'était pas prévisible. La vérité a coulé le navire avant qu'il n'accoste. Le temps des « au revoir » est consommé. Sa mission prend fin sur une scène non écrite.

Héléna somme l'infirmière-chef de s'exécuter. L'aiguille s'enfonce dans le bras. Un dernier regard pour Huguette. Un sourire triste pour cette compagne fidèle qui a su l'aimer telle qu'elle était. Puis le corps se détend.

— Vous allez vous sentir bien, madame Martel, ça agit vite, annonce l'infirmière.

Héléna ne reprendra plus connaissance. De demi-heure en demi-heure, le rituel de l'aiguille va se répéter. Jusque tard dans la nuit, le souffle va s'acharner. En sifflant et en râlant, il va s'accrocher à la vie. Le cœur va tenir en bon capitaine. Il y aura bien quelques spasmes, mais la mort fera lentement son nid dans un masque cireux.

Les heures s'égrènent en marge du quotidien qu'on entend derrière la porte close. Huguette mouille les lèvres de son amie à intervalles réguliers. Elle murmure à l'oreille des paroles d'encouragement. Le fils a cessé de croire depuis longtemps qu'elle a conscience de leur présence. L'infirmière prétend le contraire. Chacun reste sur ses positions sans argumenter.

— C'est la première fois que je vois mourir quelqu'un. J'pensais pas que ça durait si longtemps.

Jean est assis face au lit. Il vient de parler pour lui-même. À mesure que le temps passe, il perd de son indifférence. Huguette n'a pas essayé d'engager la conversation. À part le va-et-vient sur l'étage, il n'y a que les râles de son amie pour briser le silence. Aussi réguliers qu'un métronome, ils aspirent la vie pour la rejeter aussitôt.

En milieu de soirée, Gaétane, la préposée, madame Gervais et deux autres partenaires de cartes ont déposé quelques larmes et une dernière prière à son chevet. Puis le vide, que Jean a essayé de remplir.

— Pensez-vous qu'elle souffre ?

— Je crois pas, dit Huguette sans trop de conviction.

— J'ai l'impression qu'elle va se mettre à hurler avec la bouche grande ouverte, comme ça. Ce serait plutôt à moé de le faire. Même que j'aurais dû le faire ben avant…

— Avez-vous déjà vu le tableau intitulé *Le Cri* ? demande-t-elle.

Jean se contente de hausser les épaules. Le feu, sous sa barbe, semble s'être apaisé, tout comme ses gestes, qui ont perdu de la vigueur.

— Le visage de votre mère ressemble de plus en plus au personnage de ce tableau. Il est d'un artiste norvégien, Edvard Munch. J'ai vu l'original, lors d'une exposition au Musée des beaux-arts, à Montréal, avec Béatrice. Il suffit de le voir une fois pour qu'il nous reste dans la tête. La bouche est un trou sombre. Les couleurs nous aspirent. C'est un tableau qu'on entend. C'est un cri silencieux.

— Béatrice, c'était votre…

— Amoureuse, oui. Elle est partie trop vite.

— Vous étiez là quand elle est morte ?

— Non. Je l'ai vue quand c'était fini. Mais j'ai été là jusqu'au dernier souffle pour mon père et pour ma mère. On s'habitue pas.

L'infirmière-chef revient au petit matin, la seringue à la main. Elle caresse les cheveux de la mourante. Elle la réconforte de mots inutiles avant de lui injecter une autre dose.

— Ça dure combien de temps, habituellement ? s'informe Jean.

— C'est différent pour chaque personne. Quand le temps est venu, l'âme s'en va d'elle-même, dit l'infirmière.

— Héléna a l'air assez résistante. Elle est dans le même état qu'en fin d'après-midi hier, constate Huguette.

— Le cœur va finir par lâcher, ajoute la jeune femme, cette fois avec moins d'assurance.

— Vous savez, elle était prête à mourir, risque Huguette du bout des lèvres.

— Regardez-la. Je suis certaine qu'elle souffre pas. Je vais revenir dans une demi-heure.

De toute évidence, elle ne connaît rien du tableau dont Huguette a fait allusion devant le fils. Comment peut-elle prétendre qu'Héléna ne lutte pas pour en finir ? Dans cette bâtisse, le trépas est une procédure. On se protège en se bardant de croyances. On se ment pour apprivoiser la mort.

— Vous pourriez lui demander, vous. Vous êtes son fils, dit Huguette avec un malaise évident.

— Lui demander quoi ?

— D'en finir. D'augmenter la dose. La prescription le permet. C'est sûr qu'elle se réveillera pus. Elle était décidée… C'est ça qu'elle voulait.

Il n'ajoute rien. Il baisse la tête. Il suppute la décision. La mort est imminente. Doit-il la laisser se débattre avec ses fantômes ? Sont-ils près d'elle en ce moment pour lui demander des comptes ? À quoi cela servirait-il ?

Il sort et revient avec l'infirmière, qui porte deux seringues. Huguette s'approche du lit et prend la main d'Héléna. Il faudra encore quelques doses avant que le souffle ne s'éteigne. La mâchoire inutile s'affaissera sur le cou. Huguette pleurera un amour impossible. Le fils pleurera la mère qu'il a déjà eue.

CHAPITRE 33

Wayagamac, fin juillet 2002

La chaloupe avance le long de la berge. Le soleil prend appui sur la montagne. Il aspire la brume matinale. Tenant la barre du moteur électrique, Jean manœuvre en gardant l'œil sur le rocher. Le dos d'hippopotame est bien là, comme l'avait écrit Héléna, s'avançant dans le lac, sans doute plus garni qu'à l'époque.

Huguette tient l'urne entre ses jambes. Face au large, elle comprend la fascination qu'avaient Héléna et sa sœur Fabi pour ce lac. Il repousse l'horizon jusqu'aux montagnes. Ici, le temps n'a plus la même valeur. Il semble suspendu dans l'incessant mouvement des vagues.

Le moteur s'éteint et l'embarcation glisse jusqu'au-devant du rocher. En dessous, l'eau est noire. « Une fosse », disait Héléna. Profonde. Un endroit tranquille pour écouler l'éternité.

— Vous avez pas froid ? s'enquit Jean.

— Ça va. Le soleil se réchauffe. Il est quelle heure ?

— Huit heures douze.

Huguette sort la montre de sa poche. Elle caresse la vitre fêlée et le cuir du bracelet à moitié rongé par le feu. Huit heures seize.

— Elle l'a portée jusqu'au jour où elle vous a perdu. Elle a jamais remis le temps en marche. Peut-être qu'elle aurait dû. Tout le reste serait pas arrivé. Qui sait, elle pis moé, on aurait pu se croiser ailleurs que dans un livre.

Elle ouvre le couvercle de l'urne et y place la montre. Les cendres du manuscrit y sont déjà.

— Vous voulez dire quelque chose? demande-t-elle à Jean sans se retourner.

Il agite ses larges épaules en fixant le fond de la chaloupe. Devant le silence, Huguette s'approche du bord et tient l'urne au-dessus de l'eau.

— Attendez! dit-il enfin. Je crois pas que ma mère m'a jamais fait de mal volontairement. Elle savait pas ma souffrance, comme j'ai jamais compris la sienne. Je pense aussi qu'elle avait du talent pour raconter des histoires. Je me souviens d'elle quand elle sarclait son jardin en chantonnant. Des fois, elle s'assoyait près de moé entre les rangs d'oignons. Elle se mettait à jouer. Elle voyait comme moé courir des ours et des orignaux imaginaires. Elle poussait mes camions et mes autos en imitant le moteur. Y avait toujours un grand lac. Elle en parlait avec des mots d'amour. C'est à cette mère-là que je repense parfois. C'était avant... Mais ça a existé! Pour le reste, j'aime mieux penser qu'elle avait l'imagination... d'une écrivaine.

Huguette relâche ses mains et l'urne s'enfonce en éclaboussant la chaloupe. Le couvercle se soulève et le lac réunit le souvenir des deux sœurs.

— On peut y aller, annonce-t-elle le cœur serré.

La chaloupe vire lentement de bord. À mi-chemin du quai, Huguette se retourne et croit distinguer, dans la silhouette réunie d'un jeune sapin et d'un buisson, une femme assise et l'autre debout derrière elle. Elle peigne sa chevelure et toutes deux rient comme s'il n'y avait jamais eu de vie à traverser.

La Tuque, octobre 2002

— J'vous ai sorti les parutions du journal que vous cherchiez, madame. C'est pas souvent qu'on vient fouiller là-dedans. Y a un peu de poussière. On est supposés numériser tout ça, mais c'est toute une *job*!

— C'est pas grave, merci. Vous êtes ben fin.

Huguette parcourt les vieux journaux jaunis que le responsable du journal de La Tuque a placés sur une table. Il se charge de tourner les pages avec précaution, car le papier est devenu fragile avec le temps. L'homme les a extirpés de boîtes de carton empilées dans une pièce à l'arrière de l'imprimerie. Après avoir parcouru quelques exemplaires, tous deux dénichent un article de 1940 racontant la noyade de Josette Gagné et les circonstances nébuleuses qui ont entouré l'enquête. Un autre datant de 1958 parle du décès d'une femme dans son bain. L'enquête avait conclu à un accident, malgré l'étrange plat de verre brisé près du bain et la porte de la maison laissée entrouverte. Rien sur l'accident d'Edmond, à part une mention dans la nécrologie.

— Vous connaissiez ces gens-là? demande le responsable.

— Pas vraiment. C'est une longue histoire.

— Je vous fais une photocopie?

— Ce sera pas nécessaire.

— Je vais vous demander de signer notre registre.

— Vous tenez un registre? s'étonne Huguette.

— Oui, depuis 1977. C'est une idée de mon prédécesseur. Y avait engagé des étudiants en histoire pour un travail d'été. Y ont mis sur pied les bases de ce qui est devenu, plus tard, la Société de généalogie de la Mauricie. Une de leurs recommandations, c'était de tenir un registre des consultations. Ils pensaient que ça pourrait avoir son utilité pour avoir des subventions du gouvernement.

— Je peux le consulter?

— Ben sûr, madame.

Huguette parcourt le livre cartonné à partir du début. Comme elle s'y attendait, peu de gens y ont apposé leur signature. À l'année 1980, elle repère sans peine la calligraphie soignée du manuscrit qu'elle a lu pendant des semaines. Il y a plus de vingt ans, Héléna s'est assise à la même table qu'elle. Songeuse, elle referme le registre.

Huguette remercie et sort sur la rue Commerciale. L'air lui fait du bien, malgré l'odeur âcre provenant de l'usine de pâtes et papiers. À quoi lui a servi cette démarche ? Elle sait maintenant que certains personnages ont existé. Cela ne prouve rien. Héléna a pu consulter les journaux pour se rafraîchir la mémoire sur des évènements historiques. À moins qu'elle y ait puisé son inspiration, comme beaucoup d'écrivains ? De toute façon, le manuscrit est au fond du Wayagamac. Peut-être Huguette voulait-elle douter, comme le fils, de sa véracité, pour croire qu'en d'autres temps, son amour pour Héléna aurait pu exister ?

Elle referme le col de son manteau et se rend au terminus d'autobus. Elle sait que sa rencontre avec cette femme n'aura pas été vaine. Elle lui aura permis de retrouver la seconde Huguette, la vraie. Celle qui a maintenant un nouvel appartement à Trois-Rivières, avec un chat et plein de soleil dans son salon. La femme qui s'est inscrite à des cours d'informatique, à un club de marche et à la bibliothèque municipale, où elle fait la lecture aux tout-petits, en acceptant l'amitié franche d'une bénévole. Peu importe le temps qu'il reste, il mérite d'être vécu en étant soi-même. Parfois, quand la nostalgie l'étreint, elle improvise, pour les enfants, l'histoire de deux sœurs, d'un lac merveilleux, d'une métisse et de son arc infaillible, d'un prince charmant et d'une montre magique qui arrête le temps sur un bonheur éternel.

LISTE DES PERSONNAGES

Les noms en caractères gras représentent
les nouveaux personnages du tome 3.

Noyau familial

Martel, Aristide, homme engagé pour l'entretien de la *dam,* décédé au tome 1

Martel, Fabi, ex-guide au club de chasse et pêche du lac

Martel, Francis, ex-militaire et bijoutier

Martel, Georges, il travaille à la *shop*, puis dans une mine

Martel, Héléna, travaille sur la chaîne d'assemblage à l'usine des Brown

Martel, Marie-Jeanne, femme au foyer

Martel, Yvonne, femme de ménage chez les Paterson et téléphoniste

Noyau à la résidence

Béatrice, conjointe d'Huguette, décédée du cancer du sein

Dufour, Claude, inspecteur pour le ministère de la Santé et des Affaires sociales
Gabrielle, nouvelle préposée à la résidence
Gaétane, préposée
Gendron, Madame
Gervais, Rolande
Jacinthe, nouvelle préposée à la résidence
Lacoste, Roméo
Lafrenière, Huguette
Tremblay, Madame
Valois, docteur, médecin à la résidence
Veillette, Madame

Autres personnages

Aline, sœur d'Edmond Fournier
Antoine, mari d'Yvonne
Beaudry, Hermidas, gardien du club
Brown, Allen, fils aîné et grand patron de la Brown Corporation
Brown, Matthew, gère l'usine de La Tuque (et le club avec son frère)
Chouinard, Madame, professeure de Jean
Cyprien, frère d'Edmond Fournier
Delisle, Mikona, métisse
Dionne, Robert, vicaire de La Tuque
Dorothy, amie de Matthew Brown
Duplessis, Maurice, politicien

Durand, Madame, voisine d'Héléna
Durand, Romain, petit voisin qui terrorise Jean
Fournier, Edmond, travaille à la papetière Brown
Fournier, Jean, fils d'Héléna
Géraldine, sœur de Marie-Jeanne, a trois enfants : Alain, Louise, Carmen
Jacob, *chum* de Mikona Delisle
Jeffrey, partenaire d'affaires de la famille Brown
Journeault, Onésime, nouveau maire de La Tuque
Landry, Madame, tient le magasin de tissus
Licao, ami chinois de Francis durant la guerre
Madeleine, femme de Cyprien
Maximilien, ami et fournisseur de Francis
McCormick, Anne Stillmann, « La reine de la Mauricie »
Paterson, Irina, patronne d'Yvonne
Paul, mari de Géraldine
Pettigrew, Albert, partenaire d'affaires de la famille Brown
Picard, Omer, chef de police de La Tuque, décédé au tome 1
Saint-Onge, Denis, fils de Louise
Saint-Onge, Louise, voisine d'Héléna
Scalzo, Monsieur, cireur de chaussures
Soucy, Madame, voisine d'en face sur la rue Roy
Tom, cuisinier du club au Wayagamac
Tousignant, Monsieur, le guérisseur « par l'urine »
Trépanier, François, sergent à la police de La Tuque
Wenceslas, mari d'Aline

Animaux

L'ours
Milou, chien de Jean
Popeye, gros chat de Madame Durand
Ti-gars, le cheval des Martel

REMERCIEMENTS

Comment ne pas remercier ma directrice littéraire, Isabelle Longpré, qui m'a si joyeusement accompagné dans les nombreuses relectures de *La famille du lac*. Sans ses précieux conseils, je n'aurais pas éprouvé autant de satisfaction au terme de l'aventure.

Quant à tous mes proches, je les remercie de croire en moi. L'écriture est un long chemin parsemé de doutes où le moindre encouragement donne la force de persévérer.

DU MÊME AUTEUR CHEZ LE MÊME ÉDITEUR:

La famille du lac. Tome 2 – Francis et Yvonne, 2017.

La famille du lac. Tome 1 – Fabi, 2017.

DU MÊME AUTEUR POUR LA JEUNESSE:

2099, Le frère robotisé, Éditions du Phœnix, 2017.

Le Don de Béatrice 3, La révolte de Gaïa,
illustrations, Mylène Villeneuve, Éditions de la Paix, 2013.

Journal d'un extraterrestre,
illustrations, Félix LeBlanc, Éditions de la Paix, 2013.

Fantôme cherche logis,
illustrations, Normand Thibeault, Éditions de la Paix, 2012.

La pierre tombée du ciel,
illustrations, Paul Roux, Éditions Vents d'Ouest, 2011.

Le Don de Béatrice 2, Le Songe du Rêveur,
illustrations, Jean-Guy Bégin, Éditions de la Paix, 2011.

Le Don de Béatrice tome 1,
illustrations, Jean-Guy Bégin, Éditions de la Paix, 2010.

Cœur académie,
illustrations, Guadalupe Trejo, Éditions du Phœnix, 2007.

OGM et « chant » de maïs,
illustrations, Jean-Guy Bégin, Éditions de la Paix, 2004.

Le violon dingue,
illustrations, Fil et Julie, Éditions de la Paix, 2003.

Sorcier aux trousses,
illustrations, Fil et Julie, Éditions de la Paix, 2002.

Libérez les fantômes,
illustrations, Marc-Étienne Paquin, Éditions de la Paix, 2001.

Achevé d'imprimer le 21 août 2017

Imprimé sur du Rolland Enviro,
contenant 100% de fibres postconsommation,
fabriqué à partir d'énergie biogaz et certifié FSC®,
ÉCOLOGO, Procédé sans chlore et Garant des forêts intactes.

Garant
des forêts
intactes^MC